JN257585

Health Economics

経済学の視点で日本の医療政策を考える

医療の経済学

［第4版］

河口洋行 Kawaguchi, Hiroyuki

日本評論社

［第４版］はじめに

この本を手に取っていただきありがとうございます。2009年に医療経済学の教科書として出版してから10年が経過し、2020年に今回の第４版となりました。ベストセラーよりロングセラーを目指す筆者にとって、定期的にコツコツと改善できることは大きな喜びです。これも、本書を授業で採用していただいた教員の先生方や読者の皆さんのお陰であり、深く感謝申し上げます。

本書は、大学の学部生を想定した医療経済学（Health Economics）の教科書です。ここ数年で、医療経済学の教科書が増えてきています。巻末の「医療経済学を学ぶための読書ガイド」にも詳しくありますが、『健康の経済学』（中央経済社、2018年）、『医療経済学15講』（新世社、2018年）、『新医療経済学』（日本評論社、2019年）、『健康経済学』（有斐閣、2020年）などが挙げられます。優れた教科書が増え、多様な読者が利用できるようになり、比較的新しい学問である医療経済学が発展すると考えています。

様々な教科書の中での本書の特徴は、経済学の理論の精緻さや、その美しい体系の紹介よりも、現実の問題を解決するツール（道具）として経済学を利用している点です。これは、筆者が銀行（旧日本興行銀行・現みずほ銀行）に勤務した際に産業調査部で現場重視の調査を経験したためです。時代の流れとともに産業全体が大きな問題に直面します。その解決には個々の企業努力だけでなく、より大きな視点で解決策を試行錯誤する必要がありました。経済学はこのための非常に有効なツールだと思います。このために、以下の３つの工夫を盛り込んであります。

第一に、読者の興味を引くために現実の医療の問題から各章が始まっている点です。これは、実際に講義をしていると痛感するのですが、従来通り経済理論から始めると、自分に関係ないと感じて途中で興味を失ってしまうためです（睡眠学習に入る学生もいます）。

第二に、上記の問題を俯瞰的に理解してもらうために、経済理論でその仕組みを解き明かしている点です。医療や教育では、個人的な経験や感想をもとにした意見でバラバラな論争が起きがちです。これに対して、個々の立場よりも全体像を重視する経済理論を用いれば、関係者の立場や行動を客観的・構造的に把握することが可能になります。

第三に、上記の経済理論が現実に当てはまっているかについて、かなりの部分を割いてデータ分析の結果で検証しています。この実証研究は、教科書では経済理論の付録のように取り扱われる場合が多いのですが、本書ではむしろ実証研究の結果にウエイトを置き、そこから解決策を論じています。これは、経済学の目的の一つである政府や政治家の「ウソ（思い込み？）」を見分けるためにも有効です。

皆さんが、本書で経済学をツールとして使う「だいご味」を存分に味わっていただけることを願っております。

［第３版］はじめに

この本を手に取っていただきありがとうございます。2009年に出版した本書が、2012年に第２版、2015年に第３版となり、継続的な改善を行っていくプロセスを続けることができるとは、筆者にとっては大きな喜びです。これも、本書の読者や、授業で使用していただいた教員の皆様のお陰と感謝致します。

本書は、大学学部向けの医療経済学の教科書です。１年次にミクロ経済学の基礎を習得した学部生向けの標準的な教科書としては、『医療経済学』（漆1998）が有名です。また最近の『医療経済学講義』（橋本・泉田 2011）は、より最近の研究トピックスを加えた、やや上級の教科書と言えるでしょう。本書『医療の経済学』は、むしろミクロ経済学の基礎がない方でも理解しやすいように、平易な説明と図表を多く用いた点が特徴です。

筆者は、一橋大学、東京医科歯科大学、国際医療福祉大学から、現在では成城大学で本書を利用して授業を実施しています。大学の学部授業では、初回でオリエンテーションをした後に、１回の授業で１章ずつ講義をすれば序章から第11章で、全体で半期13回の授業にご利用いただけます。

丁寧に説明する時間を確保するためには、１章を２回の授業に分け、前半を経済理論の説明を中心にし、後半を実証研究の解説を中心にした回にすることもできます。この形ですと、前期13回は医療供給体制について（序章から６章まで）、後期13回は医療保障体制について（第７章から第11章まで）、と分けて通年講義に使用できます。

今回の第３版では、いわゆる「メタボ健診」の政策トピックスと限定合理性の理論を、第６章として追加しました。日本のメタボ健診は、先進国でも珍しい大規模な健康政策です。メタボ健診制度がスタートした当初、筆者はこのような大規模かつ費用の掛かる制度を、政策の効果を学術的に詳細に検討しないままに導入することに驚きかつ不安になったことを記憶しています。

今では、「メタボ」という言葉は当たり前のように日常会話で利用され、多くの中高年の方が自分の体重を気にするようになったと思います。しかし、政策としての効果が目標に対してどの程度であったのかは、厳密な検証が今後も求められているところです。

本書は、大学の学部生向けの教科書の体裁を取っています。しかし、筆者にとってこれまで政策立案の裏方としての作業の際に得た情報や、研究論文の作成において得た知見もさりげなく入れ込んでいます。このような、いくつかの「隠し玉（最近のゲームでは隠し技というそうですが）」を探していただくと、本書をより深く楽しんでいただけると思います。

［第２版］はじめに

海外には医療経済学の標準的な教科書がいくつかあります——[1]。これらの教科書は数年に一度改訂され、医療経済学の進歩や実証研究の蓄積を反映させています。例えば、本書でも引用している *The Economics of Health and Health Care*（Folland, Goodman and Stano）は、2011年現在で第６版が販売されています。同様に、日本語訳も出ている *Health Economics*（MacPake and Normand）は第３版となっています。このように、定評のある教科書が継続的に改善され、医療経済学に興味を持つ人に提供されることは、学問が発展し実社会に貢献するうえで重要なことであると筆者は考えています。

したがって、2009年に出版した本書が第２版となり、継続的な改善を行っていくプロセスの第一歩を踏み出すことができたことは、筆者にとっては初版の出版同様、大きな喜びです。これも、本書の読者や、授業で使用していただいた教員の皆様のおかげと感謝いたします。

筆者も、一橋大学、東京医科歯科大学、国際医療福祉大学、成城大学で本書を利用して授業を実施してきました。そのなかで、受講生の皆さんから多くの質問やわかりにくい箇所の指摘を受けるとともに、驚いたことや興味をそそられた部分についてさまざまな感想をいただきました。教科書をよりわかりやすく、より充実したものにするためには、このような受講生の声は非常に大切です——[2]。第２版では、これらの質問や指摘ができるだけ活かされるように加筆・修正を加えました。多くの皆さんにご協力していただいたことに感謝いたします。

今回の改訂に際して、筆者がどうしても加筆したかったトピックスが２つあ

1　本書の「医療経済学を学ぶための読書ガイド」（213ページ）をご参照ください。

2　読者や受講生の声を反映させて教科書を改訂することは、経営学の PDCA サイクルでたとえると、Do および Check の機能を兼ねていると思います。

りました。ひとつは、2002年以降大きな社会的問題にもなった「医師不足」です。2002年当時、「医師は不足しているのか、それとも偏在しているのか」といった議論が盛んに行われました。しかし、日本のデータを用いた経済学の実証研究はあまり行われていないようです。もうひとつは、「終末期医療」のあり方というトピックスです。筆者は、最近１年の間に、ドイツ・デンマーク・フィンランド・米国を訪問し、さまざまな介護施設やホスピスを見学し、終末期の考え方が国民によって大きく異なることに衝撃を受けました。日本では、高齢社会を迎え、今後、年々の死亡者数は増大していきます。にもかかわらず、日本国民の死生観に関する冷静な議論はあまり進んでいないようです。

この２つの重要なトピックスを、第２版では第９章および第10章として新たに加筆しました。

本書を手にとっていただいた方に、医療経済学に興味を持ってもらい、その学問としての楽しみや深い味わいを少しでもお伝えできればと考えています。

はじめに

本書は、わかりやすい医療経済学の教科書です。しかし、わかりやすいということは、内容が単純であるという意味ではなく、日本の医療制度が直面している問題を、医療経済学という「ツール」を使って平易に、理解しやすく解き明かしているということです。

ここでいう経済学とは、有限な資源（例えば医療費）をどのように配分（allocation）して国民全体の幸福量（**効用**）を向上させるかを分析・提言する社会科学――[1]を指します。

日本で「医療経済学」といった場合、大きくは3種類に分けられます。①医療制度全体の解説や国民医療費のマクロ的な分析を行うことにより、医療制度や医療費の将来像を検討する制度論。②応用ミクロ経済学の1分野で、ミクロ経済学の分析方法を医療分野に応用し、理論分析や実証分析を実施する経済学。③特定の医療サービスや薬品の費用とその効果を比較する費用効果分析。本書では主に②を取り上げます。

さらに、②の医療経済学には大きく分けて「新古典派経済学」と「制度派経済学」の2つの流れがあります。権丈（2006）によれば、市場の働きに強い信頼を寄せるのが新古典派で、市場メカニズムの医療への適用について慎重なのが制度派です。経済学全体では、新古典派の経済学者が圧倒的に多く、皆さんが大学で学習するミクロ経済学などの授業は新古典派経済学です。しかし、医療経済学では制度派経済学の立場をとる学者も多くいます。本書ではまず新古典派経済学の知識を身につけてもらい、制度派経済学からの批判については脚注で補完するようにしました――[2]。

1　筆者は医療経済学修士（Master of Science in Heatlh Economics）を英国で取得しましたが、日本と異なり英国では経済学は理系（Science）に分類されていました。文系（Art）出身の筆者は数学や統計学などで大いに苦労しました（じつは今でも苦労しています）。

本書では、わかりやすさと理解の深さを両立させるために３つの工夫がほどこされています。

第一に、各章は具体的な医療制度と現実の医療政策の解説から始まります。新聞などでとりあげられるトピックスを最初に紹介することで、読者に興味をもって読んでもらいたいと思います。話題になっている医療問題や読者自身が経験するような事柄をとりあげることで、医療経済学への接近を容易にしたつもりです。医療経済学の教科書のなかには、医療制度の説明が詳しすぎるために、複雑な制度に関する知識の習得に労力の大半がとられてしまう教科書があります。そうしたことを避けるため、本書では制度の解説は必要最低限にとどめています。

つづいて第二に、こうした医療問題を考えるうえで役立つ経済理論を紹介します。先に主要な経済理論を紹介して、つぎにその応用問題として現実を分析する通常の経済学の教科書とは順序が逆になっています。先に解決すべき現実の問題を知ったうえで、経済学がどのような考え方や視点を提示するかを考えるほうが頭に入りやすいと考えたからです。

第三に本書では、経済理論にとどまらず、関連する実証研究をていねいに紹介します。従来の教科書は、理論を中心に解説することが多く、実証研究については別途レビュー論文などを自分で学習する必要がありました。本書では、実証研究の解説を充実させることで、経済理論が現実の世界でどこまで検証されているかをお伝えしたいと思います。また、実証研究の結果を知ることによって、提案される政策が妥当か否かを検討する際のエビデンス（根拠）を得ることができます。じつは、この点が医療経済学の醍醐味だと筆者は考えています。

このように本書は、医療経済学を現在の医療制度の問題点を解決するためのツールと位置づけ、理論だけでなく、関連する実証研究まであわせて学習することによって、医療経済学の全体をコンパクトに学習することを可能にしました。

本書は、大学の学部や大学院での教科書としての利用を前提に構成されてい

2　制度派経済学の入門書としてはシャバンス（2007）『入門制度経済学』がおすすめです。

ます。各章は４つのパートに分かれており、受講生の知識や学習目的に応じてウエイトを変えて利用することができます。

第一のパートは、医療制度に関する問題を取り上げ、その論点を提示しています。ただし内容は、制度論に偏らないように工夫されています。医療専門職の方の場合にはほとんど問題ないと思いますが、学生の場合にはこの部分を予習してから授業に臨むとよいと思います。

第二のパートは、経済理論による問題の解説です。すでにミクロ経済学の初歩を学んでいる受講生については、理解に問題はないと思います。まったくミクロ経済学の基礎がない受講生の場合には、事前にミクロ経済学の基礎を勉強する時間を設けていただくとよいと思います。

第三のパートは、現実のデータを用いて分析を行った実証分析を紹介し、そこから得られる知見を検討します。なるべく、代表的な研究を選択し、具体的な分析結果を図表で示すようにしてあります。個々の研究の分析手法については、計量経済学の知識がない受講生に配慮して簡単に触れるにとどまっています。計量経済学の知識がある受講生は、原典に当たってより詳しく学習していただくと理解が深まると思われます。

第四のパートでは、それまでの３つのパートをふまえて、今後の医療政策の方向性について論点整理を行っています。この部分は議論の方向性を示すにとどめ、具体的な解決策を提案するまでにはいたっていません。これは、医療制度の問題については、効率性だけでなく公平性の問題があり、国民の価値判断に委ねられる部分があるため、経済学の分析結果のみから、結論を出すことは困難なためです。このため、第四のパートでは主要な問題について「討論課題」もつけました。例えばクラスを２つのグループに分けて、賛成意見と反対意見を整理した後に対論を行ってはどうでしょうか。あえて一方の主張を担って異なる意見と討論することによって、それまでの知識が整理され、医療制度の課題を批判的に検討する能力を身につけることができます。

自習をお考えの方の場合には、興味のある医療問題の章から読み進めていただいてかまいません。さらに、巻末に初学者が学習を進められるときにお勧めできる参考図書を記載しています。本書により多くの方が医療経済学の意義や楽しさを知っていただくことを願っています。

謝　辞

本書は多くの方々のおかげで完成をみました。

本書の多くの部分は、筆者が非常勤講師をつとめている一橋大学での医療経済論Ⅰ・Ⅱの講義資料がもとになっています。講義の機会を与えてくださった一橋大学の故鴇田忠彦先生、その後同大学の複合領域コース（医療・福祉・経済コース）でご指導をいただいた一橋大学大学院経済学研究科教授田近栄治先生、佐藤主光先生、井伊雅子先生に深く感謝いたします。

また、慶應義塾大学教授田中滋先生には研究合宿での発表の機会をいただき、研究室の皆様から貴重なコメントを数多くいただきました。ここに感謝の意を表します。

あわせて、読みにくい筆者の文章がわかりやすくなるようアドバイスいただいた日本評論社の守屋克美氏、小西ふき子氏、吉田素規氏に御礼を申し上げます。

本書で示した筆者の考え方や制度に関する理解はさまざまな方からの教えをもとに築きあげてきたものです。多くの先輩方に感謝の意を表したいと思います。ただし、筆者の力不足で、それらを十分に表現できなかったことが心残りです。

最後に、仕事に追われ、時間を搾り出すようにして本書を完成できたのは、休日なしに働く筆者を精神的に支えてくれた家族のおかげです。とくに、土・日、連休、長期休暇のほとんどすべてを執筆に費やしても、文句一ついわず応援してくれた妻と子どもたちに感謝します。

医療の経済学
第４版

目次

Health Economics

序　章

日本の医療制度の枠組みと政策課題

●図表０－１　健康水準と医療費の関係

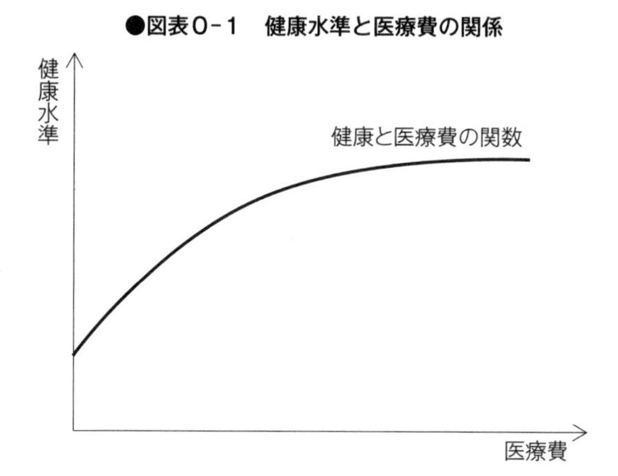

医療制度の目的

序章では、日本の医療制度について簡単に説明します。医療制度というと複雑で苦手に感じる方も多いと思います。しかし、本書ではなるべくわかりやすく、また細かい点は省略して制度の本質（いわゆるキモの部分）をご紹介します。本章で医療制度の全体像をつかんでおけば、次章以降で検討する医療制度の問題点を容易に理解できることでしょう。

さて最初に、なぜ公的な医療制度（国立病院や公的医療保険等）が各国に創設されているのかについて考えてみましょう。医療経済学では、政府が医療制度を設置・運営しているのは、国民の健康水準を向上させるためと考えられています。国民の健康水準が向上すれば、平均寿命の伸張につれ労働力（ときには兵力）が増大し、国力や国富も拡大することになるからです。もちろん、これらによって社会全体の**効用**（utility）も増加すると考えられます。

ところが最近の新聞を見ると、政府は国民の健康を増進するよりは、医療費の抑制に熱心なようです。この点を図表０－１で説明しましょう。縦軸に国民の健康水準、横軸に医療費を取ると、医療費を増額することによって得られる健康水準の増分は徐々に小さくなっていることがわかります。つまり、現在の日本のように高い健康水準を達成すると、医療費を増額することによる効果は小さくなると考えられます。

さらにかつてのように毎年ある程度の経済成長が達成され、税収も自動的に増加するなかでは、増えたパイをどのように分配するかが問題でした。ところが経済が低成長どころかマイナス成長を記録するようになると、毎年の予算を増額することが困難になり、一定の予算内でやりくりしなければなりません。近年、日本政府は公共事業予算と教育予算を抑制し、社会保障費用を増額してきています。また、医療においては、慢性期医療の費用を抑制し、急性期医療（主に手術など）の予算を充実しようという動きが見られます。

このように、少なくとも誰も損をしない従来の方法に比して、誰かが得をして誰かが損をする方法は、損をする誰かの大きな反発を招くため、実現がなかなか困難です。あわせて、得をする誰かはその喜びを押し隠す場合が多いので、パイを分けた結果に関する情報は偏りがちです。経済学とは、有限な資源（例えば医師）をどのように**配分**（allocation）して社会全体の効用を向上させるかを分析・提言する社会科学です。いまこそ、医療経済学の出番といえるでしょう[1]。

医療提供制度と医療保障制度

医療制度は、「**医療提供制度**（healthcare provide system）」と「**医療保障制度**（healthcare finance system）」に大きく２つに分けて考えるとわかりやすいでしょう（図表０-２）。医療提供制度とは、主に医療機関が担う実際の医療サービスを供給する体制を指します。具体的には、医師や看護師の育成、病院や診療所の整備に関する制度を指します。次に、医療保障制度とは、医療サービスを購入するための資金を提供する体制を指します。具体的には、公的な医療保険制度や市町村などの医療費補助制度を指します。

日本の医療供給体制

医療サービスを提供する組織はさまざまです。巨大な大学病院もあれば、近所の小さな診療所もあるでしょう。そこで、医療機関（healthcare provider）

1　医療経済学と聞くと、医療関係者のなかには、「政府が医療費を削減するために利用するツール（あるいは口実）で、患者にとっての不利益を押し付けるもの」と感じる方も多いようです。しかし、経済学は患者全員の幸福（効用）を考える学問で、経済学者は常に国民（消費者）を代表して意見を表明することが期待されています。

●図表０−２　医療提供体制と医療保障体制

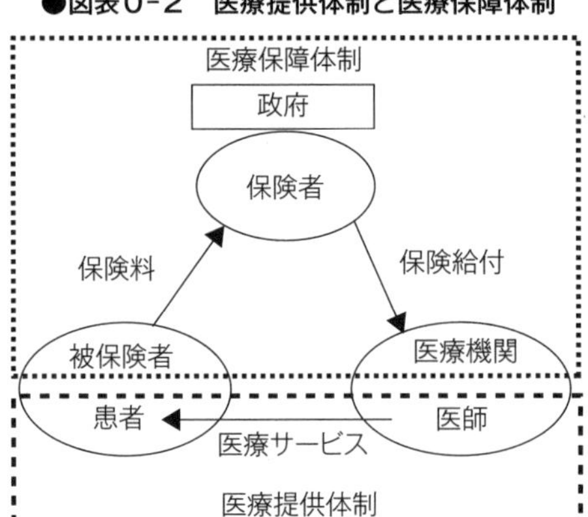

をその機能に着目して、大まかに３分類してみましょう。一次医療とは、一般的な外来診療で対応可能な軽症の患者を治療する医療です。具体的には近所の「診療所（clinic）」の開業医に風邪や腹痛で通院する場合が想定されます。二次医療とは、入院を要する患者を病床を持つ医療機関で治療する医療です。具体的には、「病院（hospital）」で手術を受けて何日か入院する場合が想定されます。三次医療とは、高度で特殊な医療を指します。具体的には、大学病院のような大規模で高度な医療を実施する病院で、心臓移植などの特殊な手術を受ける場合が想定されます。

なお、わが国では、患者の受診先の選択に制限がほとんどなく、どの診療所・病院にも自由に受診することができます（**フリーアクセス**）。したがって、患者は医療機関のなかから、医療サービスの品質が高い（あるいは高いと予想される）ところを選択、受診していると考えられます。しかし、医療サービスは**情報の非対称性**により、患者がよい病院を事前に判断することは困難です。現在、日本には約17万の医療機関が存在します（図表０−３）。内訳は、主に一次医療を担う診療所が約10万2100、主に二次医療を担う病院が約8300です。約8300の病院のうち主に三次医療を担当する特定機能病院が約80です。このほかに歯科診療所が約６万8600存在します――[2]。

2　医療機関の数については、厚生労働省（2018）「医療施設動態調査」を引用しています。

●図表0-3　医療提供体制の全体図

出所）医療施設動態調査（2018）より筆者作成

これらの医療機関は、安全性や品質を保証するために、さまざまな**政府の介入（規制）**を受けています。例えば、医療機関の建物は「設備構造基準」に準じる必要があり、必要な人員数も「人員配置基準」として定められています。医療機関に勤務する医療専門職も多くの場合、免許制度などにより、「業務の独占」が認められています。

しかし、医療機関の数がわかっても医療に対する具体的なイメージがわかないのではないでしょうか。そこで次に、医療を供給する側に対して医療サービスの**需要**（demand）する側として患者数を加えて、大きな視野から日本の医療サービス市場を見てみましょう。

平均的な医療サービス市場のイメージ――[3]

日本のすべての医療機関や患者を人口10万人当たりで１年間分に換算し、図示しました（図表0-4）。平均像として人口10万人当たりの医療サービス市場（１年間当たり）を見てみると、以下の３点がいえるでしょう。

第一に、人口10万人の医療サービス市場では毎年230億円（うち病院125億円）の医療費を使っています。第二に、医療サービスを提供する医療機関は、病院が８つ（合計病床数1320）、診療所が70ほどあります。８つの病院の内訳は、手術を主体とした地域の中核病院（400床）が１つ、高齢者向けの療養病床が主な病院（150床）が１つ、精神科病院（300床）が１つ、その他中小病院（平均100床）が５つです。この医療機関に、「人」が2060人（うち医師220人、

3　本節は、長谷川（2002）を参照しています。

●図表0-4　わが国の人口10万人当たりの医療需要と供給

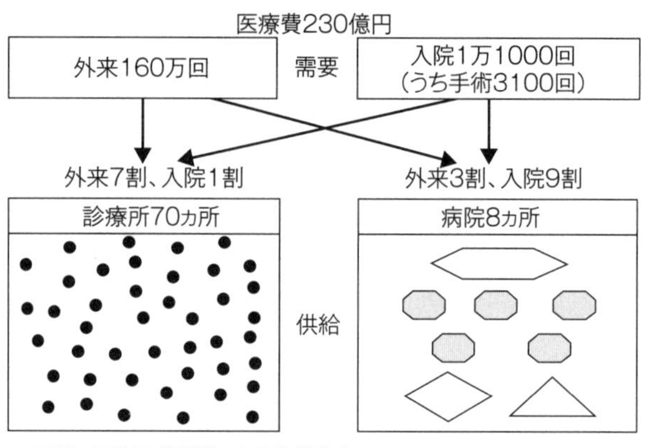

出所）長谷川（2002）より筆者作成

看護師750人ふくむ)、「物」が全身用CT 7台、人工透析器3台が投入されています。第三に、1年間の患者として、総外来160万回（うち新規外来22万回）、入院1万1000回（うち手術3100回）が発生しています。このうち病院では、外来患者の約3割（総外来50万回、うち新規外来6万回）、入院患者の約9割（入院9600回、うち手術数2800回）を供給します。一方、診療所は、外来患者の約7割と入院患者の約1割を担当しています[4]。

これらの8病院と70診療所の医療機関は、この地域の患者をめぐって競争を行っています。ただし、病院については**病床規制**により、地域の病床数が十分である場合には、新たな病床の設置が認められないこととなっています。

なお、病院の入院患者のなかには、本来介護施設（老人ホームなど）が適しているにもかかわらず、病院に長期入院している**社会的入院**が多いといわれています。これは比較的整備が進んだ医療機関を高齢者施設の**代替財**として利用しているためと指摘されています。

日本の医療保障制度

次に、医療保障制度について見てみましょう。読者のなかに病気になる予定

4　日本では病院でも外来患者を受け入れ、診療所でも病床を有している場合には入院患者を受け入れることができます。

●図表0-5　公的医療保険制度の構造

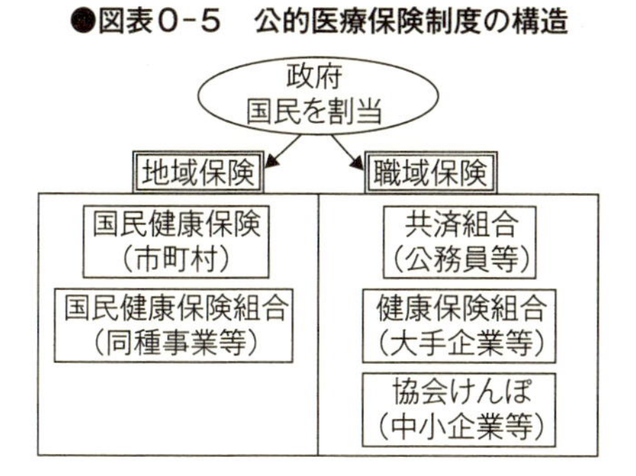

を立てて生活している人はいるでしょうか。いませんよね。このように、いつどのぐらいの医療サービス（あわせて医療費の支払いも）が必要になるかは不確実なものなのです（**需要の不確実性**）。このため、あらかじめ保険料を支払っておき、罹患した場合には医療費を保障してくれる**保険**を利用するのが一般的です。しかし、民間保険では低所得者や高齢者が利用できない場合もあるため、多くの先進国では政府が運営する**公的医療保険制度**を整備・運営しています。

日本においては、すべての国民がなんらかの公的保険制度に加入する、**国民皆保険制度**がとられています。この制度では、国民は勤務先（職域）あるいは居住地（地域）によって、あらかじめ用意されている公的医療保険（合計で3403の**保険者**――[5]の集合体）への加入が義務付けられています。日本の公的医療保険制度は、職域保険では、公務員向けの「共済組合（75の保険者があります。以下同様）」、大企業の従業員向けの「組合管掌健康保険（1391）」、中小企業の従業員向けの「協会けんぽ（1）」など合計で1478の保険者があります。地域保険では、自営業や退職者向けの「国民健康保険（1878）」が代表的です――[6]（図表0-5）。なお、75歳以上の高齢者は、独立した「後期高齢者医療制度」（47都道府県に保険者が1つずつ）に移動します。

5　健康保険組合のような保険を運営する者を「保険者」、その保険に加入する者を「被保険者」と専門用語で呼びます。

6　公的医療保険の保険者数は厚生労働省（2018）「医療経済実態調査」から数値を引用しました。

この保険制度への加入者（**被保険者**）は、あらかじめ保険料を支払っておき、医療サービスが必要になった場合には、約30％の自己負担分の支払いのみで、保険給付対象の医療サービスを購入することができます——[7]。したがって、国民は保険料の支払い義務を果たしておけば、万が一重篤な疾病に罹患しても、医療費の支払いを心配しないで、医療機関に行くことができると考えられます。

ただし、公的医療保険で、すべての医療サービスが給付を認められているわけではありません。このような保険外の医療サービスは全額自己負担となり、一緒に行われた保険で認められた医療サービスまで自己負担となります（**混合診療禁止ルール**）。

公的医療保険から医療機関への医療費支払いの仕組み

公的医療保険における医療サービスの公定価格（**診療報酬**）は、政府の機関が全国一律に決定しています。医療機関は、患者に医療サービスを提供した場合には、提供した医療サービスの内容を毎月まとめて保険者に請求します。保険者は、この請求を受けて内容を審査したうえで保険から給付する医療費を支払う仕組み（**保険償還方式**）になっています。このとき、医療機関が受け取ることができる医療費は、政府が決定した公定価格（例えば5000円）に**支払い単位**（例えば検査１回）ごとに実施した回数（例えば３回）を乗じた金額（例えば１万5000円）となります。

このような制度の下では、保険者は、「公定価格の変更」（**診療報酬改定**）と「支払い単位の変更」の２つの手段により、医療機関の経済的誘因を変えて政策誘導を行うことができると考えられています。例えば、わが国の公的医療保険制度を見ると、小泉政権の時代に公定価格の水準が大きく引き下げられ、その結果医療機関は不採算な小児医療や救急医療の供給を行わなくなったと考えられています。そのため、政府は近年では小児医療や救急医療の公定価格を一部引き上げています（ただし、十分な引き上げ幅ではないと指摘されています）。

7　ただし、自己負担額が月額８万円程度を超える場合には、「高額療養費制度」によって別途払い戻されます。

●図表0-6　私的財・価値財・公共財の特性

財の名称	例	説明
私的財	食品、自動車	料金を支払わない人を排除することが容易で、多数が財を同時に消費できない。このため、市場によって効率的に供給することができる。
価値財	教育、医療	ある人が消費することによって社会全体が便益を受けることになる財。市場では過小供給になるため、政府が介入する。
公共財	警察、軍隊	料金を支払わない人を排除することが困難で、多数が財を同時に消費できる。また、費用が利用者の増加によって変化しない。

私的財・価値財・公共財の特性――8

経済学においては、財・サービスはその特性に応じて、私的財（private goods）・価値財（merit goods）――9・公共財（public goods）などに大別できます（図表0-6）。財やサービスを配分する制度は、その財・サービスの特性に合せて異なる仕組みを構築することができます。例えば、食品は私的財、教育は価値財、警察は公共財とされています。さらに、医療制度がおもしろいのは、医療サービスは先進国ではほぼ価値財とされているものの、国によって私的財や公共財として取り扱っている点です。

まず、小売業で食品を扱う場合を見てみましょう。食品は、スーパー、デパート、コンビニエンスストアなどで販売しており、その購入は購入者の所得水準や嗜好に基づいて比較的自由に行われます。一般的に食品は私的財といわれ、自由に市場を用いて取引されることが多いです。私的財が市場での取引になじむのは、消費者が取引する際にその財・サービスの価格・品質がよく理解でき、他の財・サービスと比較して同じ品質であればより低い価格の物を選択できるためです。この選択行動によって、市場ではより優れた財のみが取引され、より劣る財は取引がなくなり市場から退出することになります。このように、市場機能を利用することによって競争や淘汰が行われるため、取引にかかわる関係者のメリットが拡大すると考えられています。

8　本節は、河口（2008）を参照しています。

9　Musgrave and Musgrave（1989）によれば、財の性質が私的財で完全競争市場があっても、政府が判断して、個人の消費水準に介入する財を指します。

次に、教育サービスについては基礎教育は義務化され、教育機関は政府の認可を受けるなどの方法で、一定の教育水準を全国で保つように供給されています。教育サービスは性質としては私的財ですが、価値財として位置づけられ、政府が介入して規制や**割当**を行ったりしています。教育サービスは、個人にその購入量の判断をまかせておくと、十分な量を購入しないと考えられています。このため、政府の強制などにより、より多くの量を購入させると、社会全体が便益を得られるとされています――[10]。

最後に特殊な財として公共財を見てみましょう。治安維持などの警察は、全国にサービス拠点である警察署が計画配置され、全国一律に供給されます。具体的には、国民が盗難や交通事故にあった場合には、政府の一機関である警察庁が直接警察官を派遣し、無料でサービスを供給します。これは公共財の特性が、個々人の消費が他の人の消費を妨げず（非競合性）、利用者に対して使用の対価を個別に徴収することが困難な性質（非排除性）を持つ財だからです。このような公共財は、市場での取引は困難なので、政府が自ら全国一律に供給する形が取られています。

では、医療サービスはどのような財なのでしょうか。じつは、近年わが国が医療制度改革のお手本としてきた米国は、医療サービスを私的財としての位置づけた、先進国では珍しいタイプの医療制度を構築している国なのです。多くの先進国では、医療サービスを価値財として位置づけ、医療制度を構築してきました。また、英国や北欧諸国は、医療サービスを公共財に近く位置づけたうえで医療制度を構築しています。ただし、これらの位置づけは時代によって変化することにも注意が必要です。

効率性と平等性のトレードオフ

このように、国によって異なる位置づけがどうして生ずるのでしょうか。筆者は、国によって医療サービスの位置づけが異なる理由は、国民が医療制度の**効率性**（efficiency）と**公平性**（equity）のどちらを重視するかにあると考えています。

---

10 Culyer（2005）を参照してください。

●図表0-7　効率性と公平性のトレードオフ関係と財の位置づけ

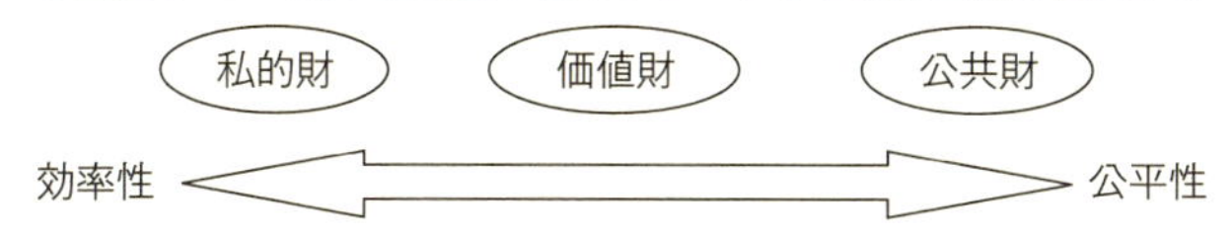

医療サービスを価値財として位置づけた場合を基準とすると、私的財としての位置づけが強い場合には効率性を重視した形になり、公共財に近く位置づけられた場合には公平性を重視した形となります（図表0-7）。

私的財として位置づけた場合には、医療サービスの配分には市場機能（価格メカニズム）を活用することとなり、より高い**支払い意思額**をつける（およびより高い支払い能力がある）患者に医療サービスを優先的に配分することになります。

一方で、公共財として位置づけた場合には、医療サービスの配分には市場機能よりも政府による資源の**割当**が利用され、規制により一定の条件を満たした者に平等に配分されることになります。例えば、所得水準にかかわらず住民として登録されていれば国立病院が無料で医療サービスを配分する方法が考えられます。この方法によれば、軍隊や警察のサービスのように、国民は医療サービスを所得や地域にかかわらずきわめて公平に受けることが可能になります。

上記2つのタイプの中間となる価値財として位置づけられた場合には、医療サービスの配分は市場機能にプラスして政府の介入が積極的に行われます。このため、市場機能による効率性と規制による公平性の確保があるバランスをとって達成されることとなります。例えば、医療サービスは、医療機関同士の患者獲得競争のもとに供給されるものの、当該医療組織や提供される医療サービスに対しては品質確保や患者保護のために各種の規制が実施されることが考えられます。また、一定の自己負担を持つ社会保険制度によって医療費用を保障することによって、国民の医療サービスに対するアクセスを確保します。わが国でも、医療サービスは価値財として位置づけられており、このためさまざまな政府の介入が行われ、制度が複雑になっていると考えられます。

もっとも小泉政権のもとで、わが国の医療制度はこれまでよりも効率性を（公平性よりも）重視する形で法の改正（あるいは制度改革）が行われました。病床規制や混合診療禁止ルールの撤廃は、政府の介入を弱めて市場機能を活用化させ、制度の効率性を高めようとする試みであると考えられます。

第1章

病院ランキングは役立つか
——情報の非対称性

Health Economics

S大学で経済学を学んでいる「なるほど君」は、今朝から体調がすぐれなかった。昨夜コンパで飲みすぎたせいで二日酔いなのだろうか。でも、昨夜はそれほどムチャ飲みはしていないと思う。それとも、最近携帯電話代を捻出するために、食費をけちっていたため、栄養不足でどこか悪くなってしまったのだろうか。とにかく心配なので、病院に行こうと今日の講義は自主休講にすることに決めた。とりあえず、大きな病院をインターネットで探してみた。ところが、なるほど君が住んでいるK市には大きな病院がなく、隣のT市まで行けばいくつか大病院があることがわかった。さて、どの病院にしよう。グルメななるほど君は、レストランならよく知っているが、病院はどう選べばいいのだろう。大学の友達以外は、地元の人の知り合いもいなくて、聞くこともできない。なるほど君は困ってしまった。

1-1　医療の問題を知る

広告規制、病院ランキング本

医療機関の広告規制

医療は誰にとっても身近な問題ですが、いざ必要になると慣れていないためか、いろいろと困ることが出てきます。なるほど君のように、病院を選ぶときには皆さんも悩まれたことでしょう。そういえば、医療機関のテレビＣＭや雑誌広告を見たことがありません。ときどき、バスのアナウンスや電柱の看板などで基本的な情報が得られる程度です。これは、医療機関の広告は規制（**広告規制**）されており、限定された項目しか広告できないため、テレビCMを行ってもあまりメリットがないためです。

医療法では、新聞折込チラシ、ダイレクトメール、TV・ラジオなどの放送、ビデオ、説明会等の不特定多数の人に対して医療機関側から情報を提供するものを広告として規制しています。広告で記載できる項目も医療法で定められています。主なものは①医療機関の名称・住所・管理者名・診療科名、②診療に従事する医療従事者の氏名、年齢、性別、役職および略歴、③医療従事者の専門性に関する認定を受けたこと、④各種の診療報酬上の資格・実施している特殊な手術や治療方法の４項目です。最近では規制緩和により、医療サービスの品質に関連する事項として、⑤手術の件数・平均在院日数・患者数（在宅・入院・外来別）・平均病床利用率・セカンドオピニオンの実績、第三者評価機関である日本医療機能評価機構の評価結果等を広告することができるようになりました。

しかし、上記のような項目以外の情報を広告に利用することは禁止されています。例えば、治療の効果に関する情報やその実績を他の病院と比較したり、「最高の医療を提供」などの表現を使うことは禁止されています。ただし、広告規制には例外もあり、インターネットのホームページや[1]医療機関内で配布される印刷物（パンフレット）は、患者が自ら入手する情報であると考えられることから、広告規制の対象外となり、自由に内容を記載することが可能です。

病院ランキング本のブーム

その一方で、よい病院を紹介するいわゆる病院ランキング本が盛んに出版されています。大きな本屋に行くと、選ぶのに迷うほどです。例えば、この分野の草分けといわれているのは別冊宝島の『全国病院（実力度）ランキング』です。日本経済新聞社からは『日経病院ランキング』が「患者にやさしい」「安全重視」「医療の質重視」「経営充実」の観点からランキングしています。朝日新聞社からは『手術数でわかるいい病院』、読売新聞社からは『病院の実力』が出版されています。音楽のランキングで有名なオリコンの関連会社が出している『患者が決めた！　いい病院』は、多くの患者アンケート結果をもとにランキングを行っています。このほかにも名医の紹介本を含めてさまざまなランキング本があります。しかし、ランキング本によって順位が大きく異なっていたりするため、今度はどのランキング本が信頼できるか、迷う場合もあるようです。なかには、ランキング本の巻末に病院の広告を掲載するなど、中立性に

1　このため、医療機関のホームページによっては、広告規制で禁止された「最高の医療」「最高の安全」などの表現を掲載している場合もありました。このため、2018年から医療機関のホームページについても広告規制の対象となりました。

疑問があるような本もあります。この病院ランキング本の評価方法については後でくわしく見てみましょう。

広告規制はなぜ必要か

一般的な私的財では、消費者に財・サービスの特徴やメリットを伝えるため、さまざまな媒体を通じた広告活動が行われています。なかには、一見すると広告とはわからないが、よく見てみると実は広告だったという記事やテレビ番組まである始末です。これらの広告主が料金を支払って実施する広告の規模は約６兆7000億円（GNP 比1.31％）です。内訳としては、テレビで１兆9092億円、新聞で8276億円、インターネットで6983億円とされています――[2]。このように、企業活動に欠かせない広告活動が医療機関ではなぜ規制されているのでしょうか。

また、医療機関自らは広告ができないのに、それ以外の第三者による病院ランキングなどの書籍は盛んに出版されています。なぜ、医療機関は自らの広告活動が規制され、第三者による情報提供が盛んなのでしょうか。その秘密を知るために次節で、市場機能がよく働くための条件を見たうえで、医療サービスの特性がその条件を満たしているかについて見てみましょう。

1-2　経済理論で理解する

情報の非対称性、情報生産、シグナリング

市場がうまく働くための条件

テレビに出てくる経済学者――[3]は、よく「競争は、価格を引き下げ品質を引き上げるから良いことである」と主張します。この市場競争のメリットはすでに経済学で理論的に確認されています。しかし、このような競争のメリットは、いくつかの前提条件を満たす場合に得られることはあまり言及されていません。

市場機能がうまく働くための条件の主なものは４つあります（図表１－１）。

2　電通（2008）『日本の広告費』から引用しました。

3　経済学者あるいはエコノミストには免許や資格試験はないため、自称の方も多くテレビに出ています。筆者は商学部卒業ですが、前職ではエコノミストと名刺に入れていました。

●図表1-1　完全競争市場の4条件

条件	内容
多数の取引相手	市場取引に参加する主体が多数で、その行動により価格に影響を及ぼさない
財･サービスの同質性	取引される財･サービスは同じ品質で、ブランド効果や製品差別化などがない状態である
完全情報	取引される財･サービスの価格や品質に関する情報を取引主体が保有しているか、その取得に費用がかからない状態である
市場への入退出の自由	市場取引への新規参入や退出が自由であること

第一に、市場で取引を行う主体が多数存在することが必要です。例えば、その地域にコンビニが1つしかなければ、複数あった場合に比して、少々サービスが悪くてもお客は集まるでしょう。第二に、市場への参入や退出が自由にできることです——[4]。例えば、駅の構内にあるレストランは他の店が絶対に出店できないことがわかっていれば、競争が厳しい駅前に立地した場合に比して、利益を増すために材料費を削減して味を落としてもライバルに顧客を奪われる心配はありません。第三に、価格や品質に関する情報が市場参加者にすべて行き渡っていること（**完全情報**）が必要です。この完全情報の下では、すべての意思決定者（消費者と生産者）は市場で入手可能なすべての商品・サービスの価格や品質に関して完全な情報を持っているとされます。つまり、消費者も商品に関する情報を、販売者と同じように保有していることとなります。例えば、高速道路の入口付近で給油する場合には、入口までにガソリンスタンドがいくつあるかやそれぞれの価格の情報がなければ、最も安いスタンドで給油ができないでしょう。第四に、同じ種類の財・サービスは同質的であると考えます。例えば、同じ性能の携帯オーディオでも、ソニーよりもアップルのほうがカッコイイと考える人は、後者の価格が少々高くても購入するでしょう。これらの条件が満たされない場合には、消費者は市場で同じ品質であれば最も価格の低い製品を選択するという行動が十分に行えず、競争のメリットを享受することが困難になります——[5]。さらに、消費者は予算制約のなかで、価格・品質とい

4　わが国の病床規制も参入規制の一種と考えられています。

●図表１-２　医療サービスの３つの特性

特性	内容
需要の不確実性	医療サービス量をあらかじめ予測ができない「需要の不確実性」に加えて同じ医療サービスを受けても一定の確率で死亡するなどの「結果の不確実性」がある
保険契約の利用	需要の不確実性に対して、あらかじめ保険料を支払っておいて、必要な医療サービスの保障を得る保険契約を利用することが多い
情報の非対称性	供給者である医師に対して、患者の保有する情報は相対的に少ない

う情報を用いて合理的な消費行動をとることが期待されます。

医療サービスの特徴

医療サービスの特性としては、以下の３点があげられます（図表１-２）。

第一に、医療サービスを購入する側と供給する側の両方に「不確実性」があることです。通常の財を購入する際には、あらかじめ時期を決めて計画的に買うことが可能です。例えば、携帯電話を購入する場合には、事前に４月に１人暮らしを始めるのに合わせて購入することを予定したり、それまでにお金を貯めたり、機種選定をしたりできます。しかし、医療の場合にはいつ罹患するかは事前に予測することは困難で、その疾患でどのぐらい重篤な状態になり費用がどのぐらい必要かを見積もることも困難です。例えば、医師であっても自分が、がんにいつ罹患するか、どの程度の費用がかかるかについて、正確に予測することが困難です。これを**需要の不確実性**と呼びます。需要の不確実性を理解するうえで重要なのは、特定の疾患は生活習慣や遺伝的要因にかかわらず、一定の確率で誰にでも罹患の可能性があるという点です。あわせて、医療機関側にとっても、まったく同じ手術を同じ症状の患者に行っても一定の確率で患者が死亡してしまうような**結果の不確実性**があります。

第二に、需要側の不確実性に対して**保険**を利用することが多いことです。医

5　経済学ではここから、「完全競争の仮定（多数の取引相手、同質財、参入退出の自由）」を緩めていく不完全競争（imperfect competition）に関する経済学と、「完全情報の仮定」を緩和する不完全情報（imperfect informantion）に関する経済学が発展しています。情報の非対称性を扱うのは、後者の経済学です。

療サービスの場合には、医療費の支払いを目的として、計画的な貯蓄をすることは非常に困難です。保険に加入しておけば、医療サービスが必要になった場合には、医療費の大半を保険金（保険給付）で賄うことができます。しかし、この保険によって患者が直面する自己負担（見掛けの価格）が低くなるため、余分な需要が生じがちです。例えば、書店で本の価格が３分の１になったら、予定していない本でももう１冊購入したいと思うでしょう。

第三に、医療サービスの提供側に比して購入側の情報が極端に少ない**情報の非対称性**（asymmetric information）があることです。情報の非対称性とは、取引において一方が他方に比して相対的に多くの情報を持っていることを指します。現実にも、一般的に消費者より販売者のほうが多くの情報を持っていると考えられます。健康診断で手術が必要と医師から告げられた場合に、本当にそうかを患者が判断することはほとんど不可能に近いと思われます。野菜や果物であれば、売り手からお買い得といわれても、その価格と品質で自分にとって妥当かどうかは十分判断できるでしょう。とくに、三番目の情報の非対称性は市場取引のメリットを阻害することが考えられます。

情報の非対称性

一般的にほとんどの財・サービスにおいて売り手は買い手よりも多くの情報を保持しています。しかし、取引をするうえで重要な情報に大きな偏りがあると、買い手は適切な判断をすることが困難になります。消費者は携帯電話を購入する際には、携帯電話のデザイン・性能（接続状況・付加機能）・価格についての情報は容易に入手が可能でそれを理解できます。そのうえで、自分の好み（重視する点）を考えて、最終的な判断が可能です。例えば、デザインやブランドに高い価値を置き、高い価格を納得して支払う人もいるでしょうし、必要最小限の用が足りればなるべく安い価格を求める人もいるでしょう。

しかし、医療サービスの場合には患者が自分に必要な医療サービスの種類（疾患）・品質（治療方法や術式）・量（治療回数や入院日数）を入手・理解することは困難です。一般的には、患者は病院を受診する際には、自分の症状（頭痛・発熱等）は自覚できても、その症状がどのような疾患（風邪かインフルエンザか）からきており、どのような治療（安静か注射か）が必要かを判断

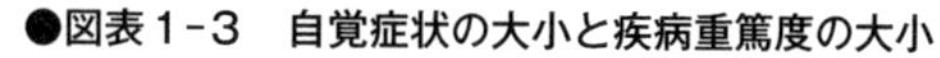
●図表1-3　自覚症状の大小と疾病重篤度の大小

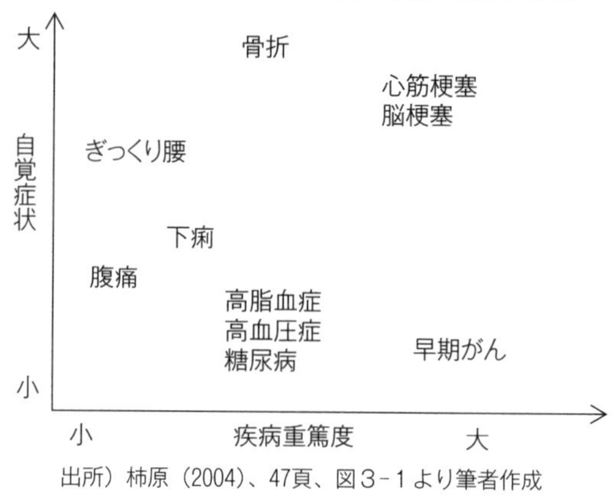

出所）柿原（2004）、47頁、図3-1より筆者作成

することは困難です。図表1-3においても、早期がんは自覚症状が小さいにもかかわらず重篤な疾患ですし、ぎっくり腰はいやというほど自覚症状がありますが、命に別状はないという意味で重篤度はそれほど大きくありません。

広告規制はなぜあるのか

このように情報の非対称性が高い医療サービスにおいて、医療機関が自由に広告を行うとどのような問題が起こるでしょうか。広告は、広告主にとって都合の良い情報を伝達しますが、その情報は客観的・科学的である保証はないと考えてよいでしょう。例えば、TV では毎日のように健康食品の広告が行われています。ほとんどの場合、健康食品の利用者が出てきて、ものすごい効果があるようなコメントを放送します。しかし、本当にこのような効果があるのでしょうか[6]。筆者の理解では、単一食品で健康水準が劇的に改善することはなく、適度な運動や栄養バランスのよい食事が必須であると考えています[7]。

6　とくに「がんに効く」という宣伝は、臨床試験でも行わない限り確認が困難です。筆者が抗がん剤の専門家に聞いた話では、がんには100以上の種類があり、その原因が異なるため、すべてのがんを治癒させることはどんな抗がん剤もできないそうです。このため、がんに効くといわれたら「どの部位のがんですか」と問い返すことをすすめられました。

7　もちろん健康食品にはなんらかの効果があるのかもしれません。しかし、筆者は統計的に確認されていない効果については判断を留保することにしています。このため家族から、「疑り深い」「人間不信だ」とたびたびしかられます。

また、健康食品であればその効果はある程度理解ができるかもしれませんが、生死にかかわるような医療サービスの場合には、誤解を招くような広告が行われた場合に、その内容の判断はより困難になるでしょう。さらに、健康食品であれば、何カ月か試してみて効果がなければ数千円の損失ですみますが、医療サービスの場合には最悪の場合には生命が危険にさらされて、取り返しがつかなくなります。このため、自由な広告によって医療サービスの効果や誤解に基づいて受診すると、健康水準の大幅な低下（ときには死亡）という大きな代償を払わされるおそれがあります（**経験財**：experience goods[8]）。このため、医療機関が行う広告は、信頼性の高い情報に限り、不適切な誘引[9]が行われないようにする必要があるのです。しかし、広告が禁止されると医療機関を選択する際に不便です。

情報の非対称性が強い市場での対応策

筆者は「情報の非対称性が強い」という医療分野の特徴は、必ずしも医療サービス市場が他の商品の市場に比して劣るということを意味しないと考えています。保険商品・弁護士などの専門サービス、中古自動車の販売や電気器具の修理業など、情報の非対称性が強い市場はほかにも存在します。このような市場であっても、いくつかの仕組み（補正装置や制度）を対抗策として用いることが行われています。例えば、中古車の場合であれば、消費者団体や第三者機関が格付けなどの形で品質に関する情報[10]を提供することもできるでしょう（**情報生産**）。また、売り手は「保証」を付けて中古車を販売し、故障をした場合には売り手の負担で修理をすることを約束することで品質の高さをアピールすることもできます（**シグナリング**）。一方、買い手は自動車の専門家に頼んで、中古車の品質を「検査」してもらうことができるでしょう（**エージェントの利用**）。エージェント（請負人）の利用については、第３章で説明しま

8　Gaynor（1994）に詳細が記述されています。

9　筆者は時間がなかったため、よく知らない駅前にあるクリニックに飛び込んだことがあります。そのときには、初診日にいきなり手術をすすめられ、手術のリスクに関する説明をしてくれなかったため、今度はあわてて飛び出したことがあります。

10　例えば、米国ではComsumer Reportによる商品テストや欧州ではユーロNCAPによる衝突実験結果のデータなどがあげられます。

すので、本章では情報生産とシグナリングについて見てみましょう。次項では、まず情報財および情報生産について説明します。

情報財の特性[11]

医療サービスの品質に関するような情報などの情報財は、**非競合性**（一人が聞くと消費されてしまい、他の人が消費できないわけではありません）かつ**非排除性**（料金を徴収されずにこっそりただで情報を得ることもできます）を持っています、さらに情報財そのものの生産には多額の費用や時間がかかる場合が多いですか、その複製に関しての限界費用がほとんどゼロ（情報を複写や伝達することにはほとんど費用がかかりません）という性質を持っています。これらの情報財の性質は、さきほど序章で紹介した公共財に似ています。

完全情報の市場では、消費者は市場で成立している**均衡価格**を観察することによって、その商品の品質に関する情報を無料で入手することができると考えられます。このため、完全情報の場合には、無料で手に入る価格情報があるため、別途品質の情報を入手するために、料金を払うことはないでしょう。

また、公定価格制度を採用している場合には、どの提供者も同一価格となるため、品質が均一でない場合でも、価格を観察することによって品質を知ることができなくなります。それでは、品質の情報を入手するために、患者はどのぐらいの費用を負担するのでしょうか。その考え方を理解するためには、まず効用関数について知る必要があります。

効用と効用関数

「**効用**」とは経済学の専門用語で個人の幸福の尺度を示します。経済学では、ある財・サービスの価値は効用の水準で把握され、人は予算制約のもとで、得られる効用を最大化するように行動すると仮定されています[12]。この効用の水準を図示する際に利用するのが**無差別曲線**で、無差別曲線上の点は同じ効用水準を示します。また財 X により効用 U が影響を受ける場合に、ある財 X

11　これ以降の説明は、佐々木（1991）および Muto（1986）を参考にしています。

12　ここでは、期待値や期待効用理論を用いています。詳しい説明は第７章の７−２節を参照してください。

から得られる効用 U と財 X の関係を示すのが**効用関数** $U=f(X)$ です[13]。さらに、この財 X を一単位追加した場合の効用水準の変化率を**限界効用**（marginal utility）と呼びます。なお、個人の効用を社会全体で合わせたものが**社会厚生**（welfare）の水準となると考えられています。

情報の価値

それでは、ある大学が良い大学（Good 大学、以下G大学）であるか悪い大学（Bad 大学、以下B大学）であるか事前に観察できない場合に、ある大学がG大学かB大学を識別する情報に、いくらの費用を負担してもよいと考えるでしょうか。直観的には、G大学で得られる効用とB大学で得られる効用の差とほぼ同じだけの価値がありそうです。この情報の価値について、簡単な数式[14]を用いてもう少し考えてみましょう。

ある規制のない教育サービス市場を想定し、教育サービスの価格や数量は学生が需要に応じて決定するとします。ここでは、学生は1回の教育サービスを受けるのみとしましょう。また、学生が、購入する教育サービスの価格を P、その量を Q としましょう。P はG大学が提供する教育サービス価格（P_g）、とB大学が提供する教育サービス価格（P_b）、およびその平均価格（P_a）の3つが設定されます（$P_g > P_a > P_b$）。あわせて、教育サービスの購入量 Q も品質が高い場合のほうが多く、品質が低い場合には少なくなると仮定しましょう（$Q_g > Q_a > Q_b$）。完全情報の市場においては、学生はG大学とわかった場合には、教育サービス量を Q_g に増やし、逆にB大学の場合には Q_b に減らすことができます

さらに、教育サービス Q はその利用により能力（生産性）H の水準を向上させると仮定しましょう（$H = f(Q)$）。このとき、G大学の場合には能力水準 H が著しく向上します（$H_g = f(Q_g),\ H_g > 0$）。しかし、悪い教育サービスの場合には、能力水準の改善は良い大学ほどではないとしましょう（$H_b = f(Q_b)$,

---

13　ここで、$f(\ )$ とは関数を示す記号で、(　) 内の変数により U が決まる（あるいは影響を受ける）ことを表現しています。

14　数式を用いるのは、複雑な計算をするためではなく、言葉よりも正確に表現できるからです。数式が苦手な方も丁寧に読んでいただければ大きな問題はないと思います。

●図表1-4　仮定条件と得られる効用の水準の関係

	完全情報の場合	情報の非対称性の場合
良い大学の教育サービスの場合（G大学）	価格P_g、量Q_g 能力水準H_g 効用水準U_g	価格P_a、量Q_a 能力水準H_b 効用水準U_b
悪い大学の教育サービスの場合（B大学）	価格P_b、量Q_b 能力水準H_b 効用水準U_b	価格P_a、量Q_a 能力水準H_b 効用水準U_b

$H_b > 0$, $H_b < H_g$）（図表1-4左）。

能力水準の向上は、効用関数$U(\cdot)$を通して効用水準を向上させると考えましょう——15（$U_g = U(H_g)$, $U_b = U(H_b)$）。したがって、G大学で教育サービスを購入した場合のほうが、B大学で教育サービスを購入したときよりも効用水準が高いと考えます（$U_g > U_b$）。ここで、完全情報の市場を考えると、皆さんは迷わずG大学を選択し、効用U_gを得るべきと考えると思います。ところが、大学に入るには入学試験があります。この入学試験に合格してG大学に入学する確率をpとして、B大学に入学する確率を$(1-p)$と仮定しましょう（つまり、どちらかの大学には必ず合格するとします）。このとき、どちらかの大学に入学して得られる効用の期待値は（1-1）式のようになります。その結果、pの確率が大きいほど期待できる効用が大きくなります。

$$EU = p \times U\{H_g(Q_g, P_g)\} + (1-p) \times U\{H_b(Q_b, P_g)\}$$
$$= pU_g + (1-p)U_b \qquad (1\text{-}1)$$

次に、市場において情報の非対称性が強い場合で、皆さんはある大学がG大学かB大学か教育を受け終わるまで知ることができないと仮定します。ある大学が良い大学が悪い大学かわからないため、学生はどちらの大学に入っても、平均的な価格（P_a）で平均量（Q_a）の教育サービスを購入すると仮定します。

15　ここで皆さんは、教育サービスが直接効用水準（U）を上げないのかと思われるかもしれません。しかし、教育サービス（つまり勉強）自体はむしろ楽しいものではなく、副次的に能力水準（H）が上昇することにより、効用が増加します。このことは教育サービスを医療サービスに、能力水準（H）を健康水準に読みかえても当てはまります。なお、ここでは、単純化のためにいくつかの特殊な仮定を置いています。より標準的な仮定による分析については、佐々木（1991）を参照してください。

ただし Q_a は Q_g よりも教育サービスの量が少ないため、能力水準の向上は H_b の場合と同じと仮定しましょう（$H_a = f(Q_a), H_a > 0, H_a = H_b$）（図表１-４右)。このときの効用の期待値 EU_a は、（１-２）式で表されます。残念ながら、この場合にはＢ大学での教育を受けた場合の効用 U_b しか期待できません。

$$EU_a = p \times U\{H_b(Q_a)\} + (1-p) \times U\{H_b(Q_a)\}$$
$$= pU_b + (1-p)U_b = U_b \quad (1\text{-}2)$$

この情報の非対称性のある市場で、c 円の費用を支払えば、ある大学がＧ大学かＢ大学かの情報を得られるという仮定条件を追加しましょう。ただし、情報の内容は費用を支払ったあとでしか知ることができないとします。これは、事前に内容を知らせれば、学生は c 円を払わないで情報を購入したのと同じになってしまうからです。この場合の期待効用 U_c は、（１-３）式で示されます。

$$EU_c = p \times U\{H_g(Q_g, P_g) - c\} + (1-p) \times U\{H_b(Q_b, P_b) - c\}$$
$$= pU_g + (1-p)U_b + U(-c) \quad (1\text{-}3)$$

このとき、（１-３）式から（１-２）式を引くと、情報を得るために費用を支払うと有利になる条件として（１-４）式が得られます。

$$EU_c - EU_a = pU_g - pU_b + U(-c) = p(U_g - U_b) + U(-c) \quad (1\text{-}4)$$

（１-４）式からは、「良い教育サービスを受けることによって高まる効用水準の差（$U_g - U_b$）」に p を掛けた数値が、「c の費用を負担するために下がる効用の水準（$U(-c)$）」よりも大きければ、情報を費用を払ってでも入手するほうが有利になります。このとき、注目するべき点は、［$U_g - U_b$］が大きければ、つまり教育サービスの良し悪しによって効用水準が大きく変化する場合には情報取得に支払う費用（c）が増加すると考えられることです。

情報生産の経済的誘因

情報を購入する側からの情報の価値について考えてみました。今度は、情報を提供する側には、どのような経済的な誘因があるのでしょうか。よく情報は無料であると考えられがちですが、価値の高い情報を生産する場合には、高い専門性や分析技術が必要とされる場合が多く、情報の生産費用（E）はある程度高くなると考えられます。仮に E の費用をかけて情報を生産しても、得られる収入（便益）よりも大きい場合には、わざわざ情報を生産して損をするようなことは誰もしないでしょう。

ここで、この情報は、**情報財**（information good）として、その生産（知識の創造等）にはある程度の費用がかかりますが、その情報の複製・伝達にはほとんど費用がかからない（生産の限界費用が０円）とします――[16]。このとき、情報は多くの場合、独占的な売り手としての立場をとることが可能と考えられます。一方で、消費者は情報をいったん入手すると、簡単に複製して伝達することが可能とします。

この点をさきほどと同様に数式を使って表してみましょう。ここで、情報の生産者をＰさんとして、最初の情報の購入者をＤさんとし、Ｄさんの情報に対する最大の価値を v（前節での情報の入手費用 c の最大値と考えてもけっこうです）としましょう。このとき、Ｐさんは、情報の独占的な供給者としてＤさんに対して最も高い価格 v で販売できます。しかし、その後はＤさんも情報を持っており、その複製費用はほとんど０円ですから、ＰさんとＤさんの間で激しい価格競争が起きると、ほとんど０に近い価格で情報がその他の人（$n-1$ 人）に伝達されることとなります――[17]。

この場合に、Ｐさんが情報生産を行うかどうかは、Ｐさん自身の便益が費用を上回るかによります。Ｐさんの便益は、Ｄさんに販売した v 円および自分自身が情報から直接得られる便益 v とあわせて $2v$ となります。一方で、Ｐさんは情報生産の費用 E を負担しているので、得られる便益 $2v$ から費用 E を引いた $2v-E$ が０以上の時（$2v-E \geqq 0$）に生産を行うことになります。

補助金による公平な情報利用

次に、Ｐさんも含めた社会全体の便益について見てみましょう。情報が得られる人はＰさんとＤさんとその他の人（$n-1$）ですから、$n+1$ 人となり、情報の価値は v なので $v(n+1)$ となります。したがって、社会的にメリットがあるのは、社会としての便益 $v(n+1)$ が情報生産の費用 E よりも大きいときです

16　ただし、技術改新により、情報財のこの特性は変化しているかもしれません。例えば、大学の教科書も、最近では電子書籍としてダウンロードで販売されています。

17　実際には、書籍などの形で情報を伝達する場合には、著作権保護などの形で複製を禁じ、すべての購入者から費用を徴収することも可能です。しかし、書籍などの複製を完全に監視して防止することは困難です。

●図表１-５　政府の介入による情報生産の拡大

	政府が補助しない場合	政府が補助する場合
生産者の便益·費用	便益$2v$、費用E	便益$2v+S$、費用E
生産者の純便益	$B_p = 2v-E$	$B_p = 2v-E+S$
社会の便益·費用	便益$v(n+1)$、費用E	便益$v(n+1)$、費用E
社会の純便益	$B_s = v(n+1)-E$	$B_s = v(n+1)-E-S+S$
社会的に有益な情報は生産されるか	社会的純便益が正でも、生産者の純便益が負の場合には、生産されない	補助金Sで生産者の純便益が正になると、情報生産が行われる

$(v(n+1) \geqq E)$。

一般的に、有益な情報を生産する費用は高く（Eが大きい）、１人当たりの情報の価値は小さく（Eに比してvが小さい）、情報により得する人の数は多いこと（nは大きい）が想定されます。このため、社会的には意義があるものの（$v(n+1) \geqq E$）、Ｐさんにとって生産が損になる場合（$2v < E$）には、情報は生産されないこととなります（$2v < E \leqq v(n+1)$）。したがって、そのままにしておくと、社会的に有益な情報が多くの場合生産されないという問題が生じます。

では、このような事態を避けるために、政府が介入してＰさんに補助金S円を支給して、その代わり１人当たりt円の税金を全員から徴収してT円を調達してはどうでしょうか。補助金S円がＰさんに支給されると、Ｐさんの純便益（B_p）は$2v-E+S$となり、これが正であればＰさんは情報の生産を行うこととなります。このとき、政府は補助金の金額Sを、$S \geqq E-2v$に設定すれば情報生産は必ず行われます。それでは、社会全体の便益はどうでしょうか。社会全体の便益は、Ｐさんの便益（$2v-E+S$）にＰさんを除く$n-1$人の便益（$(n-1)v-T$）を加えたものになります（$2v-E+S+(n-1)v-T$）。補助金S円と税金T円は等しいことから、差し引きの社会的便益は$(n+1)v-E$となります。これは先の$2v < E \leqq v(n+1)$の想定より、常に正となり、社会的にメリットがあることが示されます。つまり、一定の条件を満たせば、医療分野においても国民に価値のある情報を生産する者に政府が補助金を交付して、情報の伝達を促すことは社会的にメリットがあると考えられます――18（図表

1－5）。

情報の質の問題

ここで、本当に政府が補助金を支出する必要があるのか疑問に思う方も多いはずです。たとえば、医療に関する情報は、インターネットを見ると膨大な量を入手することが可能です。しかし、医療に関する情報は量だけでなく、信頼性などの質が重要なのです。これは、いくら病院の情報を持っていても、噂や個人の意見などが中心で、信頼性や客観性を伴わない場合には、判断材料になりにくいことからも明らかでしょう――[19]。

しかも、医療サービスの品質は費用や技術的な問題から容易にモニターできません。これは、医療サービスの生産構造の特殊性を理解し、品質を測定する際には「**治療結果**（outcome）」「**生産過程**（process）」「**生産構造**（structure）」の３つの面があることを知る必要があります（Donabedian 1966）。図表１－６に、医療サービスの生産構造を示しました。患者の健康を回復するには、二段階の生産が必要です。まず、医療機関が医療サービスを生産し患者に提供します。次に、医療サービスを受けた患者が健康を生産します。したがって、最終的な目的である健康水準の回復には、病院の生産関数に加えて患者個人の生産関数が関係してくるのです――[20]。これは、医療サービス自体は食事や自動車のように消費すること自体には楽しみがないことからもわかるでしょう。

次に、品質評価の３つの面について説明しましょう。第一に生産構造とは、医療機関が生産を行う際の資源投入を見るもので、必要な人員が配置されているかや最新の医療機器や快適な病室を指します。第二に生産過程とは、最適な手順によって医療サービスが生産されているかのプロセスを見るものです。例えば、ある疾患について標準的な治療手順が適時適切に行われているかをチェ

18　上記の説明がわかりにくかった方は、$n=200$ 人、$v=100$ 万円、$E=1$ 億円、$S=1$ 億円、$T=1$ 億円として、差し引きの社会的便益 $(n+1)v-E$ を計算してみてください。

19　マーケティング分野では、医療サービスは高度な専門性がなければ品質を評価できず、ときには実際に利用した後でも評価できない場合があり、専門職が信頼を得ることが重要であることから「**信頼財**（credence goods）」とされています。

20　このため、同じ疾患の患者に同じように手術をしても、患者の特性や確率的に結果が異なること（結果の不確実性）が起こると考えられています。

●図表1-6　医療サービスの生産過程と品質の関係

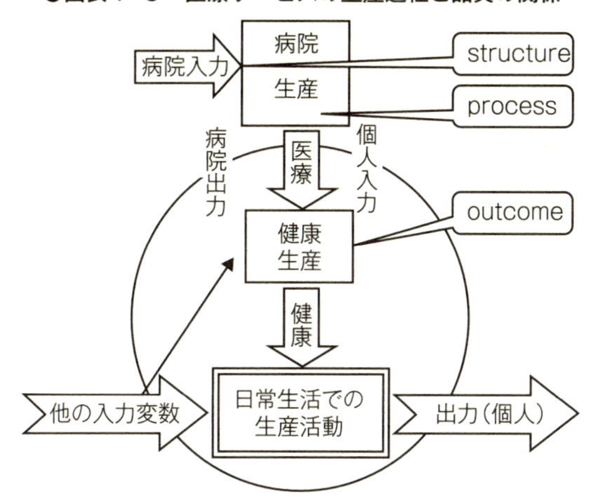

出所) Roos (2001), p253, Figure 9.1より筆者作成

ックすることで品質を見るものです。第三に治療結果とは、医療機関で医療サービスを提供した結果、患者の健康状態や状況に及ぼした影響を見るもので、例えば、死亡率や自宅復帰率などを指します。理想的には、治療結果を見て事後的に品質を評価することが考えられますが、実際には医療サービスの不確実性から治療結果を正確に測定することは困難です。また、生産過程が適正かを考えるには、最適な治療手順を決定し、そこからの乖離を見る必要があります。しかし、わが国では標準的な治療手順についての合意はあるものの、その手順が最適かの検証は多くの場合行われていません。実際には、病院の設備や人員の配置のような、生産構造 (structure) をチェックにとどまっているのが現状です。

さらに、このような品質に関する情報を利用者が的確に判断・処理するには、内容を理解することが必要です。例えば、治療結果に関する情報があっても、専門用語がわからないとその内容を理解するのは困難です――[21]。したがって、医療に関する情報については、「情報の量・質」に加えて「情報のわかりやす

21　例えば、病院のHPから治療実績 (死亡率) を入手したとしても、その数値の作成方法を知る必要があります。死亡率は、院内後死亡率なのか30日以内死亡率なのか、年齢性別や重症度による調整を行っているかによって、その解釈が異なります。

さ」という、ある意味で「量・質」とは相反する条件を満たす必要があるのです──22。このような問題に対しては、医療機関は「シグナリング」を使って、知識の乏しい患者にアピールすることができます。

情報の理解とシグナリング

シグナリング（Signalling）──23とは、売り手側から、買い手が自分と他の品質が低い売り手を区別できるように、特定の属性(シグナル)を買い手に伝える行動を呼びます。例えば、労働市場において企業が採用する学生の生産性について情報を有していない場合には、学生は有名大学の学歴をシグナルとして発信します。そうすると、企業は、学生の労働生産性を観察できなくても、シグナルをもとに労働者として品質が高いことを知ることができます。

患者が品質を評価できないという問題に対応して、医療機関側から「品質が高い」というわかりやすい信号（シグナル）を発信することも可能です。このシグナルが信頼できるものであれば、患者は品質の情報自体を吟味する費用を節約して、シグナルに基づいて選択行動をすることができます。例えば、患者は「医療機関の認証制度（certification)」等を利用することによって、一定の品質を確認することができます。

Luft et al.(1990）は、７つの医療サービスおよび５つの医学的状況に関して、品質指標とその他の変数が患者の病院選択に及ぼす影響を調査しました。その結果、さまざまなシグナル（例えば、卒業したメディカルスクール名、教育病院であることなど）により、病院が選択される確率が増加することが確認されています。

シグナリングの問題点

ただし、シグナルは必ずしも正しい品質情報を代替するとは限らないことに注意が必要です。例えば、先ほどの学歴によるシグナルについて紹介しました。

22　情報の非対称性は、インターネットなどの情報技術の革新により解消されるという主張もありますが、筆者はそのような立場をとっていません。これは、医療サービスの品質の情報が価格のように単一の指標で示せるほど単純なものではないと考えているからです。

23　「シグナリング」については、Spence（1973）を参照してください。

このとき、このシグナルをあてにして、学生が大学で勤勉に学んで生産性を高めようとせず、大学を卒業するのに必要な最低限の努力しかしない場合もあるでしょう。このような場合には、大学による教育は社会的には無駄となり、また学歴を信じて採用した企業は、新入社員に入社後の企業研修を行う必要に迫られ、教育投資を二重に費やすこととなります。

この点は、医療機関の認証制度にも当てはまることに注意が必要です。認証の有効期間が5年と長いため、その間に品質が維持できなくなったり、そのための努力を怠ってしまうケースがあります。つまり、医療機関が医療サービスの品質を向上させるよりも認証を得るための最低限の努力をすることによってシグナルを獲得するようになると、患者はシグナルを利用して品質の高い病院を選択することができなくなります。

1-3　実証分析の結果を検討する

情報公開、病院ランキングの有効性

患者に向けた医療の情報生産

米国では、ニューヨーク州政府が心臓バイパス手術を実施している州内の33病院のリスク調整後の死亡率を公表していました。それによると、州内平均値よりも統計的に有意に成績がよい病院が2病院（St. Josephs Hospital と Winthrop University Hospital）、統計的に有意に成績が悪い病院が2病院（Bellevue Hospital Center と St Vincents Hospital and Medical Center）でした。その他の29病院は、州内平均値よりも高低はあるものの、統計的に見ると誤差の範囲と考えられました（図表1-7）。

とくに目を引くのが、Bellevue Hospital Center の死亡率の高さです。そこで、同じく公表されている医師別のデータを見ると、4人の医師の平均症例数がわずか59症例数で、リスク調整後死亡率に大きな差があることがわかりました（最小3.44から最大10.29）。一方、成績の良い St.Josephs Hospital では同じく4名の医師で平均症例数は633症例と多く、リスク調整後死亡率の差が小さい（最小0.00から最大1.40）ことがわかりました。

このような州政府による情報生産により、州民は心臓バイパス手術の成績に

●図表1-7　ニューヨーク州の心臓バイパス手術の死亡率比較（1998年退院分）

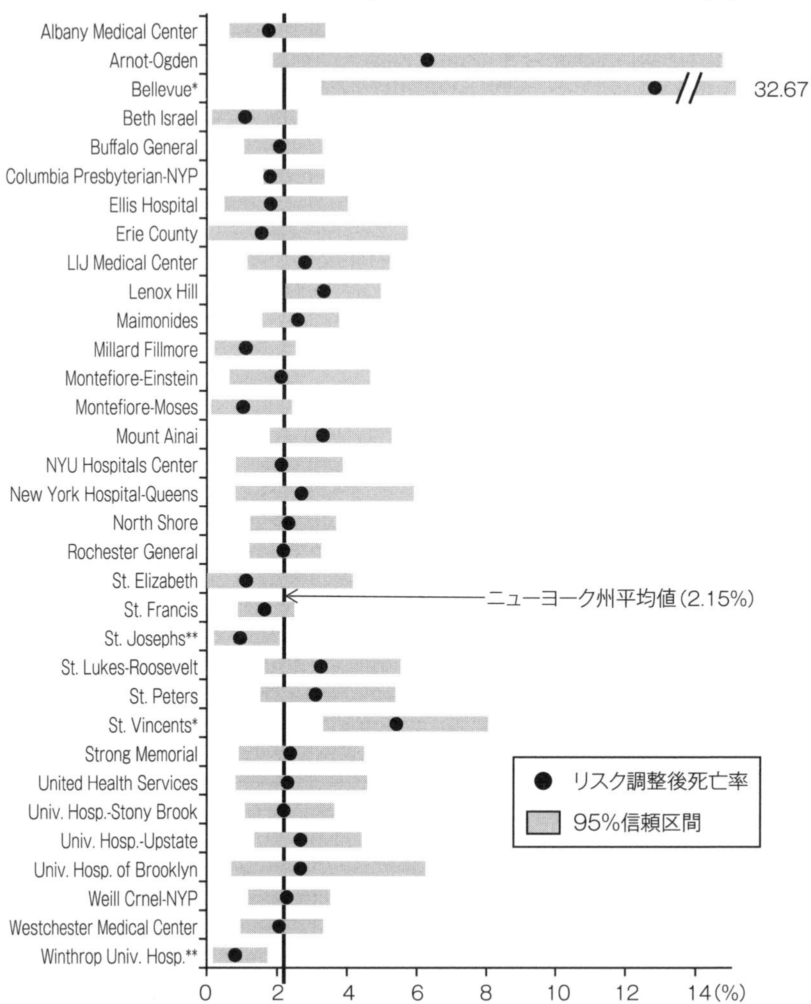

注1）データは病院別のリスク調整死亡率で、帯は95%信頼区間を示す

注2）病院はアルファベット順に記載されており、実線は州内平均値を示す

注3）病院名の横の＊は $p < 0.05$ で、＊＊は、$p < 0.01$ で統計的に有意な結果を示す

出所）NY state Depertment of Health（2001), p10, Figure1より筆者作成

ついてかなりの情報を得ることができます。とくに、医師別の症例数および死亡率の公表は、病院および医師選択に非常に役立つ情報を与えてくれるでしょう。州政府としても、成績の悪い病院や医師が手術を取り止めることにより、より成績のよい病院に患者が集中し、ニューヨーク州全体で治療成績が向上することを期待していると考えられます——[24]。

情報の公開にあたっては、観測された死亡率（Observed Mortality Rate）だけでなく、患者の重症度などの特性を調整したリスク調整後死亡率（Risk Adjusted Mortality Rate）——[25]を公表し、患者の特性による有利不利が生じないようにしてあります。さらにリスク調整後死亡率は統計的な信頼区間を利用して、その確実性がわかるようにしてあります。しかし、州民もこのような数値がどのような意味を持つのかを理解しなければ、せっかくの情報を正しく利用することは困難です。

このような治療結果の情報生産は一般に考えられているよりも費用がかかります。さらに、情報を理解するには、医学の専門用語を患者もある程度理解することが必要です。このような点からも、情報生産が情報の非対称性に関するすべての問題を解決するとは考えにくいでしょう。

病院ランキングの有効性

次に、第三者機関による病院評価は、シグナリングとして信頼性の高い情報を提供しているのでしょうか。この点について、Chen et al（1999）は、興味深い研究結果を報告しています。この論文は、米国の高齢者向け医療保障制度（Medicare）の患者の急性心筋梗塞（acute myocardial infarction）について、２つの医療経営コンサルタント会社（HCIA.Inc および Willian M Mercer Inc.）が毎年発表している「全米トップ100病院」とランキング外の病院で、医療サービスの品質が異なっているかを検証しています。このランキングは、連邦政

24　2017年にヨーロッパ５カ国の心臓バイパス手術の死亡率を同様の手法で比較した研究によると、死亡率が低いのはイギリスで2.2%、高いのはスペインの4.9%でした。なお、１病院当たりの手術件数が415件／年を超えると死亡率は低位安定したとされています（Gutacker et al. 2017）。

25　ただし、リスク調整を実施しても、完全に患者特性をコントロールすることは困難であるとされています。

府の病院を除く、3500の急性期病院を財務指標・経営指標および臨床指標から評価しています[26]。このランキングを作成した２社は、「一般大衆の病院選びのための情報ではない」と表明しているそうですが、実際には病院関係者から「病院PRの金の卵」と呼ばれ、メディアを通じて広く紹介されているそうです。このため、実際には病院関係者によって、パンフレットに引用されたり、契約を締結する際に取引材料として利用されたりしているそうです。

この研究の筆者らは、米国の高齢者医療保障制度のデータベース（Medicare National Claims History File）から、「心筋梗塞」と確定診断を受けた65歳以上の患者についてさまざまな指標を作成しました。とくに、死亡率については、全米トップ100では院内死亡率が採用されていますが、より正確な30日以内死亡率[27]を、上記データベースの情報に別の社会保障番号のデータベースの情報を加えて作成しています。

それでは、トップ100病院と比較病院の違いを図表１-８で見てみましょう。まず、臨床指標として「30日以内死亡率」は、教育病院では「トップ100病院」ではリスク調整後で17.3%で、「比較病院の場合」の17.6%に比して0.3%低くなっていますが、統計的な有意な差[28]は見られませんでした。この結果は非教育病院の場合でも同様で、死亡率の違いは誤差の範囲のようです。また、入院中に死亡せずいったん退院し、180日以内に再入院した患者の割合は、再入院の原因が心筋梗塞の場合に限ると、教育病院ではトップ100病院と比較病院では有意差があり、非教育病院では有意差がない結果になっています。

一方で、財務指標や経営指標には統計的に有意な差が見られました。例えば、

26　具体的には、財政的指標としては、「１退院当たりの費用」「長期負債と総資産の割合」「利益率」「固定資産収益率」を採用しています。経営指標としては「平均在院日数」「外来患者１人当たり収益」を用いています。臨床指標としては、「リスク調整後の院内死亡率」「リスク調整後の合併症の発生率」を採用しています。

27　院内死亡率の場合は、治癒の見込みがない患者を退院（あるいは転院）させて、死亡率を下げることが可能です。しかし30日以内死亡率の場合には、日本の住民票のようなデータベースの情報も合わせてどの場所で死亡した場合でもカウントできるようにして測定します。このため、より正確な死亡率が測定できます。

28　統計的に有意な差とは、２つの数値の差が「確率的に偶然とは考えにくく、確からしい」ということを意味しています。今回は有意差がなかったのですから、「２つの数値の差は偶然かもしれず、確実なものでない」と考えられます。

●図表１-８　トップ100病院と比較病院の品質比較（1994-1995）

	教育病院		非教育病院	
	トップ100	比較病院	トップ100	比較病院
病院数	78	574	48	456
患者数	5,355	37,065	4,460	29,946
30日以内死亡率				
観測死亡率	17.20％	17.30％	18.40％	18.40％
予測死亡率	18.40％	18.20％	18.30％	18.20％
リスク調整後死亡率	17.30％	17.60％	18.60％	18.70％
資源消費量				
1入院平均費用($)	13,290 **	14,306	11,991 **	13,004
平均在院日数(日)	8.5 **	10.0	8.1 **	9.3
術式				
心臓カテーテル術	48.20% *	46.40％	48.40％**	45.20％
冠動脈血管形成術	20.20% *	19.00％	20.90％**	17.90％
バイパス術	13.10％	13.00％	12.50％	12.50％
180日以内の再入院率				
全症例	42.10％	43.40％	40.90％**	45.30％
内、心筋梗塞	5.40％*	6.40％	6.60％	6.40％
入院日数				
入院後180日以上	12.4 **	14.5	11.5 **	13.5
再入院後180日以上	11.1 **	12.7	9.9 **	11.9

注１）＊＊はトップ100病院と比較病院の間に５％の有意水準で統計的有意差あり
注２）＊はトップ100病院と比較病院の間に１％の有意水準で統計的有意差あり
注３）分析対象の患者はメディケア加入者（65歳以上）に限定されている
出所）Chen et al.（1999）, p61, Exhibit4より筆者作成

１入院当たりの平均費用は、教育病院ではトップ100病院のほうが1000ドル（7.1%）以上安く、平均在院日数も1.5日（15.0%）低くなっています。また、平均在院日数は入院費用と強く相関しており、入院費用の61％を説明する要因となっています。

このような点から、財務的・経営的な評価がかなり正確に反映されているのに対して、質的な評価はランキングにきちんと反映されていないことが見て取れます。つまりトップ100病院は、高齢者の急性心筋梗塞に対する「臨床上の成績が優れている病院」というよりは、「財政的指標および経営指標が優れている病院」を選別することに有効であったという結論が得られます。もちろん、この研究だけで結論を出すことは危険ですが、有名な病院ランキングが必ずしも病院の品質を正確に測定していないことを知ることは、非常に重要であると思います。

●図表1-9　主な病院ランキング本の評価方法

	オリコン・メディカル	週刊朝日
調査方法	患者アンケート (インターネット利用)	施設基準(情報公開請求) 病院アンケート
評価項目 (ウエイト)	医師の技術(10%) 医師の説明(10%) スタッフの明るさ(10%) 設備の清潔さ(10%) 交通の便利さ(10%) プライバシーへの配慮(10%) 待ち時間(10%) 医療全般(30%)	疾病別症例数(100%)
特徴	病院の快適さや親切さは適切な評価が可能であるが、医療サービスの品質については、患者アンケートでは限定的な評価しか得られない	症例数が算定されている手術については、品質の指標として一定の妥当性があるが、医師1人当たりの症例数までは把握されていない

出所）オリコン・メディカル（2003）、週刊朝日（2003）より作成

オリコン・メディカル『患者が決めた！　いい病院』の内容

日本では、治療結果に関する情報はほとんど入手できないため、知人からの口コミ情報や病院格付本などに頼っているのが実情でしょう。次に、主な病院ランキング本の評価方法とその役割について見てみましょう（図表1-9）。

流行歌のランキングで有名なオリコンは、関連会社のオリコン・メディカルから病院のランキング本も出版しています。この本は予想を超える売れ行きを達成し、大きな影響を及ぼしました。この本の特徴は治療経験のある患者にアンケートを行った点です。具体的には、「医師の説明」や「スタッフの明るさ」「交通の便利さ」「清潔さ」などの7項目について、治療経験のある患者から10点満点で満足度を回答してもらい、その平均値を当該病院の得点としてランキングを行っています。

このランキング本は、医療の品質について正しく評価できるのでしょうか。これについて以下の3点がいえると思います。第一に、患者に対すアンケートでは患者が評価可能な部分しか正確に評価が行えません。スタッフが明るいかは判断できても、手術の腕がよいかを患者が判断することは困難です。あわせて、評価項目には具体的な治療結果や治療プロセスに関する指標は含まれてい

ません。第二に、診療科目ごとに情報量が大きく異なることにも留意すべきです。内科・産婦人科・小児科などは、同じ人が何度も受診することが多いので、情報も集まりやすく評価もより正確になるでしょう。ところが、泌尿器科や耳鼻科などは情報量も少なく、１回受診しただけで正確な評価を行うことは期待しにくいでしょう。第三に、アンケートはインターネットを通じて行われており、費用が安く大量のサンプルを集めることができます。しかし、サンプルが若年で所得が一定以上の層に偏りがちで、アンケート結果の信頼度も面談や訪問によるものよりは劣ると考えられます。

以上のような点からは、当該ランキング本は受診回数が多い診療科において、患者が判断できる快適さや接遇の水準を知るには有効ですが、治療結果や手術のうまさなどの分野の情報はあまり適切と考えられないことに注意が必要です。

週刊朝日『手術数でわかるいい病院』の内容

週刊朝日が採用した方法は、手術件数が多い病院をよい病院としてランキングしたものです。病院は定められた種類の手術件数を監督官庁に届け出ることになっており、手術件数が所定の数以上になれば、公的な医療保険からの収入が割り増しになります――29。これは、欧米では手術件数が多い医療機関ほど治療結果などが良好であることが確認されているため、品質の高い医療サービスを提供していると考えられるためです。

しかし、わが国では手術件数と治療成績の関係は実証研究では確認されていません――30。したがって、欧米での関係が必ずしもわが国に当てはまらないのです。また、対象となる手術の種類は約1600種類ある外科手術のごく一部なのです。このため、該当する手術を受ける患者以外にはあまり参考にならないでしょう。例えば、心臓バイパス手術の名手であっても心臓弁の手術はあまり得意でない場合も想定できます。さらに同じ症例数でも、１病院当たりの医師

29　この保険からの割り増し支払いの制度は、残念ながら2006年４月に廃止されており、現在は手術件数の届け出のみが行われています。

30　筆者が知る限りでは、症例数（手術件数）が治療成績に影響するという研究と影響しないという研究の両方が存在しています。また、年間に数百症例がめずらしくない欧米の医療機関に比して、日本では数十症例の医療機関も多く、集約化が進んでいないため、手術件数と治療成績の関係が確認できないのかもしれません。

が５人の場合と１人の場合では医師１人当たりの症例数は大きく変わってきます。また、同じ手術であっても患者の重症度によって難易度は異なります。

このような点からは、当該ランキング本は非常に狭い範囲の手術を受ける人にとっては客観的なデータとして参考になるものの、治療結果や医師個人の技量との関連は明確ではありません。このランキングの場合は、手術の品質についてある程度の情報が得られるものの、すべての点を反映したものではないと考えられます。

病院ランキング利用の注意点

このように見てみると、病院ランキング本はその評価方法の専門性に限界があり、利用できる分野は限定されていることがわかります。すべての評価には一部価値観（何が重要かの判断）が入るため、常に利用者の価値観と合致するとは限らないのです。また、ランキング本は読者に読まれるために、わかりやすさに重点をおいており、情報の品質（正確性）には限界があります。したがって、患者はランキング本の判断をそのまま鵜呑みにするのではなく、そのランキング本が何を重視してどのような情報を収集しているのかを考慮して判断することが必要です。

1-4　今後の方向性と討論課題

日本の第三者評価と情報生産

本章では、なぜ医療機関には広告規制があるのかを考えるために、競争市場で価格メカニズムが機能する条件を確認し、医療サービスの特性をその条件に照らしてみました。あわせて、情報の非対称性が強い市場における情報生産の理論を勉強しました。さらに、いわゆる病院ランキング本がどのように病院を評価しているかを調べて、その問題点を指摘しました。とくに、シグナルとしての病院ランキングは、その信頼性が低い場合にはかえって適切な選択を阻害することがあることを指摘しました。

それでは現在、医療政策としてどのような仕組み作りが推進されているのでしょうか。

第一に、ある程度費用がかかっても第三者が信頼性の高い病院評価のシグナルを公開することが１つの解決方法と考えられます。現在、最も普及している（そして筆者は信頼できる情報を提供していると考えている）**日本医療機能評価機構**[31]は、わが国の病院の３割程度がその認証を受けており、さまざまな批判はあるものの一定の役割を果たしていると考えられます。

第二に、政府による情報生産として、利用者にわかりやすい形で情報公開を進めるという方法もあります。すでに、2008年度から**医療機能情報提供制度**[32]が発足しており、患者が病院を選択するのに必要な情報（ただし、医療サービスの品質に関する情報はほとんどありません）は、都道府県単位で公表されています。患者は、このような規格化され、比較可能な医療機関の機能に関する情報を病院選択の際に利用することも可能でしょう。

また、忘れてはならないのは、患者が医師の話を理解するのに最低限必要な医学知識を患者教育という形で行うことです。ややもすると私たちはレストランで食事をするように、自らの義務を考えず医療サービスに身を委ねがちですが、医療は教育と同じように協業が必要なサービスであり、医療サービスを利用する際にも、自らの責任を自覚して必要な知識を身につける姿勢が重要でしょう[33]。

31　日本医療機能評価機構は、病院が一定の条件を満たしている場合に認証を与える非営利の第三者評価機関です。

32　医療機関の医療機能に関する一定の情報について、都道府県への報告を義務付けるとともに、都道府県は集約した情報をインターネット等でわかりやすく住民に提供する仕組みです。

33　筆者は学生にときどき、「薬を飲まない患者になるな」とアドバイスすることがあります。これは、病気を治すには医師の努力だけでなく、服薬等をきちんと行うという患者の協力が不可欠であることを指しています。教育においても勉強する努力を放棄しておきながら、自分が理解できないのを他の要因のせいにするのは、教育の協業性を無視した非効率な勉強態度だからです（もちろん、教員の努力も必要なのはいうまでもありませんが……）。

Health Economics

第2章

医療サービスと自由競争
——市場の失敗

Ｓ大学で経済学を学んでいるなるほど君は、体調に不安を感じて、隣町のＴ市の大きな病院にやってきた。１時間以上待ったのに、診察は３分で終わり、とくに問題がないということだった。安心したなるほど君は、親切そうな医師に学生時代のことを聞いてみたくなった。「先生は大学で医学を勉強されて楽しかったですか。僕は大学で経済学を勉強しています」。医師は忙しそうに書類に記入しながら、「そうだね、私の大学時代は勉強することがたくさんあったし、国家試験も受けなければならなかったから、大変だったよ」。そうか、医師には医師免許があるのか、そういえば、病院の看護師や薬剤師も国家資格だなあ、でも経済学者には免許がないなあ。どうして医療関係には免許が多くあるのだろう。

2-1 医療の問題を知る

多くの規制がなぜ必要なのか

医療サービス市場と政府の介入（規制）

医療機関は、広告規制という一般企業が受けないような規制に縛られていることがわかりました。実は、広告規制だけでなく、医療サービスの市場に対しては、政府の介入（規制）がさまざまに設定されています。それでは次に、医療供給体制に関する主な規制として、「医療職の免許制度」「医療機関の設置基準」「病床規制」を紹介します（図表２－１）。

医療職の免許制度

医療サービスをビジネスとして供給する医師は、医師法により「**医師免許の交付**（licensure）」[1]を受けることが必要です。医師免許を取得するには、６年間の大学教育の後、卒業試験および医師国家試験に合格し、厚生労働大臣より医師免許を交付される必要があります。あわせて、診療に従事する場合には、2004年より２年以上の臨床研修が義務付けられています。このように長い教育

1　免許制度については、一種の参入規制とする見方もありますが、本章では品質管理の規制として取り扱います。

●図表2-1　医療サービス市場での主な規制

規制内容	規制の根拠		
	効率性の視点		公平性の視点
	情報の非対称性	その他	
免許制度	教育内容と業務独占を結び付ける		
人員配置·構造設備基準	医療の「構造」に対する質の維持		
経営形態の制約	利潤動機の排除による機会主義の抑制		
病院の病床規制	供給者誘発需要の抑制		地域偏在の解消
広告規制	不適切な誘導を回避		
医療保険への強制加入		早期治療による費用削減、外部性の高い疾病の治療	所得格差による医療アクセスの不平等の回避
インプットの公定価格		出来高払い制下の価格上昇抑制	医療の質に差があるべきではないという理念
混合診療の禁止			所得格差による医療アクセスの不平等を回避

出所）遠藤（2006）、31頁、表6-1より作成

期間と実技研修を経て医師が養成されているのです。ただし、医師免許を取得した場合には、「業務独占」といって、免許取得者以外は特定の業務を行えないというメリットを得ることができます。

一方で、一般的な企業では免許制度が厳しく適用される場合は少ないでしょう。例えば、コンビニを経営する会社を例にとると、社長になるにはMBAを取得する必要があるとか、新商品開発部には定められた数の栄養士を配属しなければならないという規制は存在しません。これは、コンビニではその商品の価格と品質は消費者に十分理解されているため、品質を担保する規制を政府が実施する必要がないからです（安全規制は別途あり）。

医師が免許制となっている理由は、医療サービスの特性上、患者（消費者）は購入する医療サービスの内容を的確に評価・理解することができないので、医療サービスの供給者に最低限の品質を確保させるため、とされています。したがって免許制とは、医療サービス市場における情報の非対称性ゆえに品質の

悪い医師を排除することが困難であるため、市場に医療サービスを供給する医師になる時点で品質を担保するという規制です。

医療機関の施設基準（構造設備基準）

医療機関を開設する際には、医療法にもとづき、都道府県知事の許可を必要とします。その際には、建物の構造や設備および各種免許を有する人員の配置について基準を満たす必要があります。例えば、病院の病室は種類によって広さや必要な設備が決められています。また、病院の管理者は原則として医師でなければなりません。したがって、自由な形態の病院を自由な人員で運営することは認められていません。

一般的な産業においては、人員配置や設備の仕様は企業独自のノウハウが活かされるべき箇所であり、規制で一律に義務付けられることはあまりないでしょう。例えば、外食産業では、見栄えがよい外観と雰囲気のよい内装のレストランをいかにローコストで建設するかは重要な経営ノウハウです。また、時間帯ごとにレストランの店員をいかに少数で、かつサービスの水準を落とさずに運営するかのマニュアルは、企業にとって腕の見せどころでしょう。これに対して、施設構造基準は、免許制度と同様に、医療サービスが市場に出される前に、一定の品質を担保するための規制とされています。

病床規制

わが国では医療機関（病院・診療所等）は当初は自由に開業できましたが、1985年の医療法改正により、各都道府県に地域医療計画の策定が義務付けられ、そのなかで**病床規制**が実施されました。医療計画では、生活圏をベースに「２次医療圏」（全国で369圏）を設定します。都道府県はこの２次医療圏ごとにすでに建設されている「既存病床数」が年齢別人口から算出される必要な病床数（「基本病床数」）を超えている場合には、当該医療圏での病床の新設が実質上できなくなっています（病床規制は第４章で取り上げます）。

規制が多い理由

なぜ、医療サービスには他の財に比して、多くの規制が実施されているのでしょうか。これは情報の非対称性により、価格メカニズムが十分に働かない**市場の失敗**が生じるため、政府が介入してより適切な資源配分を実現させるためと考えられています。次項では、この市場の失敗について、「アカロフのレモン」市場を用いて説明しましょう。

2-2　経済理論で理解する

情報の非対称性、レモン市場、市場の失敗

中古車市場における情報の非対称性

Akerlof（1970）は、情報の非対称性が市場の失敗を引き起こすメカニズムを説明するために、しばしば引用されるこの分野での革新的な論文です[2]。この例では、中古車市場で売買されている中古車の品質がバラバラで、売り手はその品質をよく知っているのですが、買い手はよくわからないと仮定しています。つまり、中古車市場の売り手と買い手の間に情報の格差（非対称性）が存在する場合に、Akerlof（1970）は、市場は十分に機能しないか、あるいは市場が存在しなくなることを導き出しています。中古車市場のような買い手に商品の品質がわかりにくく、不良品をつかまされかねない市場を、見た目はきれいでもかじるとすっぱいレモンにたとえて、レモン市場といいます。

単純レモン市場

まず、単純化したレモン市場のモデルを見てみましょう[3]（図表２-２）。このモデルはレモンの原則の概念を理解するために、あえて大胆な単純化を行っています。このため、多少現実的ではない仮定条件をいくつか設定しながら説明します。中古車市場において、不良中古車の価値を θ_1（シータ・ワン）と、優良中古車の価値を θ_2（シータ・ツー）とし、この２種類しか存在しないと仮定します。この中古車市場での優良中古車の占める割合は π（パイ）で、

2　薮下（2002）によれば、この論文は３つの学術雑誌から掲載を却下され、刊行されるまでに４年もかかったそうです。それほど、当時は革新的な内容だったのでしょう。気になる方は、本書の巻末にある参考文献リストを見て、是非原著を読んでください。

3　この単純レモン市場は、アカロフの論文の内容をわかりやすくするために、筆者がなるべく単純化したものです。

●図表2-2　単純レモン市場の概念図

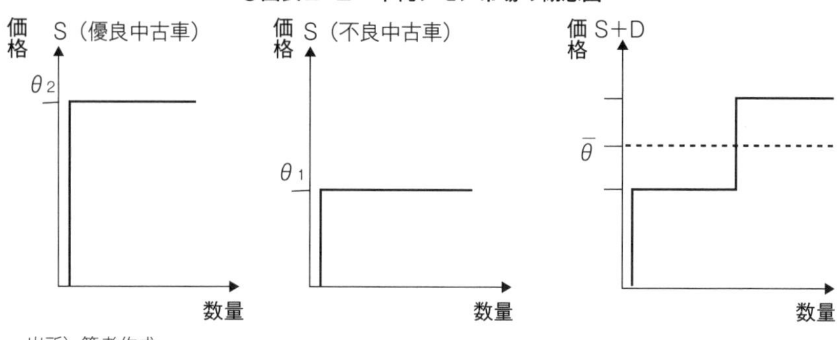

出所）筆者作成

0から1の間の値を取る（$0<\pi<1$）とします。ここで、「売り手」は中古車の情報をたくさん持っており個々の優良中古車と不良中古車の区別ができるとしましょう。一方、情報の非対称性により中古車の「買い手」は、個々の中古車の区別はつきませんが、優良中古車の割合（つまりπ）は知っているとします。このとき、買い手はやむを得ず「価値の期待値$\bar{\theta}$（平均値のようなもの）」[4]で中古車を購入することとなります。（2-1）式が期待値$\bar{\theta}$を示す式です。

$$\bar{\theta}=\pi\theta_2+(1-\pi)\theta_1 \qquad \text{ただし、}\theta_1<\bar{\theta}<\theta_2 \tag{2-1}$$

買い手は優良中古車と不良中古車の区別がつかないため、同じ価格（$\bar{\theta}$）で購入することとなります。一方、「売り手」は、これまで中古車を保有していたため、これから売る中古車が優良なのか不良なのかに関する情報を持っています。したがって売り手は、優良中古車の場合は価格がθ_2以上の場合に販売し、不良中古車の場合には価格がθ_1以上の場合に販売します（図表2-2の左および中央の図）。

このケースでは、売り手と買い手が一度だけ同時に市場で取引を行うと仮定します。優良中古車の場合は$\bar{\theta}<\theta_2$のため、売り手はこの価格で販売すると

4　期待値の詳しい説明は、7章の7-2を参照してください。

●図表２-３　単純レモン市場での情報の非対称性の影響

市場の失敗	・優良中古車が市場で取引されない （中古車市場の縮小、消滅）
その他の影響	・所得移転（買い手 ⇒ 売り手）

出所）筆者作成

損をしてしまいます。これに対して、不良中古車の場合には、$\bar{\theta} > \theta_1$ のため、市場に販売することとなります。したがって、中古車市場に出てくるのは、不良中古車ばかりということになってしまいます。この場合、買い手は実際の価値（θ_1）よりも高い価格（$\bar{\theta}$）で不良中古車を購入することとなります。この市場では、買い手は不良中古車ばかりつかまされ、優良中古車を最も低い価格で入手することに失敗してしまいます。

この市場では、不良中古車の販売者が優良中古車の販売者に負の**外部性**[5]を及ぼすことによって、優良中古車は市場から追い出されてしまいます。このため、せっかく中古車がたくさんあっても、市場での取引が縮小するという「**市場の失敗**」が起きてしまいます。また、この市場での取引では、買い手が不良中古車を割高な価格で購入することから、その割高な金額が不良中古車の販売者へ移転されることとなります（買い手の代金 $\bar{\theta} < \theta_1$ 不良中古車の価値）（図表２-３）。

より複雑なレモン市場

それではもう少し現実に近づいたモデルで再度同じ概念を検討してみましょう（図表２-４）。ここでは９つの中古車がそれぞれ異なる品質であり、品質指数で表せる（品質指数で０，0.25，0.5，0.75，１，1.25，1.5，1.75，２）というふうに、品質の仮定を複雑にしてみましょう。そして車の品質の分布は等間隔に１台ずつとします。さらに、中古車の売り手（所有者）は自分の車の品質を知っているとします。一方、車の買い手は、品質に関する分布は知っていますが、個々の中古車の品質はわからないと仮定します。中古車の売り手は、

5　外部性とは、市場を通じない経済主体間の相互作用を指します。例えば、受動喫煙により周辺の人のがん罹患率が上昇することなどがあげられます。

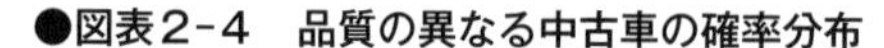

●図表2-4　品質の異なる中古車の確率分布

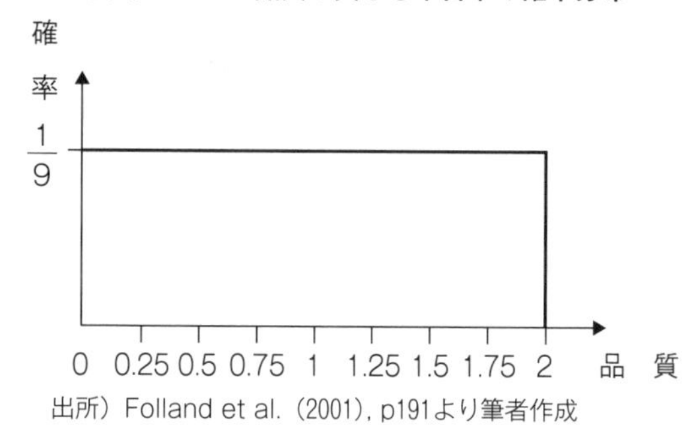

出所）Folland et al.（2001），p191より筆者作成

所有する車の価値が100万円×品質指数（０から２まで）であるという情報を持っています。つまり品質１単位当たり100万円の価格であれば販売してよいと思っています。一方、買い手はぜひ中古車を購入したいため、より大きな車の価値を設定しており、150万円×品質指数（０から２まで）まで支払うつもりです。これらの車はオークションに出品され、オークションの主催者が価格を宣言し、その価格に対して売り手と買い手の価格と台数が一致したときのみ売買が成立すると仮定します。また、情報を取得するための時間や費用をいったん無視して考えましょう。

中古車市場における情報の非対称性

それでは、この中古車市場で何が起こるでしょうか。最初にオークションの主催者が200万円と価格を宣言したとします。この価格は、売り手の希望販売価格（０円から200万円）に達しているので、全９台の中古車が市場に供給されます。しかし買い手は、情報の非対称性により個々の中古車の品質を区別できず、品質の分布の情報のみを持っています。このため、買い手は最善の予想をして９台の品質の平均（このときの平均品質は１）であると予想します。そうすると200万円の価格は、買い手の品質１の中古車に対して支払ってもよいと考えている価格150万円より高いため、買い手は中古車を購入しません（150万円×平均品質１＝150万円）。このとき、買い手は価格が150万円以下であれば、購入するでしょう。

そこで、オークション業者は価格を200万円から150万円に引き下げます。しかし、この価格になると売り手は品質が高いほうから２台の中古車を市場に供給しません。なぜなら、品質２（100万円×２＝200万円）および品質1.75（100万円×1.75＝175万円）の売り手の希望価格は、150万円よりも高いためです。この２台の車が市場から退出することによって、市場に残った７台の中古車の平均品質は低下します（１→0.75）。買い手は個々の中古車の品質は識別できませんが、平均品質の低下の情報は時間や費用なしで入手できると仮定していますから、買い手は平均品質の低下に伴い、希望価格を低下させます（150万円→112.5万円＝150万円×0.75）。したがって、現在の150万円の価格では買い手は１台も購入しなくなります。

いったい、このような条件の下で取引の成立する価格は存在するのでしょうか。実は、このケースでは売り手と買い手の条件が一致する**均衡価格**は存在しません。これまでの手順を繰り返すと、結局市場での取引は行われないことになります。

Akerlof は、この問題を以下のように表現しています。「潜在的な買い手が中古車の平均的な品質しか知りえない場合、市場価格は品質のよい中古車の真の価値よりも低くなりがちである。このため、高い品質を持つ中古車の売り手は取引を行わなくなる。これはある意味では、不良中古車が優良中古車を市場から駆逐するといえよう。この**レモンの原則**（lemons principal）のもとでは、中古車の市場は存在できない。」

このケースは、さまざまな仮定条件を設定した極端な事例です。例えば、中古車はオークション形式でしか取引されず、中古車の価格は市場にひとつだけしかないと仮定しています。また、暗黙の仮定として、中古車の品質は外性的に与えられ、変化しないと考え、取引に伴うリスクや費用に対する考慮はありません。

この点について、Philips（1988）は、以下のように述べています。「明らかにこのケースは極端な事例である。このケースが意味するところは、認識不可能なレモン（不良中古車）の存在は、優良中古車を適正な価格で販売することを妨げるという点である。」

不完全な対称情報と非対称情報のちがい

それでは、買い手も売り手も両方情報の一部しか保持していない対称な「不完全情報」の場合は、市場の失敗は同じように起こるのでしょうか。前節のケースで、買い手も売り手も平均的な品質しか知りえない状況を検討してみましょう。最初にオークションの業者が、200万円の価格を宣言したと考えます。売り手は、今度は自分の所有する中古車の品質がわかりませんので、平均的な品質1と考えます。したがって、売り手も希望価格（100万円×１＝100万円）よりも高いため、全９台の車が市場に出されます。しかし、買い手は平均的な品質１の車に対して150万円（150万円×１＝150万円）までしか支払いたくないため、中古車を購入しません。

今度は、オークション業者が150万円の価格を宣言したとします。このときには、売り手および買い手は、市場で全９台の中古車を取引します。したがって、中古車市場では中古車の需要と供給が一致し、均衡価格ですべての中古車が取引されます。つまり、情報の非対称性が強い財・サービスのほうが一定の条件の下では、情報が不完全でも対称性のある場合よりも、市場の失敗がより深刻になることが考えられます。

情報の非対称性が強い市場での対応策

中古車市場の例では、価格メカニズムが市場取引において十分な機能を果たせないことを説明しました。しかし、レモンの原則が現実の中古車市場で起きていたとしても、多くの仕組み（補正装置や制度）を対抗策として用いることが可能です。すでに第１章で説明しましたが、「エージェントの利用」、「情報生産」、「シグナリング」などが利用できます。「情報生産」、「シグナリング」については第１章で紹介しました。エージェントの利用については、次の第３章で取り上げます。さらに、市場の失敗がある場合には、政府が市場取引に介入することによって、取引をより効率的にすることが行われています。具体的には、医療サービスの公定価格を設定したり、公的な医療保険制度の患者負担（自己負担）の割合を変更したりすることが行われています。このような市場の失敗による政府の介入の必要性が、医療分野で政府の「規制」が多いことの理由の１つなのです。

2-3　実証分析の結果を検討する

規制の目的と効果

規制を実施する目的（米国の実証研究）[6]

米国では、Cone and Dranove（1986）が、なぜ医療サービスに対する強制価格規制法（Mandatory rate-setting raw）[7]を実施するのかについて、州ごとの1970～72年のデータを用いて検証しています。州政府が医療サービスへの価格規制を実施するのは、州政府が実施している低所得者向け医療保障制度（Medicaid）の支出を抑制するためなのか（メディケイド仮説：Madicaid hypothesis）、それとも民間保険が保障している部分も含めた総額医療費を抑制するためなのか（総額医療費仮説：total cost hypothesis）の２つの仮説を検証しています[8]。その結果、価格規制を導入している州ほど、州民１人当たりのメディケイド支出額が多く（これはメディケイドの非効率性が高いと解釈されています）、州政府の財政赤字比率が大きいため、メディケイド仮説が支持されました。つづいて実施されたFanara and Greenberg（1985）もメディケイド仮説を支持し、メディケイドの費用の州財政に占める割合は、州政府が価格規制を実施することの有効な予測因子であることが判明しました。同様の分析に、タイムシリーズデータ（1976～82年）を加えた、Lanning, Morrisey and Ohsfeldt（1991）も、メディケイド仮説を支持しています。これらのことからは、出来高払い方式が中心であった当時の米国では、州政府は総額医療費よりも、州財政に直接関係するメディケイドの支出を抑制するために、価格規制を実施していたと考えられます。

6　本節は、Salkever（2000）を参照しています。

7　この価格規制とは、医療サービスの価格について、従来は慣行的な価格で医療機関が請求していたものを、州政府が価格を定めて、公的な医療保障制度だけでなく、民間医療保険への請求にも強制的に適用したものです。

8　規制を実施する際には、その根拠となる法律に目的は明記されています。したがって、それ以外の仮説を設定することはあまり意味がないように感じるかもしれません。しかし、政府の表明した目的が真実とは限りませんし、途中で目的が変更されてしまう場合（業界保護など）も想定されます。このため、データで仮説を検証することが重要です。

価格規制による効果（米国の実証研究）

それでは、州政府が規制により介入した結果、医療費の抑制が達成されたのでしょうか。この疑問についても、米国で実施された実証研究を見てみましょう。ニューヨーク州では1969年に強制価格規制法による価格規制が導入されました。この頃の研究は、価格規制を受けている州の病院と受けていない州の病院の比較を実施しています。そのレビュー論文であるSalkever（1979）は、価格規制が入院１日当たり費用や患者１人当たり費用などの単位当たり費用に及ぼす抑制効果については、弱い根拠しか見出せないとしています。

さらに大規模な研究としては、Coelen and Sullivan（1981）が、1969～78年の2693病院のデータを用いて価格規制の効果を分析しています。規制の効果は、「入院１日当たり費用」で最も強く、次に「１入院当たり費用」で強く、「患者１人当たり費用」では最も弱くなっていました。このように、費用の範囲が広がるにつれて規制の効果が見られなくなるのは、病院が価格規制に対して、医療サービスの量（とくに入院日数）を増加させることにより、一定の収入を確保するという対応を行ったためではないか、といわれています。

次に、連邦政府がすべての州に実施した経済安定化法（Economic Stabilization Act of 1970）[9]による賃金・物価統制の効果について見てみましょう。Ginsburg（1978）は、米国病院協会の調査から個々の病院の四半期ごとのデータをプールして分析しています。その結果、当該規制は「１入院当たりの費用」や「入院１日当たりの費用」を下げる効果があることがわかりました。全米を対象とした大規模な研究としては、Sloan and Steinwald（1980）があります。この研究では1200以上の病院の1970～75年のパネルデータを用いて、規制の実施後のデータも加えて分析しました。その結果、規制の実施は「入院１日当たりの費用」を抑制する効果があったものの、その影響度（coefficient magnitude）は非常に小さいことがわかりました。さらに、Sloan（1981）は、実施されて３年以上経過している古い（old）規制と３年未満の新しい（young）規制とに全米の価格規制を分けて、その効果を検証しています。

9　米国経済は当時長期低迷状態にあり、インフレの進行・高い失業率に悩んでいました。このため、当時のニクソン大統領は、「新経済政策」のなかで、政府の賃金委員会・物価委員会により、医療分野においては1971～73年に価格統制が実施されました。

その結果、新しい規制では－７％から－20％の抑制効果があったものの、古い規制には効果が認められませんでした。この結果も、州政府の価格規制と同じく、病院が規制に対応して行動を変化させたことを示唆しています。

それでは、一定程度見られる費用の抑制効果は、医療サービスの効率性を高めたためなのでしょうか。それとも、単に医療サービスの品質を低下させたためなのでしょうか。Hadley and Swartz（1989）は、州ごとに異なる価格規制の形態を５つに分類したうえで分析しましたが、結果は明らかになりませんでした。この問題に対しては、Eakin（1991）が331の病院の非効率性の指標（inefficiency index）を分析に導入することによって対応しています。その結果、価格規制により資源配分の効率性が約１％増加したことが示唆されましたが、品質の変化に関する知見は得られませんでした。

このほかには、Worthington and Piro（1982）は厳格な価格規制に対応して、病院が平均在院日数（average length of stay）と病床稼働率（occupancy rate）を増加させていることを確認しています。また、Salkever and Steinwachs（1988）や Thrope and Phelps（1990）は、症例を単位とした価格規制（case-based rate regulation）や適正な医療サービス利用量の設定は、価格規制に対応して医療サービス量を増加させるという医療機関に対して、費用抑制の経済的誘因（incentive）を与えることを示唆しています。実際、米国では1980年代半ばから、症例ごとの定額支払い制度が導入されています。

日本における医療費抑制政策の効果——[10]

それでは、日本で行われている医療費抑制政策については、その有効性が確認されているのでしょうか。米国の事例では、公定価格を引き下げて、医療機関に対する支払いを節減する方法でした。これから説明する日本の事例では、患者の支払う自己負担の割合を引き上げて、患者が無駄な受診や医療サービスを受けることを抑制する方法をご紹介します。つまり、医療機関の行動ではなく、患者の行動に働きかける方法です。

吉田・伊藤（2000）は、1997年の健康保険組合の被保険者本人の自己負担率

10　本節は、井伊・別所（2006）を参照しています。

●図表2-5　1997年制度改定の各疾病別の影響

		風邪 係数	けが 係数
定数項	（本人）	171.790***	379.143***
	（家族）	197.639***	382.271***
受診日数	（本人）	359.109***	221.739***
	（家族）	286.930***	224.366***
性別ダミー	（本人）	43.777**	150.627***
	（家族）	13.849***	25.312
制度改定ダミー	（本人）	−52.754***	6.777
	（家族）	−9.838**	23.640
サンプル数	（本人）	4,055	1,818
	（家族）	19,304	4,377
決定係数	（本人）	0.371	0.304
	（家族）	0.583	0.310

出所）鴇田ほか（2004）、148頁、表7-11より筆者作成
注）係数の***は$p<0.01$、**は$p<0.05$で統計的に有意を示す

の引き上げ（自己負担１割から２割）の効果を「医療機関が医療保険に送る請求書（レセプト）の枚数」から分析しています。その結果、被保険者本人（主たる収入を持つ者）よりも、自己負担が従来から２割の被保険者本人の家族に受診抑制の効果を及ぼしていることが示唆されています。ただし、本研究はレセプトの医療費の金額は考慮していません。

同じ97年の自己負担引き上げによる効果を分析した鴇田ら（2004）では、「レセプトの金額」を加味して分析しています。当該制度改正の前後の３カ月間（1997年６～８月と1997年９～11月）を記述統計で比較したところ、本人の医療費は13.4％、家族の医療費は3.4％減少したという異なる結果を得ています。さらに、レセプトに記載された疾病名をもとに、代表的な４疾患（風邪、けが、高血圧症、喘息）に分けて分析したところ、それぞれに異なる制度改正の影響が認められています。例えば、「風邪」においては、制度改定ダミー変数──[11]は記号が負で統計的に有意となっています。このため、制度改定によ

11　ダミー変数とはある条件を満たす場合に１、それ以外の場合には０を取る変数です。ここでは、制度改正が実施された後の期間は１をそれ以外の期間は０を取る変数です。

り医療費が減少するという影響を受けており、その効果は本人のほう（－52.754）が家族（－9.838）より大きいことがわかります。一方、「けが」では、制度改定ダミー変数は符号が正で統計的に有意ではありません。このため、制度改正による影響は認められません。これは、疾病のちがいにより患者の受診行動に差が出たためと考えられます。

鴇田ら（2004）は、このほかにも所得階層別に受診行動に大きな差がないことも確認しています。これらの結果から、1997年改定は、風邪の治療のような「余分な可能性のある」医療の受診抑制に成功した可能性を指摘しています（ただし、その効果の大きさは比較的軽微であったと結論づけています）。

これまで紹介した研究は外来診療についての分析でした。入院医療との関係については、泉田（2004）が、３つの組合健保の５年間のレセプトデータを用いて、外来受診率および外来・入院の受診選択に及ぼす影響を分析しています。外来受診については、制度改定後６カ月間および１年間において、「被保険者本人および制度改定のクロスダミー変数――[12]」は負で統計的に有意な結果を示しました。これは、鴇田（2004）同様に受診抑制の効果を示しています。さらに、泉田（2004）は、制度改定により「外来経由の入院（外来診療でいったん治療を実施し、その後入院した場合）」および「直接入院（外来受診の直後に入院する場合）」が統計的に有意に増加している可能性がないことを確認しています。この結果から、制度改定による受診抑制によって、重症化による直接入院の確率を増加させる効果はほとんどないことが示唆されています。

2-4　今後の方向性と討論課題

市場の失敗か、政府の失敗か

本章では、なぜ医療分野では政府の規制が多いのかを考えるために、アカロフのレモン市場を用いて「市場の失敗」について説明しました。「市場の失敗」に対して、政府は規制や補助金を課すことによって、介入を行うことができま

12　クロスダミー変数とは、ある２つの条件を満たす場合に１、それ以外の場合には０を取る変数です。ここでは、被保険者本人であるという条件と制度改定後の期間であるという２つの条件を同時に満たした場合に１を、それ以外の場合に０を取る変数です。

す。政府は民間の組織にない「強制力」を法律などにより行使することができます[13]。このような理由から、医療分野では他産業に比較して政府の介入が多く行われていると考えられます。

米国の実証分析の結果からは、残念ながら政府の介入は、国民全体のためというよりも、政府の財政のために医療費を削減することが主目的になっていることがうかがえました。つづいて、日本の医療費抑制政策（患者自己負担の１割から２割への増加）の影響を実証研究から見たところ、影響は大きくないものの、無駄な受診のある程度の抑制に役立っているようです。ただし、その後も日本ではさまざまな規制の変更が行われており、すべてが良い成果を出しているわけではありません。

しかし、市場の失敗は、すぐに政府の介入を正当化しません。もし、「ハーベイ・ロードの前提」(Harvey Road presumption)[14]が成立しなければ、少数の官僚が中央政府で立案する政策が、かえって害をもたらす場合もあります。例えば、日本では保険診療の対象となる薬剤は、政府（厚生労働省）の安全性などの審査をパスする必要があります。政府が薬害などで批判されることを恐れて、非常に厳格な審査を長期間行うと、新薬が投与される時期が大幅に遅れ、多くの救われる可能性のあった人命が失われるかもしれません。このように、政府が十分な情報を入手できなかったり、過剰な規制を課すと**政府の失敗**が起こり、かえって状況が悪化する場合もあります。

世界中で1980年代に推進された規制撤廃（deregulation）は、政府の失敗により規制のデメリットが大きくなりすぎたという認識のもとで、より規制を少なくして市場機能を積極的に利用しようとする動きでした。ただし、市場の失敗と政府の失敗は相対的なもので、規制撤廃により状況が悪化することもあります。皆さんも、市場で問題が起きれば「規制撤廃イコール良いこと」、政府の問題が指摘されれば「規制強化イコール改善」ではないことを感じられていると思います。このような、規制強化（あるいは緩和）の影響を検討するうえ

13　皆さんも実感されているように、市場取引では買い手と売り手の合意によって取引が行われます。売り手も買い手も相手に取引をさせる強制力を持ちません。

14　政策実施は少数の賢人が合理性にもとづいて政策判断するという前提を指します。ロイ・F. ハロッド（1954）を参照のこと。

でも、医療経済学の実証研究は貴重なエビデンスを提供します。

Health Economics

第3章 患者はかかりつけ医を持つべきか——エージェンシー問題

なるほど君は、電車でＳ大学のあるＫ市まで帰ってきた。朝出かけたのが遅かったせいで、結局午後までかかってしまった。３分の診療のために半日つぶすのは時間が惜しいなあ、近くに手短に診察してくれるところはないのかなあ。そんなことを考えながらTVを見ていると、海外には家庭医という制度があり、診療所の医師が健康管理も含めて身近で診療してくれるらしいことがわかった。調べてみると、診療所であればＫ市にもたくさんある。なるほど君は、迷ってしまった。病院のほうが信頼できるけど、かかりつけ医を持ったほうがいいのかなあ。でも、腕が悪くて親しみにくいかかりつけ医にあたったらいやだなあ。

3-1　医療の問題を知る

家庭医制度、高齢者担当医制度

海外の家庭医制度

英国の医療制度においては、家庭医制度が重要な役割を果たしています。家庭医とは、プライマリケア（primary care）[1]を担う**総合診療医**（General Practitioner、以下GP）を指します。国民は全員あらかじめ医師リストから自分の家庭医を選択し、登録しておきます（１名の家庭医が2000～3000人程度の患者を担当する仕組みです）。そのうえで、医療サービスが必要な際には、まず登録した家庭医を受診し、必要に応じて病院を紹介してもらうことになります（図表３-１）。

家庭医制度のメリットは何でしょうか。患者から見ると、自分で病院選択をする必要がなく、家庭医からアドバイスをもらうことができます。さらに、家庭医と長期的な信頼関係を築けば、自分の既往歴や生活実態まで考慮してもらうことが可能になります。医療制度から見ても、患者が多重受診をするむだがなくなり、家庭医が外来受診を担当してくれることで、病院の医師は手術等の

1　日本語では１次医療と訳される場合が多いようです。一般的に日本では１次医療は日帰りで治療する外来医療、２次医療は手術などの入院医療、３次医療は大学病院などで行われる高度医療とされています。

●図表3-1　英国の家庭医制度

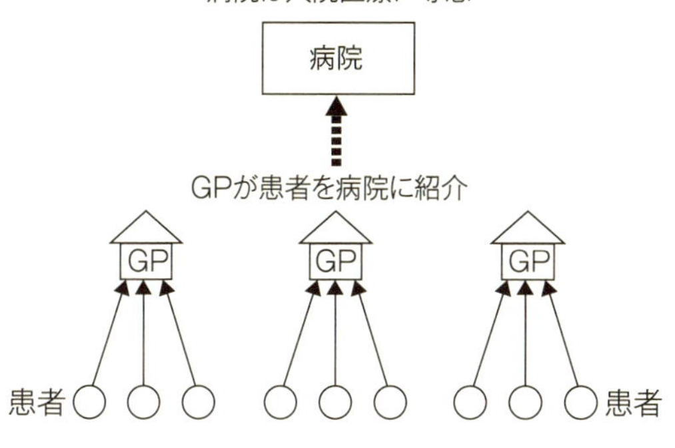

出所）筆者作成

入院医療に専念することが可能になります。

一方、家庭医のデメリットもあるはずです。直接病院を受診したくても、必ず家庭医を受診しなければならないという制約があることです。このデメリットは家庭医の総合診療医としての診断能力が低かったり、患者の立場にたった医療を行わない場合には、病院への紹介が遅れるなどの健康被害を受ける場合もあります。したがって、家庭医制度の成否の条件の１つは、家庭医の総合診療医としての機能をどれだけ高められるかにかかっていると考えられます。

日本への家庭医制度の導入

それでは、日本でも家庭医[2]制度（あるいは「かかりつけ医」[3]を導入することは可能でしょうか。このためには、以下の３点を検討する必要があります。第一に、総合診療医としての教育体制を構築する必要があります。意外にも専門医が活躍する米国では、まず総合診療医教育を実施し、その後専門医教育を実施するそうです[4]。日本の診療所の開業医は当初大学病院等で専門

2　日本では「家庭医」とは、「健康問題や日常起こりうる病状を適切に管理し、各領域別の専門医をはじめとした医療関連職種と連携を行うことで、患者の気持ち、家族の事情、地域の特性に応じた包括的で継続的な医療を行う医師のこと」と定義されています。

3　日本では、厚生労働省と日本医師会の間で家庭医の名称に関する論争があり、現在では「かかりつけ医」や「担当医」などの名称が使用されています。

医療の訓練を受けた後、一定の年齢に達すると開業するのが一般的です。また、日本では広告可能な診療科（標榜科目）は、とくに資格を要しないため自由に選択することが可能です[5]。このため、診療所の医師のすべてが総合診療医としての技術を持っているわけではありません。

第二に、プライマリケアを実施するには、24時間体制での患者対応が求められます。しかし、日本の診療所は医師１人で運営されている場合がほとんどです。このため、患者思いで熱心な医師ほど体力が続かないという問題を抱えています。これに対して、複数の医師が診療所を運営するグループ・プラクティス（group practices）の仕組みを日本でも検討する必要があるでしょう。あわせて、今後は往診（在宅医療）も含めた介護との連携・高齢化に伴う看取り(終末期医療)・認知症への対応が求められます。

一方、英国の家庭医は、総合診療医としての訓練を受けており、プライマリケアの専門医です。図表３-２は米国の例ですが、非常に広範囲な疾患を診断し、かつ全体の１割程度を病院に紹介する必要があります[6]。これは専門的な訓練を受けなければ、適切に対処できないでしょう。さらに、ほとんどの診療所が複数の医師で共同運営されるグループ・プラクティスの形態を取っています。それによって、患者への24時間対応を無理なく行うことができます。

第三に、日本で家庭医制度を導入する際には、家庭医制度に合わせた仕組みや公的保険からの支払い方法を検討する必要があります。実は、この支払い方式の初めての試みが長寿医療制度（旧後期高齢者医療制度）にありました。この制度では対象が高齢者であるため、慢性疾患を総合的にケアする必要があります。そこで、あらかじめかかりつけ医として登録してもらった医師については、外来診療時の検査や診察料を包括払い方式（担当患者１人当たり１カ月6000円）に変更することが届出[7]によって可能になりました。これは高齢者の生活（治療だけでなく）を支えるために、かかりつけ医（正式には高齢者担

4　赤津（2008）に詳しい説明があります。

5　このため、大学で皮膚科の臨床訓練を受けた医師が、精神科を標榜して開業することも可能です。また、標榜する診療科目の数について制限はありません。

6　この点は家庭医制度を考えるうえで非常に重要で、総合診療医が理想的に機能しなければ、かえって制度全体が非効率になるおそれもあります。

7　医療機関が社会保険事務所へ「後期高齢者医療診療料」の届出をします。

●図表３-２　2500人の登録患者を持つ開業医（家庭医）の診療所を受診する年間患者数

軽症（80.08%）	2,050	
一般的症状	1,425	
上気道感染		600
皮膚疾患		325
感情障害		300
胃腸疾患		200
特定の疾患	325	
急性扁桃腺炎		100
急性中耳炎		75
急性尿路感染症		50
急性"背部"症候群		50
偏頭痛		25
花粉症		25
予防措置	300	
予防接種、検診等		300
主要疾患（2.07%）	53	
肺炎		20
うつ病（強度）（うち、自殺未遂3例）		10
急性心筋梗塞		8
急性盲腸炎		5
急性脳卒中		5
新しいがん		5
慢性疾患（17.85%）	457	
慢性関節炎		100
慢性精神疾患		60
高血圧		50
肥満		40
慢性気管支炎		35
慢性心不全		30
がん		30
喘息		25
胃潰瘍		20
冠状動脈疾患		20
脳血管障害		15
癇癪		10
糖尿病		10
甲状腺疾患		7
その他		5

出所）ボーデンハイマー／グラムバッハ（2000）、127頁、表６-１
原典）Fry（1980）

当医）を登録してもらい、当該医師が患者の同意を得た計画書（複数の疾患がある場合には他の医療機関も含めて）の形で、総合的な診療を実施することを目的としていました。

しかし、医療機関側からは従来の出来高払い方式よりも低めの公定価格の設定であったため、強い反発が起き、また出来高払い方式をとる医療機関との選択性であったため、あまり普及していないようです[8]。一方、低い価格で総合的な診療をしてもらえるはずの高齢者からは、年齢区分によって支払い方式が異なるのはおかしいという理由などからあまり評判が良くないようです[9]。しかし、図表３-２に見られるような軽症患者を病院勤務医に対応させると、病院勤務医の負担が大きくなり、専門の治療（とくに手術）に専念することが困難になります。

3-2 経済理論で理解する

エージェンシー問題、契約の失敗

依頼人と請負人[10]

エージェンシー関係とは、**依頼人**（principal、例えば患者）が意思決定を行う権限を**請負人**（agent、例えば医師）に代理させるというものです。このような権限委譲が行われる理由は、患者が適切な判断を行うために必要な情報を十分に持っていない場合、より多くの情報を持つ医師に判断をしてもらうのが解決策と考えられるからです。例えば、株主は、株式を保有する会社の経営を専門知識を持つ経営者（取締役）を請負人として選任します。ただし、医師と患者の場合には、①医師は患者の請負人として必要な医療サービスを判断し、あわせて②この医師が意思決定した医療サービスの供給も行う、という複雑な

8　その後、2010年４月に導入から２年で廃止されてしまいました。

9　ただし、これらの論調はすべてマスコミ報道からのものですので、データで裏付けられていません。例えば、高齢者は他の年齢層よりも自己負担割合が低いなどの優遇措置が設けられています。にもかかわらず、支払い方式のちがいだけで「年齢差別している」という主張は、整合性があるとは思われません。

10　本節は、Folland, et al.（2001）を参照しています。また、agentは「代理人」と翻訳される場合もありますが、漆（1998）の翻訳が実感にあっていると考え、「請負人」としました。

●図表3-3　患者と医師のプリンシパル・エージェント関係

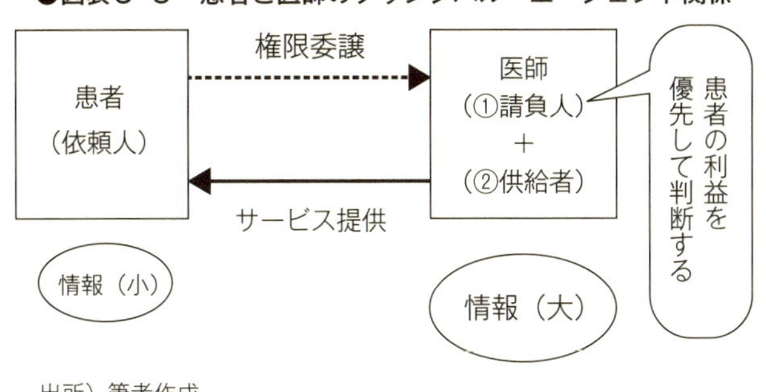

出所）筆者作成

関係になっています（図表3-3）。

このとき、「医師と患者がともに情報をたくさん持っている場合（情報に非対称性がない）」または「医師がいつも患者の利益のみを考える善意の請負人（完全な請負人）である場合」には、大きな問題は起きないでしょう。それでは完全な請負人とはどのような行動をする存在なのでしょうか。Culyer（1989）によれば、完全な請負人としての医師は、もし患者が医師と同じ情報を有していた場合に選択するであろう選択を行うと位置づけています。したがって完全な請負人は、依頼人と請負人の利害が衝突する場合には、自分の利害を考えず依頼人の利害のみを考えるとされています。

現実には、請負人が依頼人の利益を第一に考えて意思決定を行っているかどうかを知ることは困難でしょう――[11]。**プリンシパル・エージェント問題**（principal-agent problem）とは、依頼人が請負人の行動を監視できないことから、依頼人と請負人との間で利害対立が起こることを指しています。この問題を避けるために、世間一般では、利害の衝突を避ける契約を両者の間で締結することが行われます。例えば、社長は自分の請負人として部長に人員整理の交渉に当たらせ、期待した費用削減に成功した場合にはボーナスを増額するという契約を締結することができるでしょう（ただし、現実には契約というよりは口頭での指示によって行われる場合が多いのですが）。

それでは、この依頼人と請負人の間の契約について、具体的な数値を用いて

11　株主は経営を委任した取締役が、期待したとおりの経営努力をしているかや、その結果充分な利益をかせいでいるかを直接監視することは困難と考えられます。

考えてみましょう。例えば、ある患者と医師が自由に契約を締結できると仮定します。手順として、患者が医師にまず契約を提示し、次に医師がその契約を受けるかどうか判断します。契約した場合には、医師は請負人として必要な知識を用いて患者に必要な医療サービスを推奨します。ただし、医師は患者より自分の利益を優先することができ、患者はそれを監視できないとします。

患者は医師に推奨された治療が成功した場合には、50万円に相当する利得を得ることができ、失敗した場合には20万円相当の利得しか得られません。また、患者は治療が成功でも失敗でも医師に20万円を支払う固定報酬契約と、患者の利得の半分（50%）を医師に支払う成功報酬契約の２つを考えました。これに対して、医師は患者に対して努力をする場合（例えば、全力で行う）としない場合（例えば、惰性で行う）があり、前者の場合には費用が10万円分かかり、後者の場合の費用は０円とします。

患者がまず固定報酬契約を提案した場合、医師の利得はどうなるでしょうか。努力した場合には、医師が得られる固定報酬20万円から努力の費用10万円を差し引いた10万円が医師の利得になります。患者は利得20万円から報酬20万円を引いた０円が利得です。一方で医師が努力をしなければ費用は０円ですから、報酬全額の20万円が利得となります。この場合も患者の利得は０円です。

したがって、固定報酬契約を締結した場合、医師は努力をしない場合を選択します。この場合に患者の利得は、20万円－20万円で０円になります。

次に、患者が成功報酬契約を提案した場合、医師が努力した場合には治療は成功し、患者の利得50万円の半額である25万円が報酬になり、努力の費用10万円を差し引いた15万円が医師の利得になります。患者は残りの半分の25万円が利得となります。一方で医師が努力しない場合には治療は失敗し、患者の利得20万円の半額である10万円が報酬となり、費用がかからないため、10万円が医師の利得になります。

したがって、成功報酬契約を締結した場合、医師は努力をする場合を選択します。この場合に患者の利得は10万円になります。

以上をまとめると、患者は固定報酬の場合は０円で、成功報酬の場合は10万円の利得を得ますので、成功報酬契約を医師に提案します。医師は、成功報酬契約の場合は患者が監視しなくても努力する場合を選択します。つまり、患者は成功報酬契約を提案することにより、その後は監視をする必要もなく、医師に努力をさせるように誘導することができると考えられます[12]。

3つの対応策

このエージェンシー問題に対してスティグリッツ（2000）は主に3つの解決策を提示しています。第一に、請負人に依頼人の所有権を一部譲渡して、請負人に依頼人と同じ経済的誘因を持たせることです。しかし株主が取締役にストック・オプションを与える場合と異なり、患者が医師になんらかの所有権を譲渡することは現実的ではないでしょう[13]。第二に、成果報酬などの報酬の支払い方式を請負人の利益を反映させる形に設定する方法です。この方法についてはこの後で詳しく検討します。第三に、依頼人が請負人を監視（モニタリング）し、請負人が依頼人の利益に反する行動をとっていないか情報を入手する方法です。このモニタリングは情報の非対称性がある場合には完全に実施することは、技術的にも費用的にも困難でしょう。ただし、依頼人と請負人が長期的な関係を維持することは、このモニタリングの有効性を高めるとされています。

医療サービスにおける成功報酬

医療サービスの場合には、患者が医師のアドバイスにしたがって治療を受け、患者の期待どおり健康が回復した場合のみに料金を支払う成功報酬方式のようなものを想定することが可能です。しかし、現実にはこのような方式は困難を伴います。

Dranove and White（1987）は、患者の健康の改善度合いによって報酬を受

12　追加で、社会全体で見た利得についても考えてみてください。固定報酬契約の場合には、患者の利得0万円と医師の利得20万円の合計値20万円になります。一方で、成功報酬契約では、患者の利得25万円と医師の利得15万円の合計値40万円になります。成功報酬契約で医師の努力を引出すことにより、社会全体で見た利得も、より大きくなることがわかります。

13　米国では、民間医療保険が医師が節約した医療費の一部をボーナスとして医師グループに譲渡することによって、医師に保険者の請負人としての経済的誘因を与えた例があります。

けるような契約が行われない理由を考察しています。つまり、なぜ医師は患者が完治したときのみ報酬を受けるようにできないのでしょうか。このような契約は、医師と患者の利害を一致させる優れた仕組みのように見えますが、Dranove and White は医師と患者との「情報の非対称性」（この場合は健康の改善度合いについて医師が情報を持っていないのですが）に成功報酬方式が実施されない理由があると考えています。

例えば、腰痛を訴える患者を想定しましょう。上記のような報酬契約を医師と患者が締結した場合、患者は治療後に健康の改善度をより低く申告する経済的誘因をもちます。一方で医師のほうは、腰痛の治療がいかに高度で困難かを主張し、改善度を過大評価する経済的誘因を持ちます。つまり、患者が治癒した場合に報酬を支払うという契約は、このような情報の非対称性の問題のために、容易には実施されないと考えられます。

不確実性による契約の困難さ

医療サービスに結果の不確実性――[14]が存在する場合には、請負人である医師が患者にとって最適な行動を行うような契約（あるいは経済的誘因）を設定することはさらに困難になります。これは図表３－４で説明することが可能です。

治療の結果（成果）が医師の努力や技術のみに依存せず、不確実性を持つ場合には、治療結果は確率的な分布で表せます。例えば、技術水準が高く努力を怠らないＨ医師と、技術水準が低くあまり努力しないＬ医師では、Ｈ医師のほうが確率分布の平均値（M_2）が成果がより高い位置（$M_2 > M_1$）になるでしょう。あわせて、Ｈ医師は、治療結果のバラつき（標準偏差など）も小さく、分布の幅が小さくなるでしょう。

同じ患者に対して、このＨ医師とＬ医師が治療を実施する場合、技術や努力にかかわらず、どちらの医師も治療結果が同じ M_3 となる場合が一定の確率で発生します。つまりＨ医師は高い技術と努力により治療しても、運が悪い場合には平均値（M_2）より低い M_3 の治療結果となる場合があります。逆にＬ医

14　不確実性の詳しい説明については、第１章の18～19頁や28～29頁を参照してください。

●図表3-4　結果が不確実な場合の結果のちがいについて

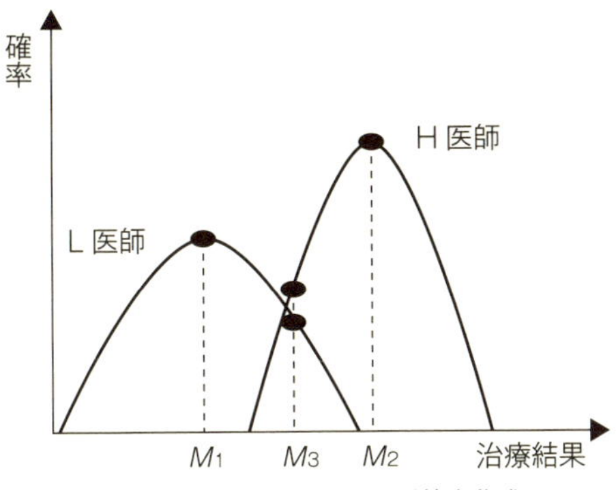

出所）漆（1998）、44頁、図2より筆者作成

師は技術も低く努力水準も低いのですが、運が良い場合には平均値（M_1）より高い治療結果（M_3）を偶然達成する場合があります。このような状態で、医師への報酬を治療結果に応じて支払うと、高い技術を身につけたり努力をしなくても同じ報酬である場合が発生し、技術の向上や努力する意欲を低下させる可能性があると考えられます――[15]。

医師は「患者の請負人」か、「政府（あるいは保険者）の請負人」か

それでは、患者が医師をモニタリングできて、医療サービスに不確実性が存在しない場合には、医師は常に患者にとって適切な判断ができるのでしょうか。現実の世界では、医師は患者の請負人であることに加えて、保険者（あるいは政府）の請負人としての機能を求められています。多くの場合、患者と政府（保険者）の立場は異なることが多いため、医師の判断は複雑にならざるを得ません。図表3-5を見てください。例えば、政府から見た場合には、ある患者にとっての医療サービスの量は1単位の医療量を追加した場合の便益である**限界便益**と1単位の医療量を追加した場合の費用である**限界費用**から考えると、

15　ただし、患者の治療結果が確率分布として定まるならば、多くの患者を治療すれば、結果として治療結果の平均値は差が出ることになります。しかし、患者ごとに応じた報酬が偶然の結果に左右される場合には、長期的な観点で対応できないかもしれません。皆さんも毎月の給与が業績と関係なく支給されると、10年間の累積で見ると業績に比例しているとしても、今月の業績を向上させようという経済的誘因を持てないのではないでしょうか。

●図表3-5　観点のちがいによる適切な医療量のちがい

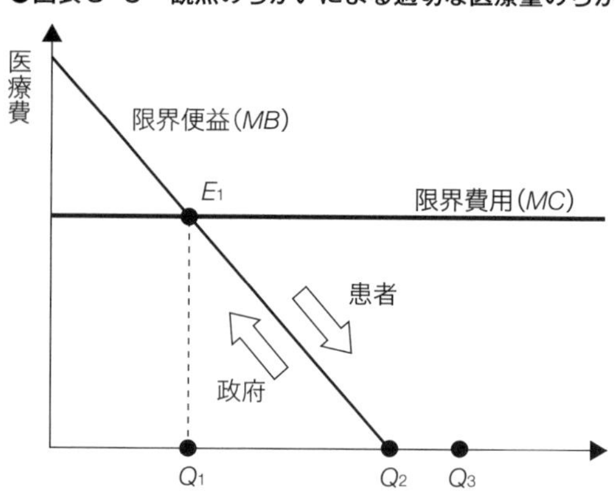

出所）フェックス（1990）、176頁、図7．3より筆者作成

その交点（E_1）で決定される医療サービス量 Q_1 が最も望ましいこととなります。もし、政府がこの点を知ることができるならば、さまざまな規制や指導により、医療サービス量を Q_1 になるように医師を誘導するでしょう。

しかし、これは社会的な観点からの判断であり、患者から見れば限界費用を下回る便益であっても、限界便益が0になるまで医療サービスを利用したいと考えるでしょう。この場合には医療サービス量は Q_2 となり、社会的に最適な場合に比して Q_1Q_2 だけ量が多くなります——16。

問題は、医師が患者の請負人としての判断を優先させるか、政府の請負人としての役割を優先させるかです。仮に医師が患者の完全な請負人であれば、医師は Q_2 を選択するかもしれません。一方で、政府の規制や指導に忠実であれば Q_1 を選択するかもしれません。現在の医師は、患者の請負人としての意思決定を重視していると考えられますが、今後予算制約が強まれば政府の請負人としての役割をより重視せざるをえない状況を招くかもしれません——17。このように、医師が複数の請負人である場合には、その意思決定は複雑になって

16　ただし、Q_3 の場合は、限界便益が0になっても医療サービス量を増加させているため、Q_2Q_3 は完全にむだとなります。

17　すでに、米国では医師が民間保険会社（図表3-5では政府の位置）からの要請と患者の請負人としての機能という2つの役割を担うことなり、民間保険会社の請負人としての役割を強めたため、患者との信頼関係を阻害してしまうという問題が起きました。

しまうものです。

モニタリングとセカンドオピニオン

医師が患者の請負人として適正な行動を取るように、もう１人の医師を請負人を利用してモニタリングすることも可能です。日本では「フリーアクセス」という患者が自由に医師を選択できる制度になっています。したがって、患者は医師の診断に疑念が生じた場合や自分の意向を無視する医師に対しては、他の医師に診断を求めることができます。あわせて、最近ではセカンドオピニオン制度により、主治医に断ってから他の医師の意見を求めることも可能です。このようなセカンドオピニオンが気軽に利用できれば、請負人としての医師をときどきモニタリングすることが可能になるでしょう。

3-3　実証分析の結果を検討する

受診決定のちがい、GP 契約の手法

受診判断と請負人の行動[18]

実証研究において、医師が請負人として適切に行動しているかを見たい場合には、「医師と患者の間にほとんど情報の非対称性が存在しない場合」と「存在する場合」を比較する方法が考えられます。Hay and Leahy（1982）はこのアイデアを用いて実証分析を行っています。彼らの研究によれば、健康状態と社会経済的条件を調整した後でも、完全な請負人に近い「医療専門職とその家族」は、「その他の患者」と同じ頻度で医療機関を受診していたということがわかりました。この結果は、医師を受診するか否かという行動について多くの医師が完全な請負人と同じように行動したことを示唆しています。

一方で、Rossiter and Wilensky（1983）は、患者が自らの意思で受診する場合と、医師の紹介により受診する場合を比較し、両者間で病院の利用率に差があることを確認しました。これは、医師が請負人として病院を受診すべきかを意思決定した場合と患者（依頼人）が判断した場合とで、受診行動が異なるこ

18　本節は、McGuire（2000）を参照しています。

とを明示しています。このとき、医師が専門知識を利用して依頼人よりも正しい判断をしていることが期待されます。一方で、Smith and Yawn（1994）によれば、医師が患者が適切と考えるよりも多くの医療サービスをすすめた場合、患者は医師に対して直接不満を表明するよりも、予約した受診を控えるなどの行動を取っているようです。当該研究によれば、米国の家庭医の受診スケジュールにおいて患者は予定されている受診の約20％を未受診のままにしていることが確認されています。

支払い方式（経済的誘因）と請負人の行動

しかし、医師の行動は経済的誘因により変化することにも注意が必要です。Hickson, et al.（1987）は、小児科医について、出来高払い方式の場合と給与方式（例えば月給払い）の場合を比較すると、出来高払い方式の場合には米国小児学会が推奨した標準的な乳児ケアよりも手厚いケアを実施する傾向があり、給与方式の場合にはその傾向が見られないことを観察しています。

このような医療サービス量の余分（と思われる）増加に対しては、政府がさまざまな手段を通じて量を制限することが考えられます。しかし、サービス量を抑制すると、医師は費用を節約するために品質を下げて、制限された医療サービス量で利益を確保するかもしれません（品質の向上にはより費用がかかると考えます）。Grazer and McGuire（1993）は、米国の高齢者向け医療保障制度（メディケア）において公定価格と量的制限が課された場合を分析しています。このような供給制限が課された場合には、政府の規制が遵守されない（あるいはその監視能力がない）場合に、医師が品質の差別化（quality discrimination）を行い、制限の多いメディケアの患者には品質を下げ、それ以外の制限のない患者——[19]には高い品質を維持する可能性を示唆しています。

カナダ・ケベック州のGP契約に関する研究

具体的にはどのような契約が医師の行動に良い影響を及ぼすのでしょうか。

19　米国では、公的医療制度としては高齢者向けのメディケア（Medicare）と低所得者向けのメディケイト（Medicade）があり、それ以外の国民は民間医療保険を選択して加入することになっています。

この点について多くの示唆を与えてくれる Rochaix（1993）を詳しく見てみましょう。当該研究はカナダのケベック州で行われた、医療保険の支払い方式変更という外生的ショックが医師の行動に与える影響を測定する自然実験[20]の例です。カナダの医療制度は、英国と同様に、専門医療を受ける前にプライマリケアを担当する GP への受診を義務付けるというアクセス制限があります。ケベック州では、GP への支払い制度は出来高払い方式でしたが、1979年より総額予算（global cap）方式を採用しました。「総額予算制度」は、総額予算を事前に決定する方式で、GP の収入があらかじめ決定されるため、サービス供給量を増加させても、医療費総額は影響を受けないという想定をしていました。

総額予算制度と GP の反応

総額予算制度においては、政府と医師会が事前協議により毎年目標所得水準（target income）を設定していました。目標所得は、前年度の所得に、インフレ率、医師密度予測を加味して決定する方式でした。

この仕組みを単純化した図表３-６で説明すると、例えば79年から80年に目標所得水準の10％引き上げで政府と医師会が合意した場合、サービス価格を９円から10円に増額し、総額予算を９億円から10億円に増加させるという形です。ただし、80年度実績としては12億円となり、予算総額の10億円を超過してしまった場合には、共同制裁（collective sanction）として、２億円の予算超過分に見合った分だけ翌81年度にサービス価格を２円分引き下げるというペナルティを付加していました。

この制度の問題は、一部の GP（活動水準が高く高所得）が、他の GP への共同制裁によるしわ寄せを考慮しないで医療行為を行い、その結果として全体の予算総額が超過してしまうという点でした。目標所得を超過する医師と、その超過によって翌年の価格低下による所得減少を被る GP との間に不公平感が大きくなっていたのです。あわせて、この制度では医療が必要な場合には、予算総額を超過していても医療サービスが供給されたため[21]、医療費の増加を抑制できませんでした。このため、1982年から85年にかけて赤字が拡大して

20　自然実験とは、実際に社会に起こった出来事を、あたかも自然科学における実験のように、他の条件をコントロールした形でのデータを取る研究手法を指します。

●図表3-6　総額予算制度の運用方法

	1979年	1980年予算[実績]	1981年予算
目標所得	900万円	1000万円	800万円
医師数	100人	100人	100人
予算総額	9億円	10億円[12億円]	8億円
サービス価格	9円	10円	8円（△2円）
サービス回数	1億回	1億回[1.2億回]	1億回

しまいました。そこで、従来の総額予算方式に加えて、医師一人ひとりに予算上限を課して管理する「個別予算上限制度」を適用することとなりました。

共同制裁方式から個別予算上限方式への変更

個別予算上限方式（図表3-7）では、医師別に4半期ごとの予算上限を設け、超過した場合にはペナルティとして当該年度の医療サービス料金を75%減額（ceiling effect）およびその後15カ月間の料金水準の据置（fee freeze effect）を課すこととしました。これによって、各GPは個人ごとに予算上限の制約を受けることとなり、一部のGPが医療サービスを大量に供給しても、予算上限を超過するとそのGPのみの価格が引き下げられるため、当該GPは1人だけ所得を増加させることが困難となりました。

この点を図表3-7で説明しましょう。例えば、目標所得1000万円のGPの場合、4、5、6月の3カ月で250万円の予算上限を超過すると、それ以降のサービス価格は10円から2.5円に減額されることとなります。通常、価格が75%も割引されれば、どんなに医療サービス量を増加させても費用を賄うことが不可能になることが想定されます。この場合には、サービスを供給すればするほど実質的な所得が減少することとなります。

したがって、GPは医療サービス供給を個別予算上限内にコントロールする

21　英国などでは医療費は国家予算として年初に計上されるため、医療サービス量が見積もりより多くなってしまっても、予算追加は行われません。この場合には超過したサービスは翌年への繰り越し（具体的には待機リストによる調整）が行われます。したがって、英国の場合は医療費は総額予算から大きく超過することはありません。

●図表３-７　個別予算上限制度の運用方法

	第１四半期	第２四半期	第３四半期	第４四半期
予算上限	250 万	500 万	750 万	1000 万

強い経済的誘因を持つこととなります。また、このインセンティブは個々の医師にはたらくため、他の医師との不公平はかなり解消されるはずと考えられたのです。それでは、四半期ごとの個別上限の支払い額を超えないように医師はサービス供給量の調節（あるいは労働時間の調整）をしているのでしょうか。もし調節していると仮定すると、四半期の最終月（第１四半期であれば、４、５、６月のうち６月のみ）において、個別予算上限を超えないように、診療行為を控える動きがあると推測されます。

個別予算上限方式における四半期調整効果の検証

この内容を確認するために、Rochaix（1993）は医師の所得を説明するモデルを構築して、四半期ごとの最終月の場合に１、それ以外の月では０をとるダミー変数（D_3）が所得を説明できるかどうかを分析しています。ただし、そもそも GP はその所得水準に応じて異なる行動をとることが予想されます。例えば、高齢の GP は所得水準は非常に低いですが、すでに半分リタイヤ状態のため、また所得よりも体調や生活ペースを重視するため、他の GP とは異なった行動様式を持っていると想像できます。そこで、ここでは所得水準の高い順に、G_3（高所得）・G_2（中所得）・G_1（低所得）・G_0（半分引退状態）の４グループに GP を分けて分析しています。

その結果、G_0 以外の所得水準で四半期調整ダミー（D_3）の係数が統計的に有意になり、その効果が確実であることが確認されました（図表３-８）。とくに最も所得水準の高い G_3 では、係数の値が最大であり、かつ符号が負で、四半期の最終月に所得を減少させていることが示唆されました。

それでは、G_3 の GP はどのようにして所得を減少させているのでしょうか。Rochex は同じデータを用いて、今度は医療サービス項目ごとの数量を被説明変数にして、その要因を説明変数とするモデルを利用して分析を行っています。その結果 G_3 の GP は、とくに高額な検査を減少させていることがわかりまし

●図表3-8　所得水準別の四半期調整効果

	高所得（G_3）	中所得（G_2）	低所得（G_1）
D_3 の係数	−0.097（t =−6.028）	−0.012（t =−0.740）	0.008（t =0.477）

G_3 の医療サービス量を説明するモデルにおける検査項目の四半期調整効果

	簡便な検査	一般的な検査	高度な検査
D_3 の係数	−0.030（t =−1.779）	−0.090（t =−3.096）	−0.098（t =−3.653）

た。図表3-8下段に示す3つの検査項目はそれぞれ複雑さや高度さは異なりますが、代替的な関係にあります。最も簡便な検査（ordinary exam）から最も複雑で高度な検査（complete exam）まで係数はすべて負で統計的に有意でした。ただし、係数の数値で見た影響度は、より複雑で高度な検査のほうが大きく（−0.098、簡便な検査は−0.030と3分の1程度）、価格の高い検査をより多く減少させることで、所得を調整していることがうかがわれます。したがって、高所得の医師は予算枠に所得を収束させるため最終月に医療活動の水準を低下させ、かつ高価格の医療サービス供給をとくに減少させていることが示唆されます。

このように現実の医療制度では、複数の支払い方式や補完的なルールを組み合わせて、医師や医療機関との複雑な契約を構築しています。また、医療経済学ではその効果を測定するための実証分析が数多く行われています。

3-4　今後の方向性と討論課題

家庭医制度の是非

本章では、海外の家庭医制度の説明からはじまり日本への導入に至る問題について考えました。経済理論においてはプリンシパル・エージェント問題を取り上げ、医療サービスにおける適切な契約の困難さを考察しました。さらに問題なのは、医師が政府（あるいは保険者）の請負人として行動するように規制や経済的誘因を課された場合の判断が複雑になることです。このようなエージェンシー問題に対しては、セカンドオピニオンの活用や家庭医と長期的な関係を維持するというモニタリングの活用も考えられます。しかし、医療サービスの特性を考えると契約もモニタリングも万全な対策とはいかないようです。

一方、制度派経済学では、医師と患者のエージェンシー問題に対しては、医師による職業規範の堅持に期待しています。医師が職業規範として最初に学習するのが、「ヒポクラテスの誓い」です。この誓いは、「私は能力と判断の限り患者の利益になると思う養生法をとり、悪くて有害と知る方法を決してとらない」というものです。多くの医療従事者は患者の治療のために自らのすべての力と利用できるすべての資源を利用するように教育されているのです。このため、医療従事者は「命は地球よりも重い」と信じ、「医療は他のサービス業と異なる」と考え、通常の職業では考えられないような過重な勤務形態に耐えることができると考えられます[22]。このような職業規範を医師おのおのが堅持するとともに、専門職の同業者組合が相互に監視し、問題のあるメンバーを排除するなどの仕組みも、エージェンシー問題に対する解決策の１つと考えられます。

今後、わが国の医療制度は、厳しい財源のなかで医療の品質を保っていく必要があります。このなかで有効な政策と考えられているのが、急性期病院を手術等の二次医療に集中させ、外来診療（とくに軽症患者）などの一次医療は診療所で分担することです。

あわせて、今後高齢化の進展により、在宅医療を中心とした介護との連携の機能も家庭医に期待されています。現代の医療にとって避けて通れないのは認知症の増加や看取りの問題です。家庭医制度が、認知症の早期発見や自宅での看取りを可能にしてくれるかもしれません。長期的な視点から医療制度を考えると、徐々に家庭医制度を整備していくことは、限られた資源で医療制度を運営するうえで有効な手段の１つといえるでしょう。

22　ただし、この職業規範に甘えて、経営上の問題を医療専門職の個人的犠牲に押しつけることは許されないと思います。

【討論課題】

あなたは日本に家庭医制度を導入するべきであると考えますか？　賛成・反対を最初に明示し、その理由を説明しなさい。賛成の場合には、家庭医制度の導入にあわせて実施するべき医療政策を提示しなさい。反対の場合には、家庭医制度に代わる医療政策を提案しなさい。

Health Economics

第4章

病床規制はなぜ維持されたのか——供給者誘発需要仮説

なるほど君は、かかりつけ医について理解したが、やはり重篤な疾病では病院が頼りになると思った。そこで前回診察を受けた隣のＴ市の病院に電子メールを送ってみた。「この病院はとってもいい病院だと思いますが、Ｋ市に支店（分院）を出してはどうですか。ライバルも少ないし、とても流行ると思いますが」。病院から帰ってきたメールは、意外な返事であった。「残念ながら、Ｋ市では新しく病院を建てることはむずかしいのです。実は、政府の規制で病床を一定数以上建設できないようになっているのです」。なんてことだ、コンビニやレストランは自由に開業できるのに、病院はなぜダメなのだろうか。

4-1 医療の問題を知る

病床規制

医療計画と病床規制

わが国の地域医療計画は、地域の医療サービス供給のための体系的な計画として、1985年の医療法改正により導入されました。当該計画において各都道府県は、「義務項目」と「選択項目」を５年ごとに策定する必要があります。前者は主に、「医療圏の設定」や「二次医療圏ごとの基準病床数の算定」などで、後者は「救急医療体制」や「僻地に対する医療サービス供給体制」などです。

「医療圏の設定」については、各都道府県が以下の３種類の体系的な医療機能（①一次医療圏では外来による初期治療、②二次医療圏では入院医療、③三次医療圏では高度な専門医療）を区分整備することとなっています。このため、各都道府県は複数の市町村を組み合わせ、二次医療圏を設定しています。

さらに、当該二次医療圏ごとに、都道府県は地域の医療ニーズに応じた（主に年齢階級ごとの人口をベースとして）適正な病床数（基準病床数）を算出し、すでに存在する病床数（既存病床数）が基準病床数を上回る二次医療圏においては、実質的に新たな病床の設置を許可しないことができます──[1]。

なお、わが国の地域医療計画は、後で紹介する諸外国の制度に比して予算的な裏づけが伴っていません。したがって、地域医療計画の内容は地方政府の医療供給体制の計画というよりは、その方針（あるいは願望）を表明する形にとどまっており、最も実効性が高い部分は病床規制であるといわれています。

国立市における病床規制の状況

それでは、具体的にＫ市の病床規制の現状について確認しましょう。これ以降は、Ｋ市は東京都国立市であるとして話を進めましょう。医療計画は都道府県単位で作成するため、国立市の属する東京都の医療計画を見ることになります。東京都の医療計画では、全体が13の二次医療圏に分割されており、国立市はその１つである「北多摩西部」保健医療圏に属します（図表４-１）。

この医療圏の中の病床数を見てみると、基準病床数が4458病床に対して、既存病床数は4661病床となっており、203病床が過剰となっています（図表４-２）。したがって、「北多摩西部」保健医療圏は病床過剰地域となり、新たに病床を増加させたり、病院を建設することが実質的に禁止されています。皆さんが莫大な資金を持っており、国立市に優秀な医師のいる理想的な病院を設立したいと考えても、現状では規制により実現が困難なのです。ちなみに東京都の他の地域では、「区中央部」保健医療圏など８つで病床過剰地域となっており、「区東北部」保健医療圏など５つで病床不足地域となっています。

海外の病床規制の現状

このような病床規制は、わが国のみならず他の先進諸国でも実施されています（図表４-３）。例えば、米国では1974年より病床を建設する場合には、特定の基準に適合しているかを州政府が確認し、許可を行う規制（certificate of needs）を実施しています。しかし、1980年代半ばに入ると高齢者向け医療保障制度（Medicare）に包括払い制度が導入され、平均在院日数が急激に減少したため、規制としての実効性を失ったといわれています――[2]。フランスやド

1　基準病床数は、全国一律の算定式を用いて、二次医療圏の人口（性別、年齢階層別）や病床の稼働率から計算されます。なお、病床が増設できないのは、既存の病院でも、新規開業の病院でも同じです。

2　例えば、平均在院日数が１カ月の場合には100床の病院であれば年間1200人の患者を治療できます。しかし、平均在院日数が１週間に短縮した場合、病床の稼働率が同じであれば、年間1200人を治療するには４分の１の病床数（25床）で十分となります。

●図表4－1　東京都の二次保健医療圏の設定状況

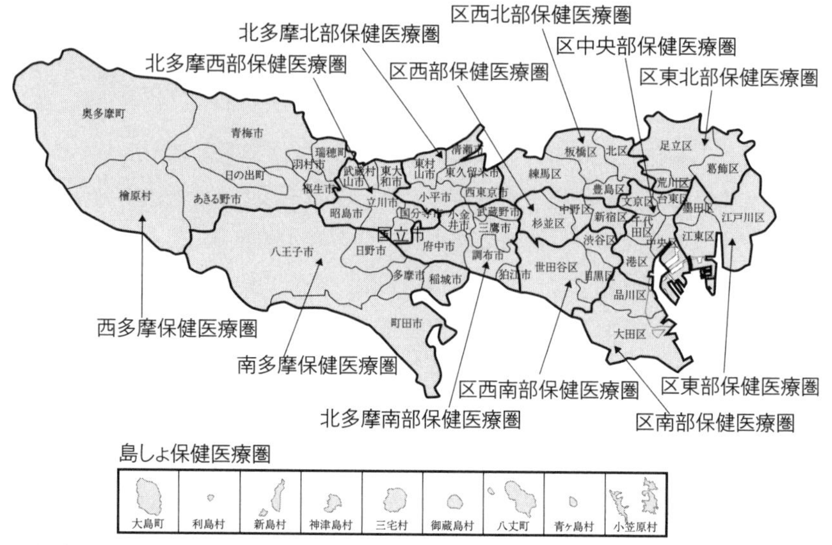

出所）東京都ホームページ

●図表4－2　東京都の保健医療圏と病床数

圏域名	構成区市町村	基準病床数	既存病床数	人口（人）
区中央部	千代田区、中央区、港区、文京区、台東区	8,656	14,981	623,080
区南部	品川区、大田区	7,933	8,298	987,723
区西南部	目黒区、世田谷区、渋谷区	10,368	10,636	1,283,414
区西部	新宿区、中野区、杉並区	10,350	10,903	1,134,943
区西北部	豊島区、北区、板橋区、練馬区	13,771	15,101	1,773,270
区東北部	荒川区、足立区、葛飾区	9,016	8,639	1,232,291
区東部	墨田区、江東区、江戸川区	8,024	7,457	1,246,908
西多摩	青梅市、福生市、羽村市、あきる野市、瑞穂町、日の出町、檜原村、奥多摩町	3,943	4,500	399,127
南多摩	八王子市、町田市、日野市、多摩市、稲城市	10,050	9,450	1,323,860
北多摩西部	立川市、昭島市、国分寺市、国立市、東大和市、武蔵村山市	4,458	4,661	609,008
北多摩南部	武蔵野市、三鷹市、府中市、調布市、小金井市、狛江市	7,448	7,601	943,548
北多摩北部	小平市、東村山市、清瀬市、東久留米市、西東京市	5,853	5,572	691,945
島しょ	大島町、利島村、新島村、神津島村、三宅村、御蔵島村、八丈町、青ヶ島村、小笠原村	311	52	27,155
計（13圏域）	（23区26市５町８村）	100,181	107,851	12,275,920

出所）東京都ホームページ

●図表4-3　先進国における病床規制の内容

	アメリカ	フランス	ドイツ	日本
民間病院の割合	64.6%	74.8%	62.6%	86.0%
法律名	国家医療計画資源開発法	病院改革法	病院財政安定法	医療法(改正)
施行年	1974	1970	1972	1985
病床規制	連邦法廃止(1986)	次回計画にて病床規制は廃止の予定	次回の計画では規制から参照値に	見直しを検討中
医療機器規制	州規制のみ存続	○	廃止(1998)	×

出所)「医療計画の見直し等に関する検討会」WG 報告書、6頁より作成

イツにおいても同様の病床規制を実施しています。ただし、1970年代に実施され、1980年代に医療費増加を抑制する機能を強化された両国の病床規制は、現在では量的な規制から質的な規制に見直しする方向が打ち出されています。

これらの国の病床規制と、わが国の場合との大きなちがいは、第一に医療計画に予算の裏づけがあること、第二に代替投資を防止するために、高額医療機器に対する規制も同時に行われている点です。

4-2　経済理論で理解する

供給者誘発需要仮説

なぜ病床規制が必要なのか

厚生省（1998）は、なぜ病床規制を実施する必要があるかを簡潔に説明しています。これによると、各都道府県の病床数と入院医療費に強い相関関係が認められ、人口当たりの病床数が多いところほど、1人当たりの入院医療費が高くなると主張しています。もし、この「人口当たり病床数の増加が1人当たり医療費の増加を招く」との因果関係が事実であれば、わが国では**供給者誘発需要**（supplier induced demand）が強く、病床の供給を抑制することによって医療費を抑制できると考えられます。このような関係は、Roemer（1961）が「人口当たりの病床数が多い地域では患者当たり入院日数が長くなること」をデータから観察したことにちなんで Roemer 効果ともいわれ、直観的に理解しやすいこともあり、広く知られています。

このとき注意が必要なのは、通常の財・サービスでは「需要」は供給とは独

●図表4－4　入院医療費と病床数の相関関係（1998年度）

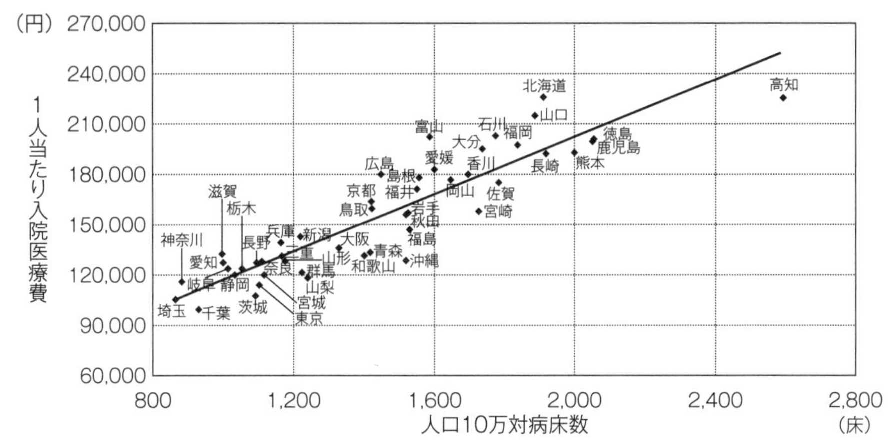

注）相関係数は0.907であり、入院医療費と病床数にはかなり強い相関がある。
出所）厚生白書（1998年版）

立に決定されるため、多くの財・サービスでは供給の増加そのもの──[3]は需要に影響を及ぼさない点です。供給者側が需要を喚起することが自由にできるならば、市場に任せておくと過剰な需要が創出されてしまう恐れがあります。このような場合には、政府が供給者（病床数）を規制で制限する政策（**供給制限**）が医療制度の効率化に有効となる可能性があります。

しかし、図表4－4をよく見てみると、縦軸（入院医療費）と横軸（病床数）の間に一方が増加すれば他方も増加するという関係（相関関係）は確認できますが、どちらが原因でどちらが結果なのかという関係（因果関係）はわからないはずです。したがって、データから確認できるのは相関関係で、因果関係は推測にすぎません。逆に、罹患率が高く入院のニーズが大きいことを医療費で代表できるとすると、ニーズの多い地域（例えば高齢者が多い地域）には多くの病床があると考えることもできます。後述しますが、因果関係を確認するためにはさまざまな技術的問題を解決する必要があります。

3　このとき、供給の増加に伴い価格が下がる場合には需要が増加する場合もありますが、ここでは供給量の変化が価格に及ぼす影響は考慮していません。

医療需要（demand）と医療ニーズ（need）のちがい

ここで、これまで出てきた医療の「需要」と「ニーズ」という２種類の似た言葉について、ちがいを説明しましょう。

まず需要とは、ある財における**留保価格**（reservation price）で購入を希望する数量を指します。留保価格（あるいは「支払い意思額」）とは、ある財に対してある人が支払ってよいと考える最高額をさし、留保価格においてはある財を購入する場合の効用と購入しない場合の効用が同じ（無差別）となります。この留保価格に応じた数量の変化を示したのが、需要曲線です。したがって、縦軸に価格を、横軸に（購入する）数量をとった場合、多くの財では価格が低いほど購入量は増加するので、需要曲線は右下がりになります。

ただし、需要には、購入を希望することに加えて購入するための「支払い能力」の裏づけがあることが必要とされます。つまり、筆者がポルシェのような高級スポーツカーが大好きでも、支払い能力がない場合には、需要とみなされないことに注意が必要です。

一方で、ニーズとは支払い能力とは無関係に、実際の必要量を示します。例えば、医療ニーズとは患者の疾病の状態に応じた医学的に必要な医療サービス量を示します。もし、疾病に応じて必要な（あるいは最適な）医療サービス量が客観的に決定できると仮定すると、同じ疾病の患者であれば、所得の多寡にかかわらず、医療ニーズは同じになると考えられます。ただし、一方の患者が支払い能力を持たない場合には、同じ医療ニーズでも医療需要は同じにはならないと考えられます。

需要の誘発は問題なのか

一般的な財では、需要が支払い能力に左右されることは受容されています。つまり、筆者が安月給のためポルシェを買えずにカローラでがまんするという「自家用車の格差」が生じることは当然のことと考えられます。また、企業が魅力的な広告を行うことによって、消費者の需要を喚起することは、通常行われていることです。

しかし、医療サービスの場合には、同じ医療ニーズがある患者が支払い能力の有無によって異なる取り扱いを受けることは、公平性の点で問題となる場合があります。このため、多くの先進国では公的な医療保障制度（例えば公的医療保険）を創設することによって、患者の所得や支払い能力にかかわらず一定の医療費を保障し、保障範囲（例えば医療保険の給付範囲）の医療ニーズを医療需要と一致させていると考えることができます。さらに、医療ニーズが客観的に測定できる場合——[4]には、それを超えた需要を供給者が喚起することは、公的な医療保障制度を利用している場合——[5]には問題があると考えられます。

エージェンシー問題と供給者誘発需要仮説

供給者誘発需要が起こる理由については、第３章で検討したエージェンシー理論で説明することができます。患者のエージェント（請負人）である医師や病院は、消費者よりも多くの知識を保有しています。このため、医師が患者との情報格差を利用して、自分の利益のために需要に影響を与えることができると考えられます。

図表４-５は、規制のない医療サービス市場における供給曲線（S_1）と需要曲線（D_1）を示しています。この地区は患者が多いうえに収益率も高かったので、他の地区の医師が参入したと考えます。このとき医師が増加すると医療サービスの供給が増加するため、供給曲線は S_1 から S_2 にシフトし、供給量は増加し価格が低下することになります。ここでの供給曲線のシフトによる価格低下は医師の所得を減少させることになると考えられます。もし、医師が患者の完全な請負人であれば、この市場の均衡点は E_1 から E_2 に変化するでしょう。

しかし、医師が自分の所得の減少分を補填するために、患者により多くの医療サービス（検査回数、投薬量、受診回数など）をアドバイスし、患者は医師のアドバイスに従ったとします。つまり医師が需要を誘発すると、今度は需要

4　例えば、急性期の手術などの場合には、医療ニーズは客観的に測定可能かもしれません。しかし、リハビリの場合は多ければ多いほどよいと考えられるため、医療ニーズは客観的に定量化することが困難かもしれません。

5　公的な医療保障制度を利用する場合には、税金等が投入されている場合があるため、全額を自己責任で調達する場合に比して、需要がニーズを超える場合に問題が大きいと考えられます。ただし、すべての医療ニーズを満たすだけの公的な財源があるかについても議論があります。

●図表４-５　供給者誘発需要と需要曲線・供給曲線の動き

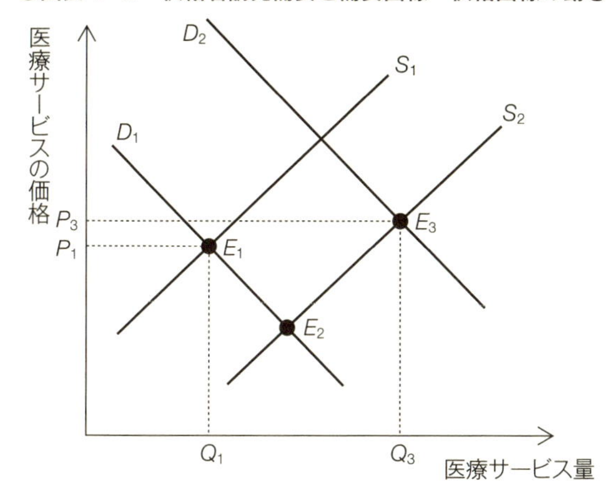

曲線が D_1 から D_2 にシフトして、均衡点は E_2 から E_3 に変わります[6]。この均衡点では、医療サービス量はさらに増加するとともに、医療サービスの価格は上昇し、医師の所得が増加することになります。

もし、多数の患者と多数の医師が市場に存在していて、医療サービスに関する情報が患者および医師の両者で十分に保有・理解されていれば、患者は医師からアドバイスされても不必要な医療サービスを購入せず、供給者誘発需要は発生しないでしょう。したがって、供給者誘発需要は、情報の非対称性が強い医療サービスの特性から起きる現象と考えられます。

供給者誘発需要の厳密な定義

最も一般的な供給者誘発需要の定義としては、Rice（1983）があげられます。そこでは、「もし患者が医師と同様の情報を持っていたならば選択するであろう医療サービスと異なる医療サービスを提供したり推薦したりすること」とされています。

さらに細かい分類としては、Labelle, Stoddart and Rice（1994）の分類があげられます（図表４-６）。これによると、Ⅱは患者が医師と同じ情報を持って

6　今回は例の１つとして E_3 で均衡する場合を示しましたが、厳密には需要曲線がシフトした結果、価格が常に上昇するとは限りません。

●図表4-6　供給者誘発需要のコンセプトによる分類

患者が医師と同じ情報を持っていたら選択するか（請負人の効果）	提供された医療サービスは効果があったか		
	YES	NO	
		無害	有害
YES	Ⅰ	III_a	III_b
NO（供給者誘発需要）	Ⅱ	IV_a	IV_b

出所）Labelle, Stoddart and Rice（1994）より作成

いたら選択しない医療サービスを供給していますので、厳密な定義からいえば供給者誘発需要になります。しかし、この場合には提供された医療サービスに効果があったために大きな問題となりません。むしろ政策的に問題となるのは、患者が十分な情報を持っていた場合に同意しない医療サービスで、効果がない場合（IV_a）と有害な場合（IV_b）です。

医療費抑制政策と供給者誘発需要の関係

政府が医療費を抑制したい場合には、供給者誘発需要の存在は大きな障害となるでしょう。また、その存在は医療サービス市場における市場機能（価格メカニズム）の役割について、有益な示唆を与えてくれます。この点についてReinhardt（1989）は、「供給者誘発需要の問題は明らかに現在の医療政策の核心をつく事項である。具体的には、資源配分の適切なコントロールが、『需要側を通じて供給側に行われているか否か』の問題である」と述べています。標準的な経済モデルにおいては、消費者が主権を持ち、商品やサービスの数量や種類は、独立に定まる消費者の需要によって決定されます。もし、消費者の需要が強く供給側の影響を受けるとすれば、市場は医療資源を医療サービスの利用者にとって最適な形で配分することができなくなる可能性があります[7]。

もし、供給者誘発需要がある国の医療政策にとって重要な問題であるならば、政府が医療サービスの供給を制御（供給制限）したり、供給者誘発需要を防止あるいは制限するような規制を行うことが選択肢の1つとなるでしょう。

7　供給者誘発需要の意義について、新古典派と制度派では異なる立場をとっています。この点については西村・柿原（2006）が詳細な解説を行っています。

●図表４-７　供給者誘発需要に影響を及ぼす外部環境

影響	促進（＋）	抑制（－）
支払い方法	出来高払い	包括払い
需要供給状態	超過供給	超過需要
医療サービスへの監視	低い	高い
医療的な不確実性	高い	低い
消費者の経済的誘因	保険給付	自己負担
購入の頻度	低い	高い

出所）ヨーク大学大学院医療経済コース授業資料より作成

供給者誘発需要と外部環境

次に、供給者誘発需要が起こるものと仮定して、その誘因となる環境はどのようなものか見てみましょう（図表４-７）。例えば、供給者誘発需要の起きやすい環境としては、医療保険が出来高払い方式であること、医療サービスが超過供給の状態にあること、医療サービスに対する監視が弱いことなどがあげられます。対抗策として、供給者誘発需要の起きにくい環境を整備することも可能です。例えば、医療保険の支払い方式をより包括的な方法に変更したり、医療サービスへの監視を強化したりすることが考えられます。図表４-３で見たように、1970年代に病床規制を導入した国は、その後支払い制度の変更（包括払い方式の採用）や医療サービスに対する品質監視能力の拡充によって、供給制限の政策手段を病床規制のような量的規制から質的規制に変更することを可能にしたといわれています。

4-3　実証分析の結果を検討する

供給者誘発需要は実際に存在するか

供給者誘発需要を支持する初期の実証研究

多くの人にとって、供給者誘発需要の問題は、日常の医療現場を見ていると実感でき、自明なことのように思われます。しかしながら、後で見るように供給者誘発需要に関する経済モデルを構築し、検証するには多くの問題を伴います。

供給者誘発需要に関する実証研究は、先にご紹介したRoemer（1961）が、「人口当たり病床数」が多い地域では「患者当たり入院日数」が長くなることをデータから観察したことから始まっています。その後、Fuchs（1979）により供給者誘発需要に関する厳密な理論モデルが提示されました。実証研究では、多くの研究者が「医師数や医療機関の人口に対する割合（密度）」と「医療費」の間の関係から、供給者誘発需要の存在を確認しようとしました。

しかし、2つの変数の相関関係を確認しても、どちらが原因でどちらが結果なのかという因果関係を立証したことにはなりません。例えば、病床数と入院日数に相関関係が認められても、病床数が原因で入院日数が結果なのか、入院日数で示される医療ニーズが原因でその結果多くの病床が建設されたのか、どちらなのかはわかりません。このような逆の因果関係の可能性を排除するため、操作変数法（あるいは2段階最小2乗法）を用いて、供給者誘発需要仮説に関する研究が行われるようになりました。この方法は、第1段階で、供給に影響を及ぼす需要要因（例えば入院日数）を除去した供給要因（例えば病床数）を推定します。次に第2段階で、需要要因を排除した供給要因を用いて需要要因との関係を推定するというものです。この手法により、多くの研究者が供給者誘発需要の存在を示す研究結果を発表しました。

出産を医師が誘発する？

ところが、この操作変数法の妥当性（とくに操作変数の選択）に疑問をつきつける研究が発表されます。Dranove and Wehner（1994）は、同じ操作変数法を用いて、供給要因を産婦人科医師数、需要要因を出産数として、供給者誘発需要仮説が支持されるかを検証しました。

皮肉なことに操作変数法を用いた推定結果は、供給者誘発需要仮説を支持するものでした。図表4-8では操作変数法（2段階最小2乗法）の第2段階で推定された産婦人科医数（predicted value）の係数は正（係数は27.53）で t 値は2よりも大きいので、統計的に有意になっています。この結果をそのまま受け取ると、産婦人科医の密度が高いほど、その他の条件が一定であれば、出産数が増加することになります。つまり、産婦人科医が分娩を誘発できるという解釈となります。

●図表4-8　2段階最小2乗法による推計結果（郡のデータ）

説明変数	係数	t 値
産婦人科医数(predicted)	27.530	11.2
離婚率	0.130	3.2
病床数	−0.047	−4.7
1人当たり所得	−0.240	−9.7
教育年数	−0.130	−1.5
失業率	−0.024	−1.1
平均時給(小売業)	0.406	7.7
ホワイトカラー比率	5.250	4.6
調整済み決定係数	0.161	
サンプル数	3,058	

注）被説明変数は1000人当たり分娩数
出所）Dranove and Wehner（1994), p70, Table 4より筆者作成

しかし常識的に考えれば、出産数は夫婦の意思決定に依存しており（つまり需要は独立に決定している)、供給が十分であれば、医師が需要を誘発できる可能性はほとんどありません。このような、矛盾した結果が生じた理由としては、操作変数法で用いる操作変数が妥当なものでなかったため、第1段階で供給に影響を及ぼす需要要因を十分に除去できなかったのではないかとされています。これ以降、操作変数法を用いた供給者誘発需要仮説の検証はあまり行われなくなりました。

その後、さらに研究が進むにつれ、医師の行動以外の要因によっても需要が誘発されたように見えるのではないかという指摘されています。主なものは以下の4点です。

①医師の人口当たり密度が高いほうが、受診にかかる患者の時間コストを節減させる

②医師の人口当たり密度が高いほうが、よりよい品質の医療サービスを提供している

③医師の人口当たり密度が高いほうが、より専門化が進み、料金が高くなる

④必要な変数を見落としている（例えば、自己負担率のちがい）

その後は、このような要因を考慮した研究が実施されるようになりました。

供給者誘発需要仮説は、医療現場の実感と符合しており、広く支持されてい

ますが、医療経済学において、供給者誘発需要が規制によって防止されるべき大きな問題であるかについては、十分に実証されていないのです[8]。

最近のわが国における実証研究

わが国でも、供給者誘発需要を検証する研究が実施されています。最も初期の西村（1987）につづいて、山田（1994）、安藤ほか（1997）、鈴木（1998）、泉田ほか（1999）、岸田（2001）、山田（2002）、鈴木（2005）などの研究があります。西村（1986）は人口当たりの医師数が、１件当たりの医療費を増加させることを確認しています。鈴木（1998）は患者の受診行動を２つに分け、受診するか否か（患者が自分で判断したと考えやすい）と受診後の診療密度（医師からの影響を受けやすい）について別々のモデルを用いて分析しています。その結果、供給者誘発需要の影響はきわめて限定的であるとしています。泉田ほか（1999）は、説明変数に健康水準を加え、人口当たりの医師数と医療サービス需要の関係を検証し、供給者誘発需要の存在を支持しています。これらの研究は、ほとんどが医師密度と医療資源の関係を検証したものです。

一方、岸田（2001）および山田（2002）は、「医師密度が高いほうが、受診にかかわる患者の時間コストを節減させる」（前ページの需要誘発に見える要因①）を考慮して分析しています。岸田（2001）は鈴木（1998）と同様の２段階モデルを採用し、医療圏を越えた受診まで考慮して分析しています。その結果、供給者誘発需要の影響はほとんど見られないとしています。山田（2002）では、供給者誘発需要仮説および時間コストの低下による需要増の両方が発生していることを示唆しています。また、鈴木（2005）は医療サービスの公定価格の引き下げという制度改正を分析した自然実験を利用して供給者誘発需要仮説を確認しています。これらの研究結果[9]の結論は必ずしも一致していませんが、わが国の医療制度が供給者誘発需要を引き起こしやすい環境にあることをあわせて考えると、供給者誘発需要の存在がある程度認められそうで

8　Folland et al.（2001）, p205には、“No single hypothesis has generated more interest and controversy among health economists than Supplier Induced Demand” と記載されています。

9　これらの研究に関する包括的なレビュー論文として、井伊・別所（2006）が参考となります。

す――[10]。

4-4　今後の方向性と討論課題

競争促進と医療費抑制のディレンマ

本章では、病床規制の根拠となっている供給者誘発需要について、その理論と実証研究を紹介しました。医療サービスは情報の非対称性が強いことから、患者（依頼人）は医師（請負人）に必要な医療サービスの判断を委任することが行われます。このとき、医師が請負人として適切な判断を行わず、自らの利益を優先して不適切な需要を誘発するという仮説が提唱されています。とくにおもしろいのは、さまざまな供給者誘発需要を検証する研究が行われながら、その結果が一致していない点でしょう。また、分娩数が誘発されるという研究では、分析手法の選択の重要性が理解いただけたと思います。

筆者は医療サービスにはさまざまな種類があり、その種類ごとに誘発需要の状態が異なるのではないかと考えています。例えば、急性期医療と慢性期医療を比較すると、前者に比して後者のほうが需要の誘発が行われやすいのではないでしょうか。

もし、供給者誘発需要の影響が大きく、需要が供給と独立に決定されない場合には、医療費の抑制が困難になるでしょう。このような場合には、政府が医療サービスの供給を制限することが医療費抑制政策として有効であると考えられます。具体的には、医学部の定員を削減して医師数を抑制したり、病床や高額医療機器の投資を許可制にして過剰な投資を抑制するなどの政策が行われています。

仮に入院医療において、相当程度の供給者誘発需要が発生すると考えれば、病床規制を実施して、病床の建設を抑制することにより、医療費の増加を抑制することは、有効な政策手段といえるでしょう。しかし一方で、病床規制を実施すると、新たに病院を開設したい人にとっては、自由な参入（開業）を阻害する効果を持ちます。一般的に病院事業で黒字が見込めるのは、人口が多く高

10　ただし、その影響度についてはそれほど大きくないとの指摘もあります。例えば、Yuda（2009）を参照してください。

所得の人が集まる都市部です。ところが、日本のほとんどの都市部は病床過剰地域になっていますから、新規参入が困難です。そのため、新規参入者の脅威がなく競争条件の激化が期待できないので、入院医療サービスの効率化が行われないとの懸念があります。

したがって、病床規制を維持すると医療費抑制効果は見込めるものの、効率性の低下という副作用が生じる可能性が指摘されています。一方、現在の医療制度のままで病床規制を撤廃すると、新規参入者との競争は激しくなり、効率化が見込めますが、供給者誘発需要が増加し、医療費がかさむことが懸念されます。病床規制は、維持しても撤廃しても困ったことが起きるというディレンマを抱えているのです。

それでは、日本政府はどのような政策を実施しつつあるのでしょうか。

現在のところ、病床規制は当面維持されることになっています。これは、国家財政が危機的状況にあるため、医療費の増加要因をなるべく増やしたくないからだといわれています。一方で、公的な医療保険支払い制度の包括払い方式への変更や、医療サービスの品質監視の仕組みを徐々に整備していき、環境が整ったところで、病床規制の廃止が再度検討される模様です——[11]。

【討論課題】

あなたは病床規制の撤廃に賛成ですか、反対ですか？　賛成・反対を最初に明示し、その理由を説明しなさい。賛成の場合には病床規制撤廃によって懸念される供給者誘発需要の防止策を２つ以上提示しなさい。撤廃に反対の場合には、規制維持で生じる問題に対する医療政策を２つ以上提示しなさい。

11　2007年度より医療計画のなかで、４疾病・５事業についての診療体制を整備するようになりました。2013年には追加で１疾病・在宅医療が加わり、５疾病・５事業と在宅医療になりました。

Health Economics

第5章

社会的入院は解消できるか——サービスの代替補完関係

なるほど君は、病床規制はすぐには撤廃されないことを知って、地元の病院をのぞいてみることにした。K市にはいくつか小規模な病院があるが、そのうち最も下宿から近いところを調べて、見舞い客のふりをしながら中に入ってみた。病室にはお年寄りが多く、掲示を見ると50床の療養病床（長期に療養するための病床）の病院であることがわかった。病室からは元気そうな笑い声も聞こえ、病院といっても生活のにおいが感じられた。

そういえば、介護施設が足りないので代わりに病院に長期に滞在する「社会的入院」という問題があると新聞で読んだことがあった。もし介護施設のほうが合っているなら、病院に入るよりも費用がかからないので、医療費が節約できるとも書いてあった。でも、何年か前にこの問題を解決するために介護保険という制度がつくられたらしい。そうすると、もう社会的入院はなくなっているはずだ。なるほど君は、悩みながら病院を後にした。

5-1　医療の問題を知る

社会的入院、介護保険制度

社会的入院の問題と厚生労働省の方針

わが国の病院は、欧米と異なり急性期から療養介護まで、幅広いサービスを提供する傾向があります。このため、供給余力のあった医療分野で長期入院という形で、介護サービスが供給される形になりました。これにより、「医療の必要性が低い人が、介護施設が利用できないため、長期に病院に入院してしまう」という、いわゆる**社会的入院**[1]の問題が発生しました。

厚生労働省の「患者調査」(1999年) は、医療機関が「受け入れ条件が整えば退院可能」と考えている患者数は約27.5万人（入院患者の約２割）になると指摘していました（ただし、この調査で入院期間は考慮されていません)。介護保険を導入した当時、厚生省は『介護保険のポイント』で、高齢者介護に要

1　ただし、「社会的入院」の定義は大ざっぱなもので、社会的な費用を推計する際に利用できる客観的かつ厳密な定義があるわけではありません。

する１月当たり費用は、一般病院への入院では50万円程度であるのに対し、特別養護老人ホームへの入所では27.1万円と半分程度であることと主張していました。さらに、厚生省の発表によれば社会的入院による費用は約１兆8700億円（ただし、６カ月以上の入院患者はすべての期間を社会的入院と換算しています[2]）と推計されていました[3]。このため、公的な介護保険制度を創設し、社会的入院の患者を病院から介護施設に移動させれば、多くの医療費が節約できると厚生省は主張していました。

それでは、なぜ社会的入院が発生し、その解消は可能なのかを、経済学の代替財・補完財の考え方をもとに考えていきましょう。しかし、その理解のためには、まず価格メカニズム以外の方法による資源配分について見てみましょう。実は、日本では公的な介護施設への入居は、**割当**（rationing）という方法によって配分されていたのです。

5-2　経済理論で理解する

超過需要、割当、代替財

公定価格制度の導入と超過需要の発生

経済学では、完全競争市場において需要と供給が価格を通じて均衡する仕組みを用いることによって、効率的な資源配分が可能となるとされています。ある市場で供給者が均衡価格よりも低い価格を設定すると、需要が供給を上回りその市場で**超過需要**[4]が発生します。経済学での超過需要とは、サービスの需要が供給を上回っている状態を指し、需要が過剰であるとの価値判断を伴っていません。この超過需要がある場合には市場で価格が上昇し、均衡水準まで引き上げるように調整が起こります。このようにして、競争的市場では、**価格メカニズム**（price mechanism）を通じて実際の取引価格は需要と供給を一致させる**均衡価格**（equilibrium price）に調整されます[5]。

2　ただし、これらの推計方法が妥当であるかは後で指摘します。
3　厚生省高齢者介護対策本部（1995）を参照してください。
4　excess demand を「過剰需要」と訳す場合もありますが、本章ではステイグリッツ（2000）に習って「超過需要」としました。

●図表5-1　完全市場での医療サービスの超過需要

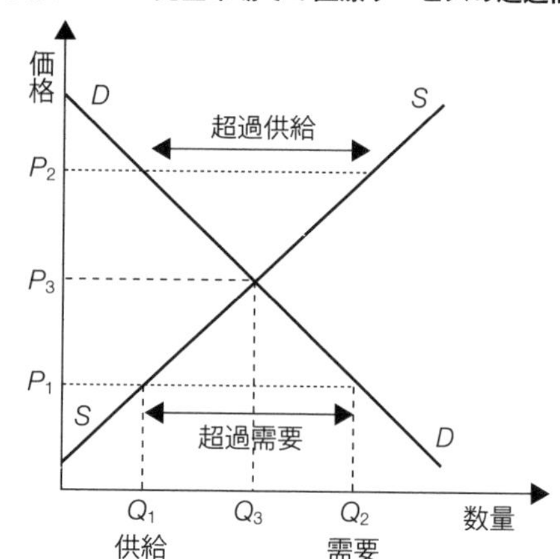

以上の点を図表5-1で説明しましょう。需要曲線*DD*は、ある財を取得することから得られる貨幣的価値で見た効用（縦軸）と数量（横軸）の関係を表しています。供給曲線*SS*は、企業などの生産者がある特定の価格で販売したいと考える財の数量を示しています。供給者はより高い価格でより多くの財を供給しようとするので供給曲線は右上がりになります。

仮に、需要（Q_2）に対して供給（Q_1）が不足している超過需要（$Q_1 Q_2$）の場合には、満たされない注文が存在することから、供給側がより高い価格を提示しても需要側では購入を希望することになります。一方供給側では、価格が上昇することにより生産する数量を増加させるでしょう。このような価格変化により安定的な均衡価格（P_3）が実現され、供給と需要の数量が一致する数量（Q_3）が実現されます。このような価格にもとづいて行われる需要と供給の数量調整の仕組みを価格メカニズムと呼びます。

また、医療や介護サービス市場においては、政府が均衡価格（P_3）よりも低い公定価格（P_1）を設定する場合があります。この場合も、供給より需要

5　価格メカニズムを用いた超過需要の調整の例としては、骨董品のオークションがわかりやすいでしょう。多くの骨董品は、供給はわずかで購入を希望する買い手（需要）は膨大です。このような超過需要の場合には、オークションで徐々に価格を引き上げていくと、価格が希望価格（留保価格）を上回った買い手は購入をあきらめ、最終的に最も高価格をつけた買い手に供給が行われます。

が多くなる超過需要（$Q_1 Q_2$）となり、サービスを希望する需要は供給できる量よりも多くなります（図表５-１）。

価格メカニズム以外の資源配分方法

このような公定価格制度のもとでは、価格が固定されるため価格メカニズムを用いた資源配分を行うことが困難です。この場合には、限られた供給（Q_1）を供給よりも多い需要（Q_2）になんらかの形で配分する必要が出てきます。このような場合に利用される価格メカニズムと異なる資源配分の方法として、**割当**（rationing）があります。具体的な割当の方法としては、「トリアージ」「待ち行列」「くじ引き」等があります。ただし、スティグリッツ（2000）によれば、例えば、「待ち行列」による資源配分では、行列に並ぶ時間は浪費と考えられることから、非効率な資源配分方法とみなされています。しかし、効率性よりも公平性を重視する場合には、英国のように「待ち行列」を病院医療において実際に採用している例もみられます。

トリアージ（救命確率による優先順位）での資源配分

医療サービスに対する需要と供給のギャップが大きく、医療サービスが極端に希少となる典型的な例は、戦争時における野戦病院でしょう。このような場所では、通常のように順番に治療を行っていては圧倒的に医療資源が足りないため、救命の見込みのない重傷者を後回しにして、治療の優先順位を決定します。この優先順位を決定する方法を「トリアージ」とよび、救命確率の順位を「タグ」により０からⅢの４段階（０黒：救命不可能、Ⅰ赤：生命にかかわる重篤な状態で救命の可能性がある、Ⅱ黄：生命に関わる重篤な状態ではないが、早期に治療が必要、Ⅲ緑：軽症で救急搬送の必要がない）で示します（図表５-２）。通常は、救命処置の優先順位は、Ⅰ → Ⅱ → Ⅲ → ０となります。

トリアージは遠い戦場でのできごとに見えますが、大規模災害の場合には、わが国でも実施された例があります。1995年の阪神淡路大震災の際には実際に負傷者に対して医療サービスが不足し、多くの負傷者が十分な治療を受けることができませんでした。この反省に立って、2005年の尼崎市の鉄道事故ではトリアージの手法で患者をふりわけ、成果をあげました。

●図表5-2　トリアージに利用されるタグ

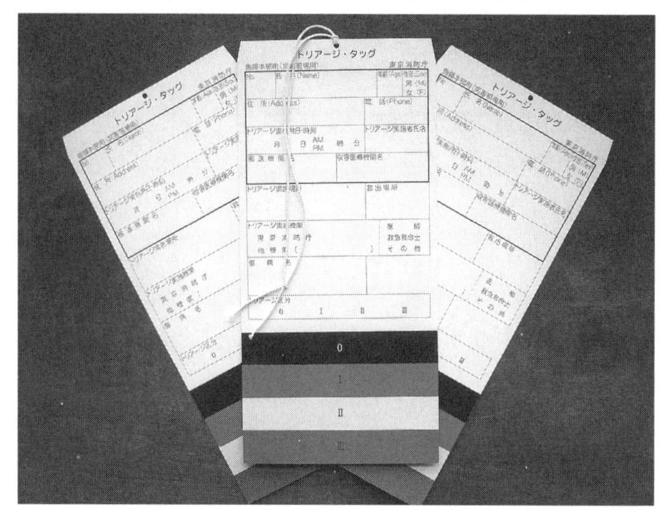

介護保険以前の高齢者介護施設の配分

わが国では高齢者向けの施設による介護サービスは、公的介護保険が創設されるまでは、市場機能を使うのではなく、「割当」（行政用語では「措置」）を用いて配分されていました。具体的には、介護施設を利用したい場合には自治体にその希望を申請し、自治体が一定の基準（要介護の状態や家族の所得水準等）に従ってサービスの必要性を判断して、介護施設への入所者を決定していました。

当時から、介護施設への入所希望者の数（需要）は、公的な介護施設が受け入れ可能な人数（供給）を大幅に上回っていました（超過需要の状態）。このとき、自治体は、実質的に低所得で身寄りのない高齢者を優先して入所させていました。このため、中所得者層（例えば、サラリーマン）の世帯では、公的な介護施設に親を入所させるには、重い要介護状態であっても、長い間待たなければなりませんでした。

このような超過需要の発生により、入所するまでに大きな待ち時間を必要とすることとなりました。さらに、いったん入所すると、介護サービスに不満や問題があっても、他の施設に移るには再度長期に待つ必要があるため、利用者

●図表５-３　完全代替財と完全補完財の事例

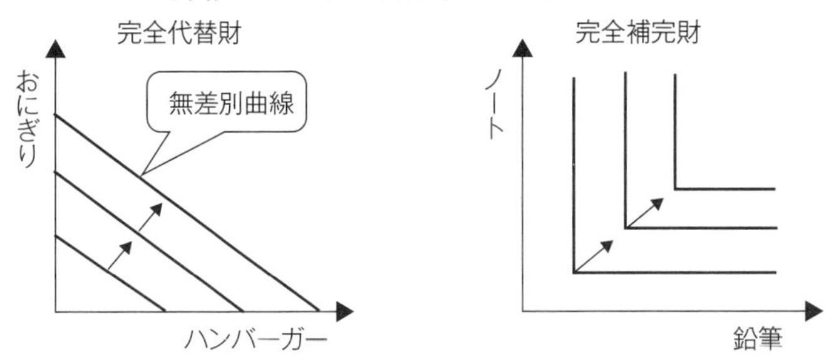

出所）スティグリッツ（2000）、43頁、図３.３および図３.４より筆者作成

は不満を表明せず、介護サービスの品質は向上しませんでした。このように、超過需要の状態で供給されるサービスは品質も劣っている場合が多いとされています。

代替サービスの利用

経済学では財の性質を現す言葉に、「**代替財**（substitutes）」と「**補完財**（complements）」があります。消費者がある財・サービス（例えばハンバーガー）と他の財・サービス（例えばコンビニのおにぎり）を一定の比率で代替するとき、この２財を代替財であるといいます。したがって、おにぎりが高くなりハンバーガーが安くなれば、ハンバーガーをたくさん購入するでしょう。一方で、一定の比率で一緒に消費される財・サービス（例えば、ノートと鉛筆）を補完財と呼んでいます。この場合には、ノートの値段が上昇して購入量が減少すると鉛筆の購入量も減少します。

図表５-３には完全代替財（左図）と完全補完財（右図）について、２つの財の数量とそこから得る効用（満足度）の関係を無差別曲線（indifference curve）を用いて示しています。無差別曲線とは２財（例えばハンバーガーとおにぎり）の組み合わせから得られる効用が同一であることを示す曲線です。なお、無差別曲線は右上にいくほど効用の水準が高くなります。最初は完全代替財の場合です。縦軸のおにぎりと横軸のハンバーガーは、食べる人にとって満足度（効用）が同じ水準である無差別曲線上では、一方が増加すれば一方は

●図表5-4　施設介護サービスに関する代替財

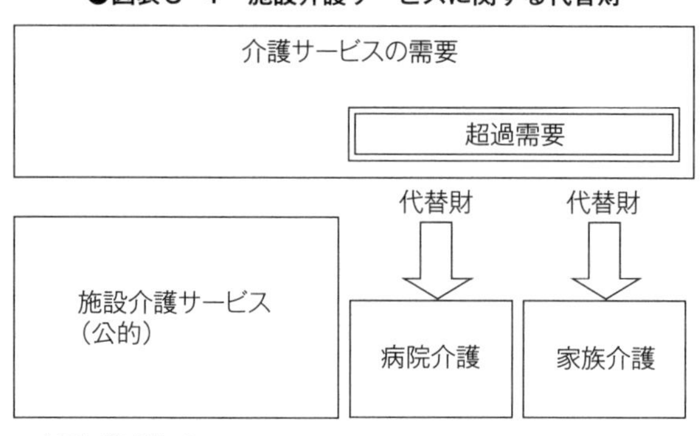

出所）筆者作成

減少するという代替的関係です。次に完全補完財の場合です。縦軸にノート、横軸に鉛筆を示すと、無差別曲線はＬ字型になり、一定数のノートに対して鉛筆がどんどん増加しても、その効用水準は変化しません。これは、一定数のノートに必要な鉛筆の数は決まっているため、必要以上に鉛筆があっても効用は変化しないためです。

ただし、現実の世界では代替財が２財のみというケースは珍しく、何種類もの代替財が存在することが多いと考えられます（例えば、軽い昼食の範囲では、ハンバーガー、おにぎりのほかにも惣菜パンや牛丼などが代替関係にあります）。また、その財に求められる機能によって、代替財が異なる場合もあります。例えば、パソコンの代替財は、使用目的が「電子メールとインターネット」の場合は携帯電話、使用目的が「ゲーム」の場合はゲーム専用機となります。

ある財の価格が高くなると、その財の代替財の需要が増加するという関係があります。例えば、ハンバーガーの価格が引き上げられると、これまで以上にコンビニのおにぎりが軽い昼食として需要されることになります。

家族介護による代替の問題点

介護サービス需要のうち、公的な施設介護サービスで対応できなかった超過需要の一部は、代替財としての**家族介護**に流れたと考えられています。つまり、公的な介護施設の利用を希望していても利用できない家庭では、やむを得ず家族で高齢者を介護する場合がありました。家庭での高齢者の介護は、肉親によるサービスという安心感がある一方で、専門知識を持たない家族が負担を負うこととなります。とくに、重い介護状態の場合には24時間つきっきりで介護を行う必要があり、家族は交替で夜間の介護を分担することとなります。これらは「介護地獄」として、マスコミに悲劇として報道され、社会的に問題となっていました。つまり、家族介護は市場から介護労働を購入するわけではないので、見かけの費用は小さいのですが、介護に費やした時間をその時間価値で換算した**機会費用**まで考えると、一般的な世帯では負担できないほど重いものだったのです。

このように、介護施設であれば職員が行うケアを家族がインフォーマルに担当することにより、家族の就業機会が奪われたり、そのために得られたであろう所得が失われる場合があります。もし、介護をしている家族の一員が、高齢者に介護サービスを提供するよりも他の職業での適正や生産性が高い場合には、社会的にも人的資源がうまく生かされないことになります。労働経済学の研究によれば、わが国でも介護のために家族（とくに女性）が外部に労働を供給できなくなり、より生産性の高い分野への労働投入が阻害されるという問題が指摘されています。例えば、岩本（2000）は家族介護において就労意欲を持ちながら、介護のためにやむなく断念している問題を分析しています。

病院介護による代替的なサービス供給

高齢者の介護サービスにおける超過需要は、核家族化などの変化により家庭介護では十分に対応できず、類似のサービスを供給していた**病院介護**に向かうことになりました。

鴇田（1995）は、施設介護・病院介護の関係について、社会的な限界費用と限界便益の観点から理論的に考察しています。それによれば、本来は患者の「治療」と「介護」の必要性の大きさのバランスを考えて施設と病院を選択するべきですが、実際には高齢者本人とその家族、病院双方に経済的な誘因があるため、不適切な病院介護（いわゆる「社会的入院」）が発生することを理論的に説明しています。

具体的には、高齢者側では病院介護の場合の費用（自己負担）は低く、いつ

●図表5-5　介護保険創設による代替関係の解消案

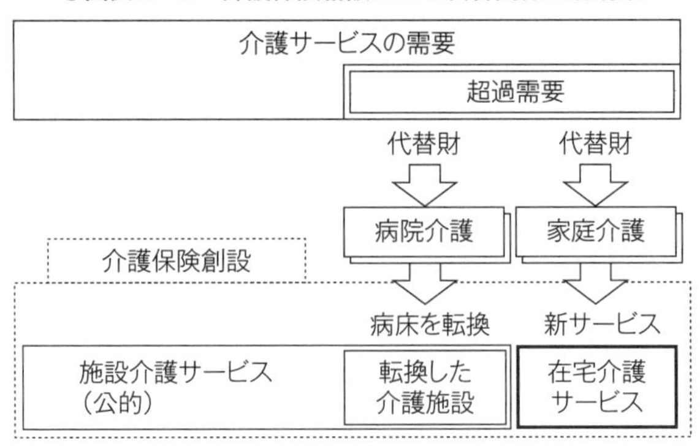

出所）筆者作成

でも医療サービスが受けられるという安心感がありました。病院側では、このような代替的な需要に対応して、ニーズが徐々に縮小しつつあった急性期医療から移行する形で、高齢者が利用できる慢性期向けの病床（療養病床）を増加させました。

ただし、介護施設の代替財として病院を利用することは、安心できる点がある一方で、狭い病室で医療スタッフが介護も引き受ける形となり、療養・介護の面から見たサービスの品質は費用に対して低いという指摘もされています。例えば、病院の患者１人当たりの面積は4.3m^2程度ですが、介護施設ではより広い面積が提供されます。このほかにも病院では、食堂ではなくベッドの上で食事をとったり、入浴施設がない場合にはシャワー等ですませたりと、生活面から見ると十分な環境が確保されていない場合が多いのです。

公的介護保険制度の導入と社会的入院への対応

厚生労働省は、高齢者の介護サービス（一部医療を含む）を保障する公的介護保険制度を2000年に創設し、介護サービスを必要とする高齢者に対して、その費用を保障する体制を構築しました。あわせて、家族介護に対しては在宅で受けられる訪問介護サービス等の供給を促進し、家族の負担を軽減する仕組みを導入しました。同時に、病院に社会的入院をしている高齢者を、公的な介護施設か在宅介護に移行させ、社会的入院による費用を節減しようと考えました

（図表５－５）。ただし、介護施設を短期間に建設し、大幅に増加させることは予算的に困難であったため、療養病床を介護施設に転換することを病院側に働きかけました。

厚生労働省は公的介護保険制度の導入に際して、社会的入院と思われる患者が病院から高齢者施設に移動することにより、高齢者医療費が約２兆円も削減できると喧伝しました。それでは、このような政策意図は現在では達成されているのでしょうか。

5-3　実証分析の結果を検討する

社会的入院の費用、介護保険の節減効果

社会的入院の費用推計

まず、厚生労働省が１兆8000億円と推定した社会的入院の費用は、妥当な水準だったのでしょうか。医療経済学者も、社会的入院の費用推計を実施しています。例えば、畑農（2004）は６カ月以上入院患者の最初の６カ月を社会的入院の費用と算定するのは過大推計であるとして、最初の半年を除いて費用を推計した結果、公的介護保険で節減可能なのは約8000億円程度と推計しています。

また府川（1995）は、社会的入院を入院期間で判断するよりも、１日当たり医療費が一定額（入院基本料）以下の場合、宿泊や食事に関する費用以外の医療行為が行われていないとみなし、社会的入院とするべきとしています。この基準による社会的入院の費用は約１兆円と推計されています。一方、二木（2001）は１年以上の長期入院の場合には、病院の費用はすべての期間を通じた平均医療費より低くなることを指摘し、厚生労働省の入院時の医療費推計では、長期患者と短期患者の平均費用を用いているため、過大推計であると主張しています。加えて、病院介護と施設介護の費用の比較についても、施設では減価償却が行われないため、経常費用だけでなく資本費用（土地・建物）などを加えると、病院介護より施設介護の単位費用が低いとはいえないと指摘しています。

●図表５-６　老人保健給付費と介護給付費用の推移

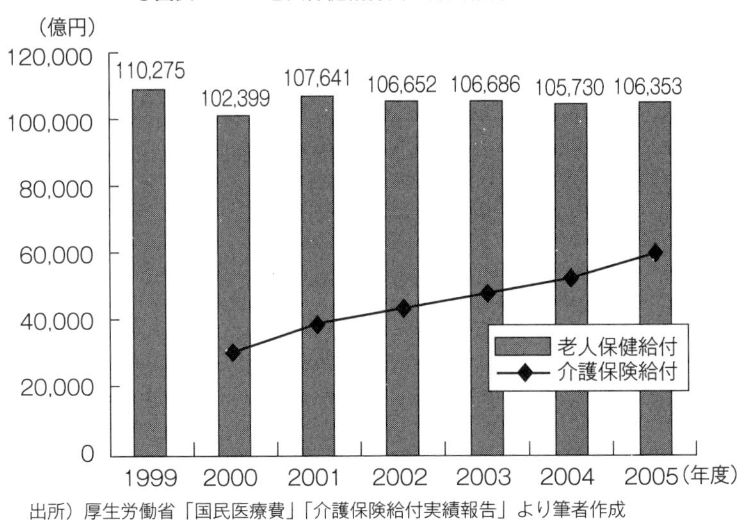

出所）厚生労働省「国民医療費」「介護保険給付実績報告」より筆者作成

公的介護保険導入後の財政状況

それでは、公的介護保険制度導入によってどのような変化が生じたのでしょうか。さまざまな調査によれば、導入後に高齢者向けの介護サービスへの保険給付は急拡大しました。これは、これまで利用できるサービスが過少（あるいはほとんど存在しなかった）であったために需要としての顕在化を抑制されていた介護ニーズが、在宅介護サービスを中心に急速に満たされることとなったと考えられています。このことは、公的介護保険が目指した、高齢者介護を「社会全体」で支えあう仕組みへの転換が促された証拠とみることができるでしょう。

一方で、介護保険導入は、社会的入院という、病院介護が施設介護の代替財として利用されている状態を改善することが１つの目的とされていました。しかし、介護サービスの増加による病院介護の解消や関連する医療費の節減は、現在のところあまり確認されていません。

具体的に数値を見ると、介護保険給付費（施設介護および在宅介護）は導入当初の約３兆円から急速に増加し、2005年度には約6.3兆円に達しています──6。一方で、公的介護保険導入前の1999年度の時点で約11兆円であった、

●図表５-７　病院の療養病床と介護保険の関係

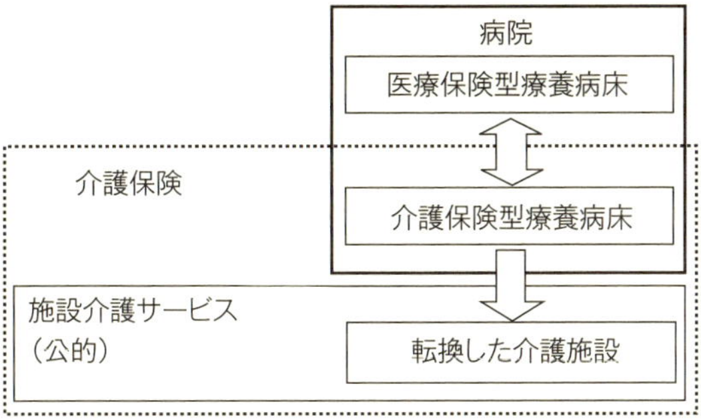

出所）筆者作成

高齢者医療費（老人保健制度給付費）は、介護保険導入時の2000年度に約10兆2000億円まで減少したものの、2001年度以降は10兆円台後半で推移しています。したがって、厚生労働省が喧伝した老人保健給付費の２兆円節減は発足後５年以上経過しても確認できていません（図表５-６）。

介護保険と医療保険の重複

社会的入院に関しては、公的介護保険導入以前からいくつかの研究がその解消の困難さを指摘していました。例えば、福田（2000）は、介護保険制度と老人保健制度の関係を詳細に検討し、病院の療養病床が介護施設と同等なものと位置づけられているため、医療保険側から社会的入院がなくなる保証はなく、社会的入院は介護保険導入後にむしろ固定化するのではないかとの懸念を表明していました。

実は、公的介護保険が導入される際に、病院の療養病床については従来の医療保険から給付を受ける医療保険型に加えて、介護保険から給付を受けられる介護保険型が設定され、病院内に２種類の療養病床を設置することが可能となりました。これによって、病床を介護施設に転換しなくても介護保険から給付を受ける道が残されたのです（図表５-７）。このため、多くの病院は療養病床を転換せず、そのまま維持しつづけました。二木（2001）は、高齢者医療費

6　介護保険は、これまでほとんど存在していなかった在宅介護サービスを急速に普及させた点で、介護の社会化に大きく貢献したと考えられます。

（老人保健給付費）の節減が実現しなかった理由として、療養病床の介護施設への転換が進まなかった点を指摘しています。なお、介護保険導入後に高齢者医療費（老人保健給付費）が一時的に減少したうちの一部は、単に病院の療養病床が医療保険型から介護保険型に振り変わったためと考えられます。

また、田近・菊地（2006）は公的介護保険導入時に、医療供給側の要求により公的介護保険の給付範囲に高齢者医療が一部追加され、医療保険と介護保険の区分が不明確になったことを社会的入院が温存された理由として指摘しています。つまり介護保険型の療養病床であっても、一定の医療サービスを提供することが可能だったのです。この点について公的介護保険導入後に検証した油谷（2002）は、療養病床の医療保険型と介護保険型のちがいについて、アンケート回答にもとづく１万2666人のサンプル分析を行っています。この研究によれば、介護保険型の療養病床の患者は、医療保険型に比して年齢層が比較的高く、要介護度が高い患者が多いとしています。しかし、同じ要介護度の患者同士で２つの病床を比較すると、提供可能な機能・サービスという点においては、さほど機能分化していないことを指摘しています。

さらに、療養病床を医療保険型にするか介護保険型にするかは、病院自身が選択できる仕組みであったため、病院では両方を設置し、いいところどり——[7]をする可能性を残していました。この点について吉田（2009）は、病院が患者を介護保険型に入院させるか、医療保険型に入院させるかの選択は、病院が得られる収入に影響を受けている可能性を指摘しています。

栃木県大田原市の事例

それでは、このような全体的な傾向が、より具体的に市町村単位で確認されるかを、栃木県大田原市の事例を用いて見てみましょう。

河口ほか（2004）は、栃木県大田原市在住の70歳以上の高齢者で公的介護保険又は老人保健制度を利用した964人について、1999年度から2001年度の老人保健給付明細票（老保レセプト）と介護保険給付明細票（介護レセプト）とを連結したパネル・データを作成し、回帰分析および補足的な個票の調査を行っ

7　例えば医療保険では、180日以上の入院患者は保険給付費が漸減するため、一度介護保険型の療養病床に移動させるなどの、「たらい回し」が指摘されています。

ています。この分析結果から、大田原市の社会的入院の問題について、以下の３点を指摘しています。

長期入院患者の１人当たり費用は高額だが、割合が小さい

第一に、社会的入院の定義を「６カ月以上の入院患者（以下、長期入院者）」と定義して、医療保険給付費・介護保険給付費を合計したところ、１人当たり年間約1200万円とかなり高額でした。一方で、長期入院者の割合は小さく、70歳以上人口の約0.1～0.2％でした。このため、長期入院患者の費用は、70歳以上高齢者の医療・介護給付総額の約3.0％とそれほど大きなものではないことがわかりました。図表５-８は、2000年度に６カ月以上入院していた23人の老人保健制度と介護保険制度の給付金額および日数を一覧表にしたものです。

長期入院患者は毎年ほぼ同数が発生している

第二に、1999年度の長期入院者の動向と2000年度のそれを比べることによって、長期入院者は毎年新たに発生し、１年程度で退院していくことがわかりました。意外なことに、1999年度・2000年度ともに６カ月以上入院をしていたのは１人のみでした。したがって、ほとんどの長期入院者は毎年新たに発生していることが示唆されました。また、介護保険発足前後の変化を見るために、1999年度と2000年度を比較したところ、長期入院者の発生状況は大幅には改善していないことがうかがえました。

医療と介護の連携が行われている

また長期入院者は、病院介護・施設介護・在宅介護を連続的に利用していることがわかりました。例えば、1999年度に長期入院した高齢者11名のうち10名は施設介護を同期間中に利用していました。2000年度においては23名全員が施設介護を利用し、その後半数が在宅介護も利用していました。このように、病院介護・施設介護・在宅介護は相互に補完的に利用されていました。

さらに、長期入院者は本当に医療ニーズの少ない高齢者なのかを確認するために、当該患者の介護保険を利用する際の主治医意見書に掲載されている病名・症状が調査されました（図表５-９）。その結果、ほとんどの患者が複数の

●図表5-8　2000年度に長期入院した高齢者の介護保険利用状況

個人ID	延入院日	医療保険給付	介護保険給付	総合計	要介護度	転帰
36	250	5,238,410	3,238,044	8,476,454	3	長期入院後、在宅介護。途中短期入院あり
336	207	4,133,720	8,121,524	12,255,244	2	介護施設の長期滞在から、病院への長期入院
404	390	6,862,400	8,796,088	15,658,488	4	長期入院後、老健を経て、グループホーム
409	222	6,418,120	8,986,446	15,404,566	2	長期入院後、在宅介護および通所リハ、その後老健
411	555	10,685,590	6,358,805	17,044,395	4	長期入院後、老健を経て、特養。途中短期入院あり
419	289	4,961,100	1,518,577	6,479,677	4	長期入院後、特養を経て、短期入院後死亡
423	397	6,561,700	7,813,406	14,375,106	5	長期入院後、特養に長期滞在
519	334	7,082,390	7,289,082	14,371,472	5	長期入院後、老健に長期滞在
539	296	7,410,690	4,877,331	12,288,021	5	長期入院後、療養病床に異動
591	222	6,022,010	1,155,255	7,177,265	1	長期入院後、在宅介護
621	400	11,125,470	2,007,356	13,132,826	2	長期入院後、通所リハおよび在宅介護
622	386	4,507,880	772,524	5,280,404	1	長期入院後、短期入院を経て、通所リハおよび在宅介護
633	192	9,427,090	111,600	9,538,690	4	長期入院後、死亡
643	543	9,148,770	8,276,267	17,425,037	1	長期入院後、療養病床を経て、在宅介護
690	326	8,797,840	3,719,547	12,517,387	5	長期入院後、短期入院を経て、在宅介護
694	589	11,433,300	4,945,203	16,378,503	4	長期入院後、在宅介護を経て、老健
715	207	4,084,220	8,360,895	12,445,115	4	長期入院後、通所リハおよび在宅介護
775	373	8,508,470	3,958,767	12,467,237	1	2回の短期入院後長期入院を経て、通所リハおよび在宅介護
799	210	5,452,090	8,848,794	14,300,884	5	長期入院後、特養に長期滞在
845	245	3,912,470	6,982,691	10,895,161	2	長期入院後、在宅介護
861	319	5,988,380	10,023,711	16,012,091	1	長期入院後、療養病床
927	191	4,017,050	171,496	4,188,546	3	介護施設の長期滞在から病院の長期入院後死亡
958	256	4,792,370	6,160,379	10,952,749	4	介護施設に3カ月滞在後、入院繰り返し、特養
合計	7,399	156,571,530	122,493,788	279,065,318	72	
平均	322	6,807,458	5,325,817	12,133,275	3.13	

注1）保険給付額は、データ収集期間の合計額。単位は円
注2）要介護度は退院時のもの。ただし、退院が2000年4月以前の場合には、2000年4月の要介護度を記載した

疾患を有しており、その半数はがんや脳血管障害などの重篤な疾患を抱えていたことがわかりました。また、残りの半数に関しては、一部重複があるものの大腿骨骨折や痴呆などの長期介護を必要とすると思われる疾患を抱えていたことがわかりました。このような点から、少なくとも当該患者の半数は、介護に加えて相当程度の医療ニーズを持っていることが推測されました。

老人保健制度の節減効果は確認できない

第三に、同じデータソースを利用した橋口ら（2003）は、大田原市の公的介

●図表５-９　2000年度に長期入院した高齢者の介護保険利用時の疾患名

個人ID	要介護度	医療保険給付	主治医意見書病名	がん	脳血管障害	痴呆	骨折
36	3	5,238,410	糖尿病　脳卒中後遺症		○		
336	2	4,133,720	胆のう総胆管結石　胆道炎　右大腿骨骨折後				○
404	4	6,862,400	化膿性胸　椎間板症　頸椎後縦じん帯骨化症　膀胱直腸障害				
409	2	6,418,120	左大腿骨頸部骨折　高血圧症　変形性関節症				○
411	4	10,685,590	脳梗塞　慢性心不全　心室性不整脈		○		
419	4	4,961,100	大腸がん　腰椎圧迫骨折	○			○
423	5	6,561,700	脳出血（左片麻酔）　痴呆		○		
519	5	7,082,390	右視床出血　後縦じん帯骨化症　脊椎管狭窄症　胃ろう		○		
539	5	7,410,690	脳腫瘍（神経膠腫）				
591	1	6,022,010	両上肢廃用性症候群（事故による両前腕挫滅）　高血圧症　閉塞性動脈硬化症				
621	2	11,125,470	頸部・腰部脊椎管狭窄症　糖尿病				
622	1	4,507,880	狭心症　リウマチ性多発筋痛症　骨粗鬆症　腰痛症				
633	4	9,427,090	前立腺がん　転移性骨腫瘍	○			
643	1	9,148,770	糖尿病性末梢神経炎　腰部脊椎管狭窄症　褥瘡（臀部）				
690	5	8,797,840	高血圧症　喘息　脳血管性痴呆			○	
694	4	11,433,300	右大腿骨頸部骨折　脳梗塞　老人性痴呆		○	○	○
715	4	4,084,220	右大腿骨頸部骨折　多発性脳梗塞　糖尿病		○		○
775	1	8,508,470	多発性脳梗塞　糖尿病　慢性肝炎　神経因性膀胱		○		
799	5	5,452,090	左大腿骨慢性骨髄炎　尋常性乾癬　不眠症　便秘				
845	2	3,912,470	脳出血後遺症		○		
861	1	5,988,380	転移性肝がん　横行結腸がん　老人性痴呆	○		○	
927	3	4,017,050	老人性痴呆			○	
958	4	4,792,370	脳血管性痴呆　脳挫傷後硬膜下血腫			○	
合計	72	156,571,530		3	10	5	5
平均	3.13	6,807,458		13%	43%	22%	22%

注１）保険給付額は、データ収集期間の合計額。単位は円
注２）要介護度は退院時のもの。ただし、退院が2000年４月以前の場合には、2000年４月の要介護度を記載した
出所）河口ほか（2004）、34頁表６および37頁表８より作成

護保険導入前後の高齢者向けの医療・介護サービスの支出状況を比較しましたが（図表５-10）、これによると、介護保険導入後にいわゆる介護サービスの支出は2000年度に年率75％、2001年度に25％と急速な伸びを示していることがわかりました。一方で高齢者向けの医療サービスは、2000年度にはマイナス2.7％でしたが、2001年度にはプラス2.3％に転じ、その削減効果は限定的でした。

●図表5-10　大田原市における医療保険と介護保険の支出額および伸び率の推移

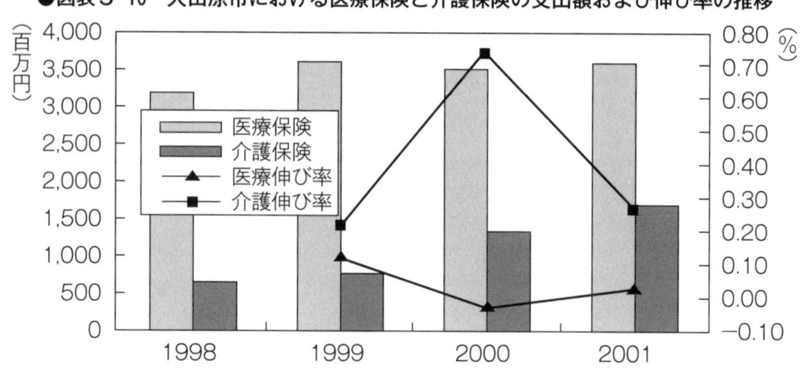

注）98・99年度は社会福祉制度からの支出金額を介護保険の支出金額に置き換えている
出所）橋口ほか（2003）より筆者作成

栃木県大田原市の特性

これまで、栃木県大田原市の事例で、長期入院者の実態や公的介護保険導入がおよぼした影響について見てきました。簡単にまとめると、大田原市の場合には長期入院者の割合は導入前から小さく、導入後も変化は見られませんでした。つまり、社会的入院の問題はそれほど大きくなく、またその解消の傾向も確認できませんでした。

それでは、全国でも同様と考えてよいのでしょうか。実は、栃木県は高齢者を自宅で介護する傾向が強い県として知られており、その県民性も社会的入院の規模に影響をおよぼしていると考えられます。したがって、介護サービスの需給状況は地域差が大きく、一方の県の事例が他方の県に当てはまるとは限らないと考えられます。公的介護保険の導入直後にその使用実態を詳細に調査した田近・油井（2001）および田近・油井（2002）においても、地域ごとのちがいが報告されています。例えば、北海道の３市町村に比して首都圏の４市は在宅介護サービスの利用が多く、市独自の制度によりきめこまかな配慮がなされていることがわかっています。

このような点をふまえると、社会的入院を含む公的介護保険の運用や評価は、マクロ統計により全国一律に行うよりも、地域ごとの独自性をしっかりと把握することが重要であると考えられます。

5-4　今後の方向性と討論課題

補完財を代替財として利用

これまで見てきたように、社会的入院の問題は医療経済学においてもさまざまな研究課題を提供しています。第一に、社会的入院を引き起こした代替財のメカニズムの解明があります。この点からは、社会的入院が、超過需要を抱えた施設介護において、その代替財として発生したことが指摘されています。第二に、その社会的入院の費用を推計する各種の研究が実施されています。経済学的研究では医療的研究とちがって患者の病態を個別に確認することは困難です。このため、社会的入院を補足するためのさまざまな条件を設定して推計が行われ、社会的入院の費用は約１兆円であるとする結果が多いようです。これは厚生労働省の発表した約２兆円の半分にすぎません[8]。第三に、公的介護保険の導入によって、社会的入院の問題が解消されたのかの検証です。この点に関する研究は、公的介護保険導入当初は多く行われたものの、その後の検証はあまり行われていません。社会的入院が依然として存在していることは、多くの研究で一致しています。ただし、その理由はさまざまに指摘されています。

多くの高齢者は医療ニーズと介護ニーズを両方持っており、その割合が異なるというのが現状でしょう。したがって、医療サービスと介護サービスは補完財としての性質を持っていると考えられます。しかし社会的入院は、高齢者の医療・介護ニーズを考慮せず、介護サービスの代替財として医療サービスを利用している点が問題と考えられます。

これまで見てきたように、社会的入院は施設介護の代替財として入院が利用されたことが原因であると推測されます。このため、公的介護保険の導入時に施設介護のサービス量を増加させることによって、社会的入院の解消を試みました。ここで、施設介護のサービス量増加は、病院の療養病床を介護施設に転

8　この点について、厚生労働省は過大推計を行ったのかという質問を受けることがあります。厚生労働省は実施した推計の前提条件を公開しています。筆者は、前提条件があまり厳密でなかったのではないかと考えています。また、研究にかなりの時間をかける研究者に比して、中央官庁は政治的理由などさまざまな理由からひどいときには24時間で推計値を出す必要に迫られる場合があります。ただし、多くのシミュレーション結果から都合のよい数値を取り出すピッキング（picking）が行われた可能性は捨てきれません。

換することを前提としていました。ところが、目論見通りには転換が進まず、社会的入院の問題は残存することになりました。

わが国の高齢者医療および介護において、社会的入院は非常に大きな問題です。しかし、これまでのような政策により本当に社会的入院が解消されるのか、また解消により費用が本当に節減できるのか、さらに従来よりも長期入院者の受けるサービスの品質が悪化することがないかなどをふまえて、その対策は慎重に検討されるべきです[9]。医療分野における費用抑制のための政策は、コストシフト（費用の付け回し）や医療サービスの品質を損なうことがあるため、さまざまな手段をうまく組み合わせることが必要です。

【討論課題】

社会的入院の問題を解決するためには、どのような政策が望ましいでしょうか。例えば、介護施設の建設を促進して超過需要の解消を優先するべきでしょうか。それとも、医療保険給付において長期入院の制限を厳しくすることを優先するべきでしょうか。具体的な政策を提示し、なぜその政策が有効であると考えるのか、その理由を述べなさい。

9　社会的入院については、公的介護保険導入後にも畑農（2004）、花岡・鈴木（2007）、菊地（2010）、徳永・橋本（2010）、鈴木ほか（2012）が費用推計を行っています。また印南（2009）が新しい視点での解決策を提案しています。

Health Economics

第6章

ダイエットはなぜいつも先送りされるのか——健康資本モデルと双曲割引

　なるほど君は久しぶりに銀行員のおじさんに会った。おじさんは美味しいと評判の「とんかつ」を奢ってくれた。ところが、おじさんはサラダで我慢している。どうやら、来週の健康診断で肥満と分類されると、いろいろと指導を受けなければならないらしい。出世に差し障るかもしれないので、今日からダイエットを始めたそうだ。しかし、美味しそうにとんかつを頬張るなるほど君を見て、おじさんはつぶやいた。「やっぱりダイエットは明日からにしよう」。

　なるほど君は不思議だった。どうして全員が健康診断を受けるのだろうか。自分の体がどうなろうと個人の勝手じゃないか。確かに、肥満になると不健康で寿命も短くなってしまうかもしれないけど、わざわざ指導を受けるなんて面倒くさいなあ。

6-1　**医療の問題を知る**

肥満の増加と健康診断による予防

肥満は世界中で増加している

　先進国では、肥満は「現代の疫病」[1]と称され、大きな医療問題になっています。日本における肥満の一般的な基準は体格指数（Body Mass Index、以下 BMI）が25kg/m^{2}以上の場合を指しています。なお、BMI の計算方法は、体重（kg）÷（身長 m）^{2}です。例えば日本人男性（18歳）の平均体重は62kg で平均身長は171cm ですから、BMI は、62kg ÷（1.71）^{2} = 21.2となります。

　日本における「肥満」の割合は、成人男性で28.6％にのぼり、とくになるほど君のおじさんと同じ40代男性では34.9％と全体の３分の１を超えています。一方、成人女性では20.3％と男性より低いのですが[2]、70歳以上の女性では27.1％と大きな割合を占めています（厚生労働省, 2013）。しかも、肥満の割合は時間とともに増加しています。

1　疫病とは、ペスト（黒死病）や結核などの感染により拡大し多くの死者を出す病気という意味です。肥満は医学的には感染しませんが、世界的に急速に増加している点やその影響が甚大であることからこのように言われています。

この傾向は世界的にも確認されています。医学雑誌ランセット（Luncet）が実施した“the Global Burden of Disease Study 2013”によると、1980年から2013年の33年間で成人の肥満は世界中で28％も増加し、21億人が肥満とされています（GBD 2013 Mortality and Causes of Death Collaborators, 2015）。

肥満により病気が増加し、その結果死亡率が高まる

多くの人は自分の体重について、他人から口を出されることがいやでしょう。あるいは、個人の力ではどうにもならない遺伝や家族の食生活により肥満を避けがたい人もいるかもしれません。しかし、肥満は予想以上に大きな影響を個人の健康や公的保険の医療費支出に及ぼすことがわかっています。

肥満は体重の増加だけでなく、さまざまな疾患や症状の要因になることが知られています。日本における Japan Arteriosclerosis Logitudinal Study（JALS）では、適正体重（この研究では、BMI 21.0kg/m^2に設定）の人に比して肥満（BMI 27.5kg/m^2以上）の人は、脳卒中・脳梗塞・心筋梗塞などの病気になる確率（リスク）が高いことが確認されています（Kadota et al., 2011）。欧米においては、肥満は大腸がんや乳がんなどの発症リスクと関連があるとされています。

また、BMI と死亡率の間には U 字型の関係があると言われており、日本の別の研究である Japan Public Health Center-based Prospective Study（JPHC）では、基準体重（BMI 23.0〜24.9kg/m^2）に比して「肥満」と「やせ」の人の場合には長期的に死亡率が高まることが確認されています（図表6-1）。つまり、肥満は病気の原因になり、死亡率を高めると考えられます（JPHC study, 2014）[3]。

2　ただし、若年層の女性のみで肥満は減少傾向にあり、BMI が18.5kg/m^2未満の「やせ」が増加傾向にあります。これは良いことのようですが、出産時に「やせ」の母親からは低出生体重児の生まれるリスクが高まることが懸念されています。残念ながら、なぜ若い女性のみで痩せが増加しているのかについて、医療経済学は現在のところ回答を用意できていません。例えば、男性の場合の「カロリー過剰摂取による肥満」を女性の場合は「現在の（外見的な）美しさ」と置き換え、男性の場合の「将来の自分のための健康投資」を女性の場合は「将来の母子のため健康投資」と置き換えて説明することができるかもしれません。

3　男性の場合には BMI が30以上の場合には総死亡率が2倍に跳ね上がるそうです。また、BMI が19.9以下の場合にも総死亡率が2.3倍になるそうです。

●図表6-1　BMIと死亡リスクのU字型の関係

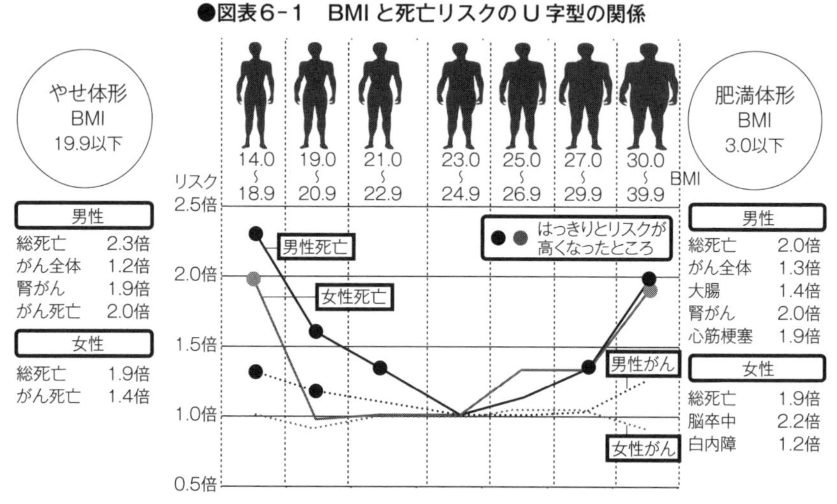

出所）JPHC study（2014）、9-10頁「体形の影響」より引用

メタボリック・シンドロームと医療費の増加

これを聞いても、いやどうせ人間は遅かれ早かれ死亡するのだから、あまり気にならないと考える人もいるかもしれません。しかし、問題はさらに複雑なのです。

最近、日本で浸透した考え方が、「代謝異常症候群（メタボリック・シンドローム）」です。日本糖尿病学会によれば、内臓に蓄積した脂肪や血液内の脂質（コレステロールなど）が過剰になることにより、糖尿病などの発症リスクが高い状態を指しています――4。

この糖尿病は、厳しい食事制限に加えて、状態が悪化するとさまざまな合併症を引き起こし、患者の日常生活の継続を困難にします。例えば糖尿病による神経障害により感覚の麻痺や足の切断が必要になったり、網膜症により失明したり、腎症により人工透析――5を余儀なくされたりします。

4　メタボリック・シンドロームの判断基準は、国や組織によって異なっています。

5　人工透析が必要になると、多くの場合1週間に3回程度、1回当たり4～5時間という時間が必要となります。身体的負担や精神的負担も大きいですが、治療をするための時間も多いため、これまでの日常生活を続けることが困難になるでしょう。

この糖尿病を発症する確率が、肥満（BMI 24.4kg/m^{2}以上）の場合には基準（BMI 22.0kg/m^{2}未満）に比して、約３倍になることが確認されています（Chei et al., 2008）。また、日本人の場合でも、肥満（BMI 25.0kg/m^{2}以上）は基準（BMI 18.5kg/m^2～24.9kg/m^2）に比して医療費が増加し、その増加は他の疾患も含めた全医療費の3.1%になることが確認されています（Nakamura et al., 2007）。さらに、肥満は糖尿病だけでなく、「死の三重奏」といわれる生活習慣病（血圧症・高脂血症・糖尿病）の要因になっているとされています。この３疾患が要因となり、さまざまな疾患を引き起こした結果、日本の医療費の約17%の原因になっていることが確認されています（Ohmori-Matsuda et al., 2007）。つまり、肥満によりさまざまな疾患や合併症状を慢性的に抱え込み、人生の終わりに至るまで長期間の不自由な生活を余儀なくされるのです。これによって、医療費が増加し、国民が分担している公的医療保険の保険料が上昇していく懸念があるのです。

メタボ健診による肥満の抑制（仕組みと政策目的）

肥満を予防できれば、増加し続ける医療費を抑制できるかもしれません。日本では2008年からメタボリック・シンドロームの人を識別するための特定健康診査・特定保健指導制度（いわゆる「メタボ健診」）を義務化しました。このメタボ健診で、リスクの高い人を選別し、医師などによる保健指導を行って、体重を適正にコントロールさせるのです。具体的には、第一にBMIや腹囲で肥満を判断し、第二に血糖値や脂質の数値基準から追加リスクを加味して、特定保健指導が必要な人を選別します。保健指導が必要と認められると、リスクが高い場合には「積極的支援（原則として３カ月の継続的な保健指導）」が、リスクが相対的に低い場合には、「動機づけ支援（原則として１回の保健指導）」が行われる制度です（図表６-２）。なお、保健指導の対象者にならなくても、健康診断の検査値は受診者全員に通知されます。

●図表6-2　特定健診のリスク判定の手法

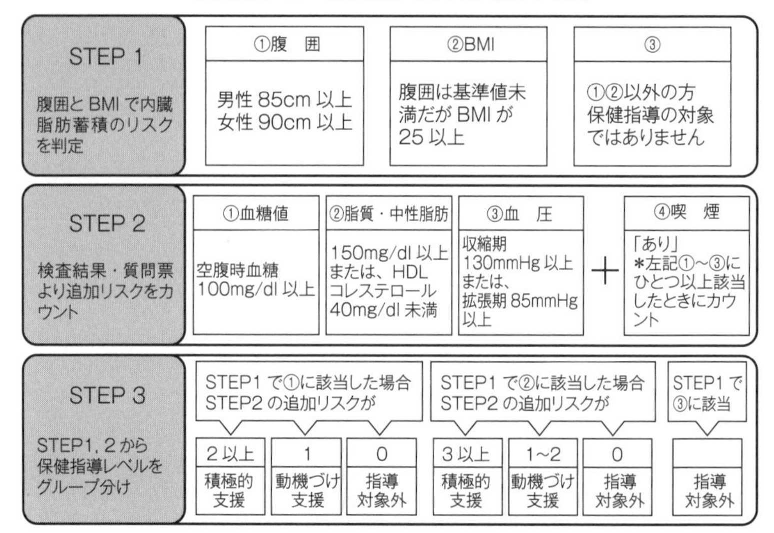

注１）血圧を下げる薬、脂質異常症を改善する薬、血糖値を下げる薬を服薬中の方は特定保健指導の対象にはなりません
注２）65～74歳の方は積極的支援の対象となった場合でも動機付け支援を行います
出所）目黒メディカル・クリニック（http://yukokai.jp/tokutei_hoken/）

6-2　経済理論で理解する

健康資本モデルと双曲割引

グロスマンの健康資本モデル

人間の健康やその役割について、経済理論を当てはめたのが Grosman (1972) の健康資本モデルです。グロスマンは、人が健康的な行動を取る理由を、健康を資本とみなして、資本蓄積のための投資として説明しています。グロスマン・モデルによれば、ヒトは誕生時に健康の初期資本（endowment）を持っています。成長するに従って、健康資本への投資が行われ、健康資本の蓄積が増加していきます。しかし、不健康な行動（例えば肥満）や加齢によりこの健康資本は摩耗（depreciates）していき、ゼロになる（あるいは生存に必要な最低水準を下回る）と死亡するという考え方です（図表6－3）――6。

●図表6-3　グロスマン・モデルにおける健康資本への投資と摩耗

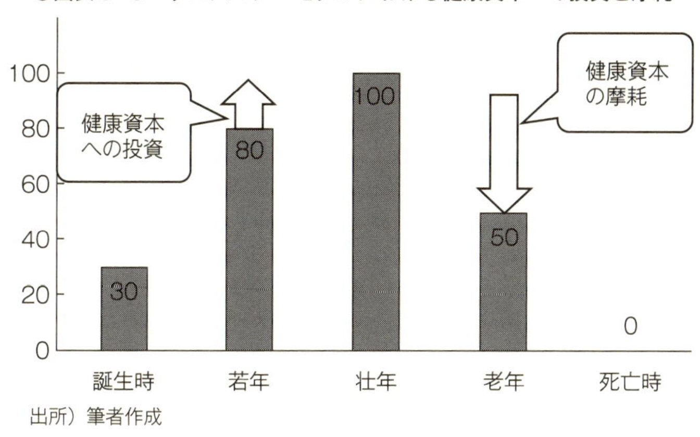

出所）筆者作成

合理的経済人の仮定と効用の最大化

ミクロ経済学の基礎では、経済主体として「合理的な経済人」を仮定します。合理的とは、感情や思い違いに影響されず、自分にとって最適な選択ができると考えてください[7]。この最適な選択は、自分の効用を最大化するように行われると仮定します。

効用とは utility の日本語訳[8]で、現代の言葉で言えば「幸福の量」を指します。経済学では、個人が効用を獲得するための使える時間や予算には限り

6　健康資本の説明における「健康」を「能力」に、「健康投資」を「学習時間」に代えると、学生の方には概念が理解しやすいかもしれません。能力の水準を高める（資本蓄積）ためには、そのための学習時間（つまり能力への投資）が必要です。卒業時の能力水準が高いことから得る効用水準が高い個人ほど、大学時代に学習する時間が多くなることになります。逆に、能力を重視しない人ほど、大学時代の時間を遊びにあてることになります。Fuchs (1982) も、より忍耐強い個人は時間割引率（後述）が小さいと考え、健康投資をより行い将来の健康水準を向上させ、同時に学習時間もより多くなり将来の生産性を向上させると考えました。さらに Becker and Mulligan (1997) は、Fuchs (1982) が検討した健康投資と教育期間の関係について、教育を受けることにより個人の時間割引率が低下し、最終的に健康水準を引き上げると考えています。

7　この仮定は、授業で受講生が最も違和感を示すところです。授業でこの仮定が非現実であると疑問を呈された場合には、確かに不合理な行動を取る場合はあるが、さまざまな個人の平均的な行動を考えるとある程度の合理性が仮定できると筆者は説明しています。

8　経済学が日本に輸入された当時は、英語の専門用語に日本語の新しい造語が当てはめられたため、日常生活では見慣れない日本語訳が使われているようです。

があるのに対して、個人の効用を求める量は無限であると考えます。このため、個人は制約条件（予算や時間）のもとで、いくつかの選択肢のなかから行動を選択する必要があります。

さらに、ランチで現在の効用水準の高い「とんかつ」を楽しむか、現在はサラダで我慢して健康に投資し、将来の健康水準の向上を享受するかのような異時点間の選択においては、もう少し複雑になります。

新古典派経済学の説明：時間割引率で将来の効用を現在の効用に換算

私たちが、すぐに１万円をもらえる場合と、同額を１年後にもらえる場合では、前者の方が嬉しいでしょう。同様に考えると、現在の効用水準100と１年後に得られる効用を交換する場合には、１年後の効用をいくらか「割増」することが必要になるでしょう。

このちがいを新古典派経済学では、現在の「瞬時に得られる効用」と「時間が経って後から手に入る効用」の交換比率である「時間に対する選好（rate of time preference)」という概念を用いて説明します（Becker and Mulligan, 1997)。この異時点間の効用の交換比率を「時間割引率（time discounting rate)」と呼んでいます──9。

具体的に図表６-４で説明しましょう。現在の効用100を１年後の効用と等価交換するとすれば、100＋α（プラス・アルファ）が必要になります（図表６-４)。このαを時間割引率を使って100×時間割引率のように計算します。例えば、時間割引率が10％（0.1）であれば、αは10となり、１年後の効用は110が必要になります。

この時間割引率を使えば、瞬時に受け取れる効用の受取りが遅れることにより、どの程度「割引」しなければならないかも計算できます（(６-１）式)。

$$\text{現在の効用の}\,T\,\text{年後の効用水準}=\text{現在の効用水準}\times\frac{1}{(1+\text{時間割引率})^{T}} \quad (6-1)$$

例えば、現在の効用が100であれば、１年後の効用は$100\times\frac{1}{(1+0.1)}$となり、

9　時間割引率はσ（シグマ）というギリシャ文字を用いて表現されます。

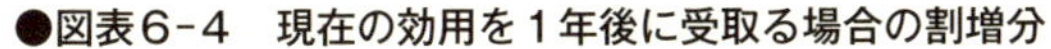

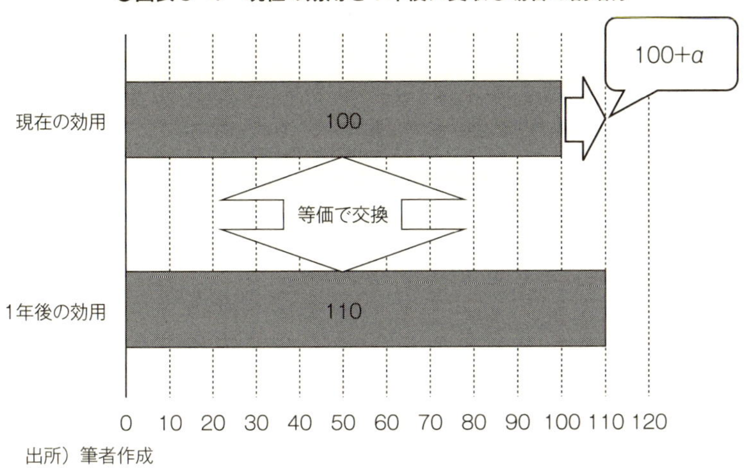

出所）筆者作成

●図表6-5　時間割引率10%で割り引いた現在の効用水準100の変化

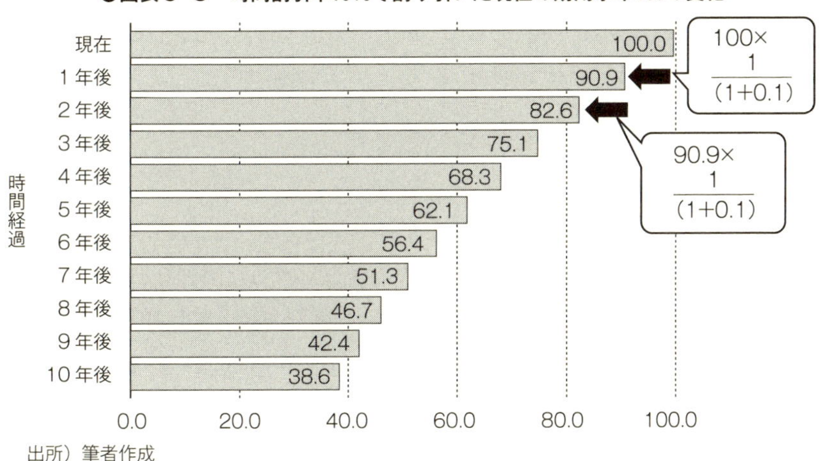

出所）筆者作成

90.9になります。もう１年後の効用水準は$90.9\times\frac{1}{(1+0.1)}$より、82.6になり、同様に計算を続ける[10]と10年後には38.6とかなり小さくなります（図表6-5）。つまり、現在100もらえるとすると、その100を10年後にもらうのは、割

10　この割引方法は、預金でいう複利計算と考えるとわかりやすいかもしれません。

●図表6-6　時間割引率が１%と10%の場合の現在100の将来価値

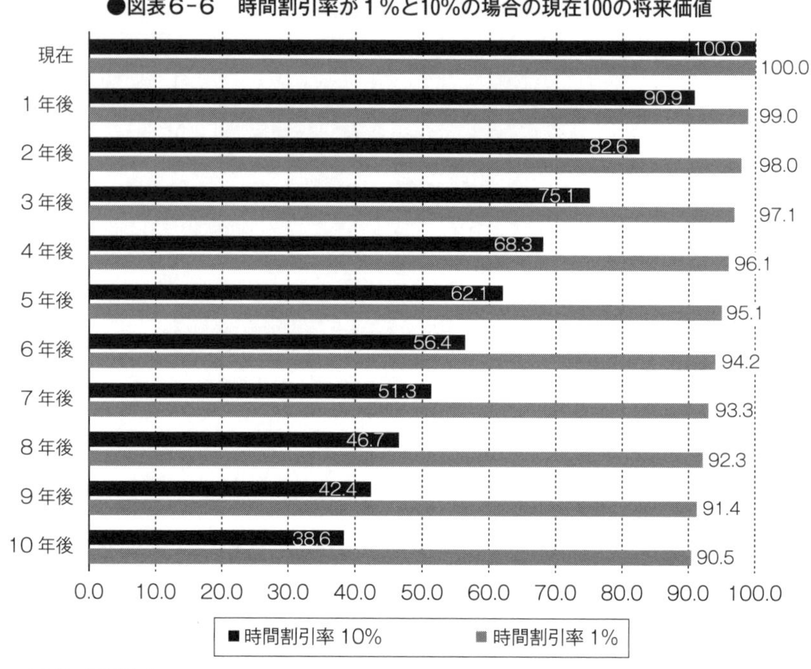

出所）筆者作成

引率10%の人にとっては38.6の価値しかなくなるということです。

次に、この時間割引率が１%と10%の場合を比較した図表6-6を見てみましょう。現在の効用水準100が同じでも、時間割引率10%では10年後に38.6まで減少するのに対し、時間割引率１%の場合には10年後に90.5と減少幅が小さくなっています。つまり、時間割引率が高い人ほど、将来の効用は現在から見て低く評価されてしまいます（図表6-6）。

これまでは、「現在の効用」の受取りが遅れる場合の変化を計算してきました。こんどは、「将来の効用」を現時点から見た場合の効用を考えてみましょう。将来の効用を現在に割引き直すことができれば、遠い将来の効用と現時点の効用を比較して、現在の時点で異時点間の選択を合理的に行うことが可能になると考えます。

T年後の効用を現在に換算した効用＝将来の効用水準÷(1＋時間割引率)^T
（6－2）

この（6－2）式を使って、具体的な数値例で計算してみましょう。A君は割引率σが10%で今を楽しむキリギリス型――[11]、B君は時間割引率σが1%で将来の効用を重視するアリ型としましょう。瞬時に得られる効用の水準が50で、10年後に得られる効用の水準が100としましょう――[12]。つまり、現在の効用水準の倍の効用が10年後に得られるのです。この10年後の効用水準100を割引率10%（(6－2）式では0.1）で10年分割り引くと38.6になります。

$$38.6=\frac{100}{(1+0.1)^{10}}$$

したがってキリギリス型のA君の場合には現在効用（50）＞将来の効用の現在価値（38.6）で、現在の効用を選択します。一方で、アリ型のB君の場合には、10年後の効用水準100を割引率1%（(6－2）式では0.01）で10年分割り引くと90.5になります。

$$90.5=\frac{100}{(1+0.01)^{10}}$$

B君の場合は、現在の効用（50）＜将来の効用の現在価値（90.5）なので、将来の効用を選択することになります（図表6－7）。

時間割引率が低い人は我慢強い

この時間割引率が高いと、ダイエットが失敗する場合が多いと考えることができます。A君のように時間割引率σが平均値よりかなり大きい場合には、ダイエットにより将来得られる効用の水準が大きくても、現在から見るとより大きく割り引かれ、現在の効用の方が選好されることになります。逆に、B君

11　この時間割引率σの大きいA君のようなタイプを英語でinpatientと呼んでいます。わかりやすくするために、「せっかち」と訳している例が見られますが、「気が短い」という意味に取られる危険があると思います。そこで本節では、キリギリス型（反対はアリ型）という表現を使いました。アリは動きはせっかちですが、冬に備えて食糧備蓄を入念に行うからです。

12　これらの効用をどのような単位で呼ぶかに決まりはないようです。授業では「50ハッピー」などと勝手に単位を付けるのですが、学生の受けはあまり良くありません。

●図表6-7　時間割引率のちがいによる、将来の効用水準の現在価値のちがい

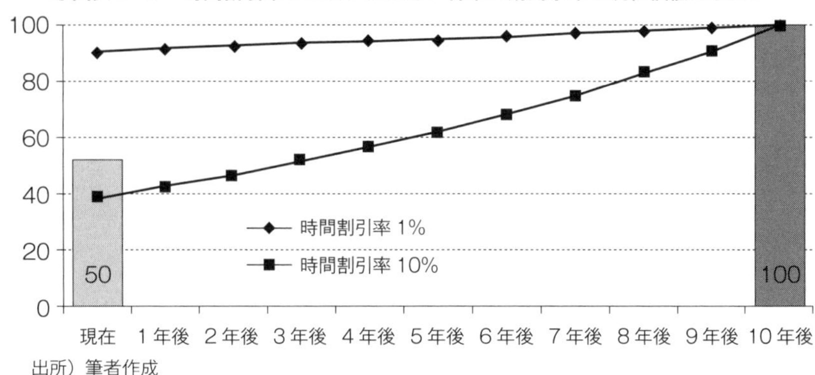

出所）筆者作成

のように時間割引率が低い場合には、将来得られる効用水準はあまり大きく割り引かれませんから、現在の効用よりも将来得られる効用を選択すると考えます。ここで、時間割引率σは時間とともに一定で、時間とともに割引率がべき乗で変化することから指数割引（exponential discounting）と呼ばれています(Samuelson, 1937)。

一生の効用を最大化する健康への投資を選択

この時間割引率と合理的な経済人を組み合わせると、すべての個人は将来の選択についてもその効用を時間割引率で現在の効用に換算でき、そのうえで将来にわたる効用を最大化する選択を迷いなく行い、人生の最後までに最大の効用（幸福）が実現し、満足して死亡していくことになります。この時、時間割引率は一生を通じて不変なので、現在の意思決定は常に最適なものとなると考えます。この概念を簡単な数式で示すと、以下のようになります。

$$U=\sum_{t=1}^{T}\delta^{t}(U(C_t))\qquad \text{ただし、}\delta\text{（デルタ）}=\frac{1}{1+\sigma}\qquad (6\text{-}3)$$

Uはある合理的な経済人の一生（$t=1,2,3\cdots$）の効用の合計値を示します。$U(C_t)$は、t期の効用を示します。各期の効用を「時間割引率」であるσ（シグマ）の逆数δ（デルタ）で乗じた効用値$U(C_t)\times\delta^t$を足し上げた合計値がUになります。

●図表6-8　一定の割引率と効用水準による選好順位の関係

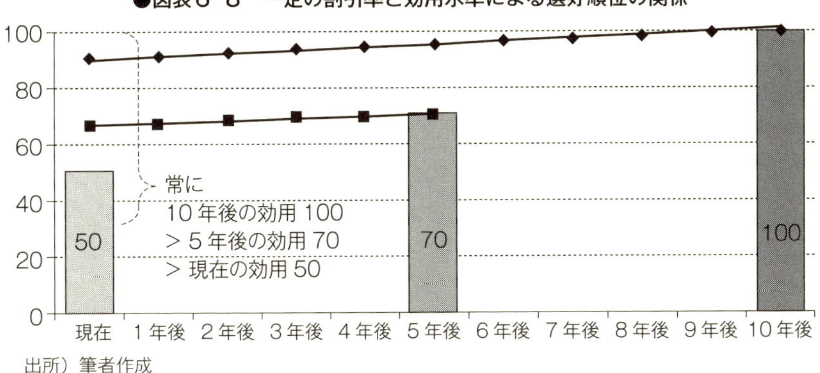

出所）筆者作成

このとき健康投資の水準は、健康に投資することから将来得られる便益（メリット）とそのための機会費用（デメリット）により決定します。例えば、もう1時間運動することから得られる健康水準の増加分の効用と、そのために仕事の時間が1時間減ることによる収入の減少分の効用が等しくなるまで、運動時間を使うと考えられます。

つまり、合理的な経済人の時間割引率は常に一定となるので、近い将来でも遠い将来でも同じ割引率により現在価値に引き直して比較でき、その価値が一生の間に変動したり逆転したりすることはないと考えます（図表6-8）。

合理的で時間割引率一定ならダイエットは常に成功

ある人が合理的な経済人であれば、一生涯に必要な健康投資の量を計算して、限りのある予算と時間を健康投資とその他の財や活動の時間に割り当てると考えられます。

食事の選択についても同様の説明が可能です。適正な体重を保持するには、「運動によるカロリー消費」と「食事によるカロリー摂取」の差を調整する必要があります。差がプラスであれば体重は増加し、マイナスであれば体重は減少し、この差を摂取カロリー量で調整するのがダイエットと考えましょう。

合理的な経済人の仮定が成立するならば、食事による摂取カロリーを増加させて現在の効用水準を少し向上させるよりも、減量により肥満のリスクを減らして寿命を延ばした方が、長期的に見た効用の総量は増加するでしょう。したがって、経済学の標準的な仮定条件のもとでは、ダイエットは常に成功し、肥満になるケースはほとんど発生しないはずです。

しかし、このような「現在」と「将来」という異時点間の意思決定は必ずしも合理的にならないことを皆さんも経験的にご存知でしょう。例えば、ダイエットの開始を翌日に先延ばししたり、せっかく入会したスポーツ・クラブをさぼってしまうのはなぜでしょうか。

行動経済学による説明：時間割引率が変化する（双曲割引）

近年、行動経済学という新しい分野が、この時間割引率に対する新たな理論を提案しています。例えば、同じ将来でも近い将来の効用に対する割引率と遠い将来の効用に対する割引率が変化するという考え方です。

指数割引で見たように時間割引率が一定で変化しない場合には、一度選択した将来に対する行動を後になって変更する必要はありません。しかし、もし時間割引率が時間などにより変化する場合には、効用の水準や選好の関係が逆転するようになるかもしれません。このような状況を**時間非整合性（time-inconsistent preference）**といいます。

ダイエットの実施を選択しながら直前になってダイエットを先延ばしするメカニズムは、時間割引率の変化による時間非整合性（選好順位の逆転）が起こっていると考えると説明できます。例えば、今週の金曜日に焼肉を食べるか、それとも食べないで運動をするかを選択する場合です。週の初め（月曜日）の時点ではＣ君（Ｂ君と同じ時間割引率１％）は運動を選択して自分のダイエットをする（つまり健康に投資する）つもりでした。しかし、だんだん金曜日に近づいて木曜日になると、Ｃ君は時間割引率を変え（Ａ君と同じ時間割引率10％）、運動よりも焼肉パーティに行く選択をします。このＣ君の時間経過による選好順位の逆転（月曜日は運動＞焼肉、木曜日は運動＜焼肉）は、金曜日に近づくにつれてＣ君の時間割引率が変化した（月曜日には１％、木曜日には10％）と考えられます。

Thaler and Shefrin（1981）は、時間割引率が低いＢ君を計画者（planner）とし、時間割引率が高いＡ君を実行者（doer）とし、Ｃ君の中に２人が存在

●図表6-9　指数割引と双曲割引による現在価値の変化のちがい

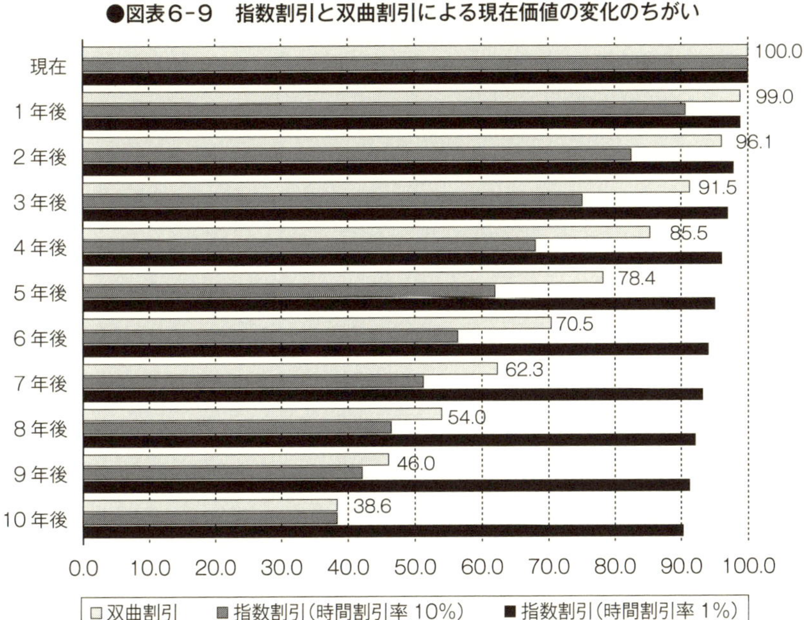

出所）筆者作成

するモデルを“multiple selves”と名付けています。

このように、計画時（つまり、実行までに時間がある場合）には低い割引率で、実行時（つまり、実行する直前の場合）に高い割引率になる時間割引率を双曲割引（hyperbolic discounting）と呼んでいます（Ainslie, 1991）。双曲割引とは時間割引率の変化が、双曲線のように変化するところから名付けられたそうです──[13]。図表6-9は、現在の価値100の割引を指数割引（時間割引率１%と10%）と双曲割引で比較したものです。双曲割引では、指数割引の高い割引率（10%）から低い割引率（１%）に変化する様子をよく再現しています。

ダイエットを明日から実行しようと決心しても、いざ当日になると、「先延ばし」してしまうという行動は、この双曲割引できれいに説明できます──[14]。

13　双曲割引では、指数割引の$(1+\text{時間割引率})^T$が$(1+aT)^T$に変わります（aは定数）。ただし、必ずしも数式に合致するというよりも、双曲線に似た変化をする場合を指すことが多いようです。

●図表6-10　5年後と10年後の効用の選好順位の逆転

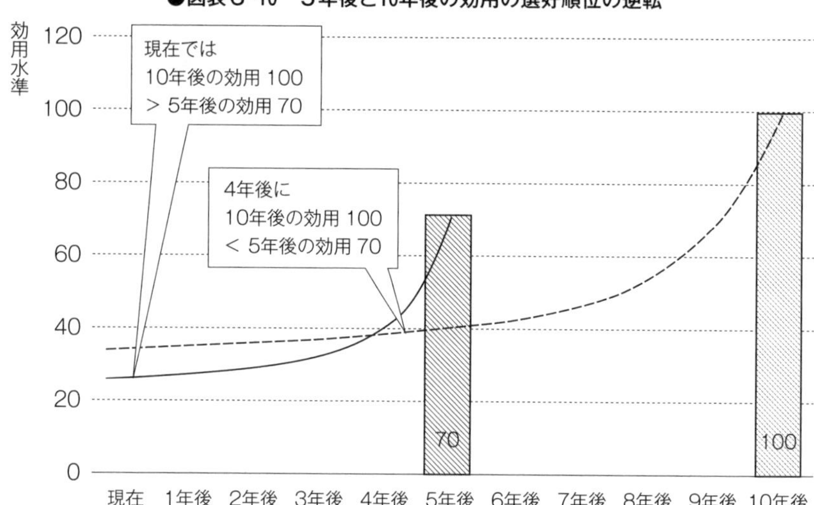

出所）筆者作成

図表6-10では、5年後の効用70と10年後の効用100について、現在と4年後（つまり5年後の1年前に迫った場合）の選好順位を比較しています。双曲割引では、現在は10年後の100を選択するのですが、時間が経過して4年後になると、5年後の70の効用を選択するように選好の順位が変化することが見て取れます。行動経済学では、このような双曲割引は従来の指数割引よりも、現実の行動をよりうまく説明できると考えられています[15]。

このような時間変化に伴い時間割引率が変化する双曲割引を持つような個人や世帯に対して、行動経済学者はいくつかの対策を提案しています。

14　Richards and Hamilton（2012）は双曲割引がダイエットの先送りにより肥満を招くのではなく、逆に肥満が生存確率や寿命を悪化させるため、時間割引率が高くなると考えています。このような解釈が妥当なのかについても今後実証研究が蓄積されることが望まれます。

15　肥満を含めた非健康な行動に関する文献レビューであるCawle and Ruhm（2012）のp140に“substantial research suggests that hyperbolic discounting explains many real world decisions more accurately than standard exponential discounting”との記述があります。

ナッジ（誘導）を用いた対応策（メタボ健診）

近年行動経済学者は、個人の選択について政府が選択肢を制限したり情報を提供するなどの一定程度の介入を行うことによって、より合理的な異時点間の選択を誘導できると考えています。その1つが、「ナッジ（nudge）」で、英語で「人をひじで軽く押したりつついたりすること」を意味し、つまり軽く誘導することと考えられます。

依田（2009）や池田（2012）は、メタボ健診をナッジの事例として挙げています。これは、日ごろから太りすぎを気にしている人が、メタボ健診で自分自身のBMIを知り、続く特定保健指導を受けることによって、先送りを続けていたダイエットの実行が容易になるかも知れないからです。

池田（2012）は、メタボ健診制度について、以下のように評価しています。第一に後回ししがちな健康診断を義務化したため確実に実行することになる、第二に正確な情報に基づいた食事改善が可能となる、第三に肥満を改善しないと医療費が増加し、医療保険料が引き上がるため、安易に肥満になることの抑止になるとしています──[16]。では、これらの理論的推論がどの程度実現されたかは、後の実証研究の部分で確認していきましょう。

6-3　実証分析の結果を検討する

メタボ健診で合理的な選択が行われるか

時間割引率の測定は意外と困難

前節では、新古典派経済学と行動経済学で時間割引率に対する考えが大きくちがうことをみました。賢明な読者の皆さんは、実際の時間割引率を測定すれば指数割引か双曲割引かの問題は解決できるとお考えだと思います。しかし、この時間割引率は直接観察することが困難です。そのため、その代わりになる指標（代理変数）を用いた測定が行われています。

16　ただし、体内の脂肪が不摂生によるものか、遺伝や環境によるものかを識別できないので、罰則を科すことは公平性の問題を起こすことも指摘しています。また、メタボ健診がナッジとして機能するための条件についても提示しており、メタボ健診自体が成功することを主張しているわけではありません。

例えば、代理変数として「貯蓄率」を用いてBMIとの関係を見ると、時間割引率が高い（貯蓄率が低い）ほどBMIが増加するという正の相関関係が見られます（Komlos et al., 2004、Smith et al., 2005）。この結果は、時間割引率の代理変数を「経済的報酬を得る時期を遅らせる場合の反応」に代えても同様でした（Ikeda et al., 2010）。

ただし、ある個人の時間割引率が低いならば、肥満の他に喫煙や飲酒などの他の非健康的な行動も同様に取るはずです。ところが、Culter and Graeser（2005）は、この点について、さまざまな非健康的な行動の間の相関関係が低いことを確認しています——[17]。この結果は、肥満や過食などの非健康的な行動が指数割引の概念のみでは十分説明できないことを示すと考えられます。

双曲割引は日本でも確認

Thaler（1981）は、時間割引率に関する興味深い実験結果を示しています。オレゴン大学の学生を実験対象に、現在支払われるお金の金額（例えば、15ドル）に対して、一定期間支払いが遅れた場合に15ドルと等価になる金額はいくらかを聞いています——[18]。その結果、1年後の金額（15ドルに対して50ドル、つまり1年当たり35ドル増加）に対する割引率は、10年後の金額（15ドルに対して100ドル、つまり、1年当たり8.5ドル増加）に対する割引率よりもかなり大きいことがわかりました——[19]。日本でも、Kinari et al.（2009）の実験によれば、報酬の支払いが遅れるほど、時間割引率が低下していくことが確認されています（図表6-11）。

最近の研究では、さまざまな実験を通じて時間割引率の性質が検証されています。Angeletos et al.（2001）は、世帯支出の時間割引率に関する実験結果から、時間割引率が指数割引の世帯に対して、双曲割引の世帯は、クレジットカ

17　日本において同様の研究を実施した池田（2012）の209頁の図5-13では、双曲的な時間割引率を持つ人のグループでは、そうでないグループに比して、喫煙・飲酒・ギャンブルをする人の割合が高いことが示されています。

18　支払いが遅れたとしても、必要な金額は必ず支払われると仮定して、未払いによるリスクが混入しないように工夫されています。

19　簡単に複利計算を行うと、1年後の場合の時間割引率は233.3%で、10年後の場合の時間割引率は20.89%と約10倍もの開きがあります。

●図表6-11 支払いの遅れに対する時間割引率の低下

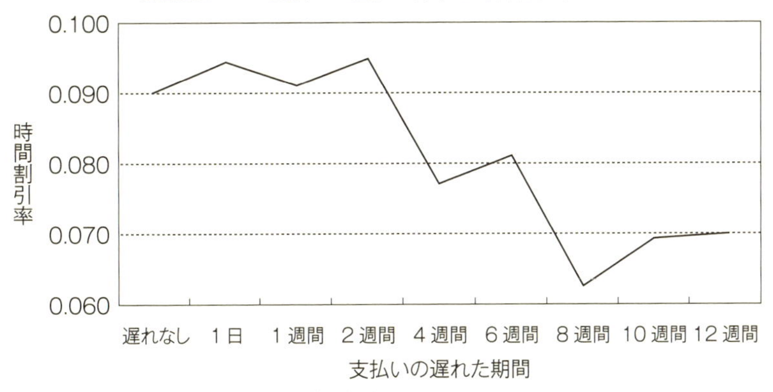

出所）Kinari et al.（2009）より筆者作成

ードからの借入回数が多いことを示しています。また、この双曲割引の世帯では、短期的な事象に対する時間割引率は、長期的な事象に対する時間割引率よりも高いことを確認しています。この支出超過が招く「負債」という現象を、摂取カロリーが超過したことによる内臓脂肪の蓄積である「肥満」と置き換えて考えられそうです。池田（2012）によれば、日本でのインターネット調査のデータを分析したところ、肥満の場合には、双曲割引の性質を持つ場合が21.69％と持たない場合の15.14％より大きいことが確認されています――[20]。

メタボ健診の実施状況

厚生労働省（2015）によれば、40歳から74歳の5000万人を超える日本国民が、特定健診の対象者として所属する公的医療保険の運営者からの通知を受けました。これらの特定健診対象者のうち、実際に受診した割合は2012年度で46.2％でした。どうやら半数以上が誘導（ナッジ）を無視してしまったようです――[21]。

20 興味深いことに、池田（2012）94頁の図3－8 双曲割引と選択（％）の(e)肥満者によると、男性ではこの傾向が強まる（肥満の場合の双曲あり30.85％と双曲なし23.18％で統計的な有意差あり）のに対して、女性ではあまり大きな差がありません（肥満の場合の双曲あり11.18％と双曲なし7.82％で統計的な有意差なし）でした。

特定健診を受診した2400万人のうち、特定保健指導の対象者となったのは432万人と受診者の約18%でした。なお、すでに糖尿病などクスリを服薬している場合には、メタボリック・シンドロームであっても特定保健指導の対象から除外されます[22]。特定保健指導の連絡を受け、実際に積極的支援などを受けて修了した人は71万人と対象者の16.4%でした。せっかく保健指導を受けても８割以上の人が途中で脱落しているようです。したがって、特定健診・特定保健指導の全対象者のうち特定保健指導まで修了した人の割合は、1.33%とかなり限定される結果となりました。

厚生労働省の検討会はメタボ健診の成果を公表

厚生労働省（2015）は、特定保健指導の対象者を、指導を受け（かつ完了した）「介入群」と指導を受けなかった「対照群」の２つに分けて比較することにより、メタボ健診の効果を測定しています。その結果、すべての年齢階級においてBMIの減少効果を認めています。図表６-12を見ると、例えば、実線の介入群では2008年度に比して2009年度ではBMIが0.6kg/cm^{2}減少（26.1kg/cm^{2}から25.5kg/cm^{2}へと2.3%減少）していますが、点線の対照群では男性で0.1kg/cm^{2}減少とわずかです。その結果、２群の差である0.5kg/cm^{2}が特定保健指導の完了による効果とされています。なお、減少幅は縮小するものの、この傾向は2009年度および2010年度でも継続して見えます[23]。この結果だけを見ると、メタボ健診は成功したように見えます[24]。

21　とくに高齢者や自営業者が多い国民健康保険の受診率が低く、2012年度で33.7%です。なぜ健診を受診しないのかの要因は、主に公衆衛生分野で多く研究されています。

22　満武ほか（2010）によれば、高齢者の割合が多い国民健康保険の場合には、特定保健指導の対象者が、服薬中の保険加入者の除外により大幅に減少することを確認しています。また、分析対象となった５つの国民健康保険では、この服薬中の者の医療費割合は65.0%で、特定保健指導の対象者の医療費割合の9.9%よりかなり大きいことを示しています。

23　同報告書では、2008年度の男性の介入群と対照群のBMI減少幅の差は、0.5kg/cm^2（介入群の減少幅0.6kg/cm^{2}と対照群の減少幅0.1kg/cm^{2}の差）ですが、2009年度では0.3kg/cm^2、2010年度でも0.3kg/cm^{2}に縮小しています。

24　同報告書では、BMI減少率の結果を、「目標値の３%減少に近づいた」と積極的な評価をしています。

●図表6-12　特定保健指導（積極的支援）の完了者のBMIの減少傾向

-■- 男性　積極的支援　介入群　-●- 男性　積極的支援　対照群
-◆- 女性　積極的支援　介入群　-▲- 女性　積極的支援　対照群
BMI（積極的支援、2008-2009年度）

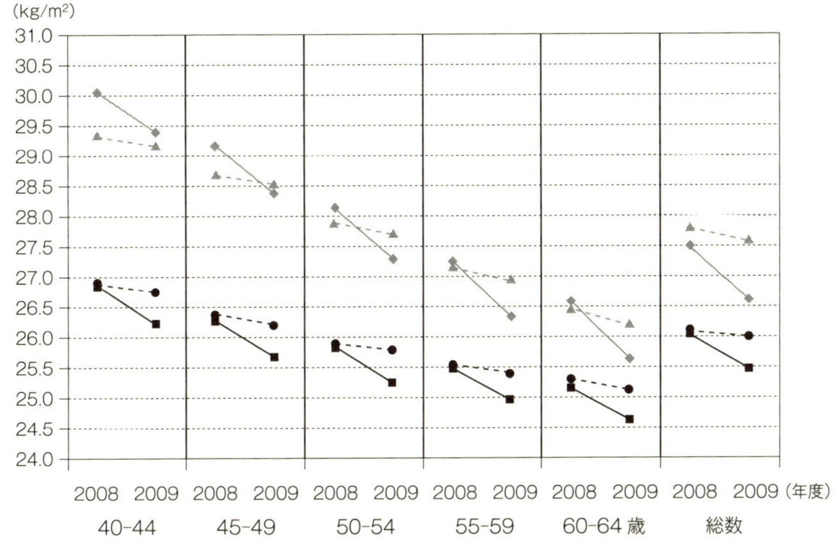

出所）厚生労働省（2015）特定健診・保健指導の医療費適正化効果等の検証のためのワーキンググループ最終とりまとめ

2群の異質性を調整すると効果が小さい

しかし、このような「介入群」と「対照群」の選択方法には、統計学上の「セレクション・バイアス（selection bias）」──[25]という問題があります。岡山ほか（2014）は特定保健指導の対象者を参加者（介入群）と非参加者（対照群）に分けて比較することの問題点を検討しています。2008年度の健康診断参加者のなかから、特定保健指導の対象者を「指導を受けたものを介入群」、「指導を受けなかったものを対照群」として、2つの群の翌年度の健康診断結果を

25　バイアスとは「偏り」があることです。本来、介入群と対照群は同じような人々が含まれていて、特定保健指導を受けたか受けなかったかのちがいだけがあるべきです。ところが、保健指導を受けるかどうかは対象者が意思決定しますので、対象者のうち「ある傾向」のある人が保健指導を受ける可能性が高いのです。このような介入群・対照群の選び方に出てくる偏りをセレクション・バイアスと特に呼ぶ場合があります。また、そもそも健康診断を受診する人は、健康意識が高いため、病気になるリスクが低い傾向があり、これを healthy screenee bias と呼びます。

比較しました。その結果、介入群では「喫煙率」や「朝食を摂らない率」が対照群に比して低く、保健指導に対する意欲が高いことが示されています。これが、セレクション・バイアスの中身で、特定保健指導の対象者のうち、より健康で意欲の高い人が「介入群」に入る可能性が高く、そのため対照群に比して健康状態が改善しやすいのです。同じ研究で、傾向スコア法──26を用いて、介入群と対照群の間のバイアスを修正した後に2群を比較した結果、対照群と介入群のBMIの改善幅の差が縮小することを確認しています──27。

これらの公衆衛生学の手法による研究では、「観察できない2群の異質性(unobserved heterogeneity)──28」を十分に修正できていない可能性があります。医療経済学の研究では、観察できない2群の異質性を修正する方法として、同じ標本の異なる年度のデータの変化（差分）を用いた「固定効果モデル(fixed effect model)」がよく利用されます。

鈴木ほか（2015）では、福井県で実施されたメタボ健診の2008年度から2010年度の3年間のデータを用いて、固定効果モデルでその効果を検証しています。その結果、特定健診の受診者が正確な情報（BMIなど）を得たことの効果として、年率換算のBMI減少率は約0.5%と示されています。さらに、積極的支援の効果を含めても年率換算の減少率は約0.6%とわずかであると判断しています──29。

では、特定保健指導の結果、BMIの改善を得られる条件はなんなのでしょうか。仲下ほか（2013）は、2008年度の健康診断受診後に積極的支援の対象に

---

26 傾向スコア法とは、対照群の特性に似た介入群の個人を選別することにより、2群の同質性（つまり、同じような集団であること）を確保する統計的手法です。ただし、観察できない異質性については制御できないため、完全に同質化できるとは限りません。

27 ただし、本研究では積極的支援によるBMIの減少効果を否定している訳ではありません。あくまでセレクション・バイアスにより効果が過大評価されることを指摘しています。なお、今回のように標本規模が大きい場合には、確率的に確からしいか（つまり、統計的に有意か）とともに、改善幅の大きさが「臨床的に意味があるほど大きいか」が重要になります。

28 年齢や性別は容易に観察できますが、食事制限や運動を継続できるかの性質などは、変数の形での観察が非常に難しいと考えられています。

29 村本ほか（2010）や津下（2011）は、体重が「4%以上減少」した場合には、血糖値や脂質などの検査値への良い影響が認められると判断しています。40歳以上の身長がほとんど変化しないと考えれば、BMIの減少率も同様の減少率が望ましいと考えられます。

なり、かつ指導を完了した1年後に体重が4％以上減少したものを減量成功者として、その要因を探っています。その結果、確からしい要因（つまり「統計的に有意」な関連）があったのは、非喫煙者であることや、1日30分程度の運動の継続、ほぼ毎日間食を取る習慣の改善などでした。つまり、魔法の杖があるわけではなく、要は適切な食事と運動が必要だということのようです[30]。

メタボ健診で医療費は削減されたのか

川渕・伊藤（2013）は、特定健診・特定保健指導の実施により、短期的には、①健康診断・保健指導にかかる費用の増加、②健診後の受診推奨による外来医療費の増加、③疾患の軽症化や有病率の減少による医療費の減少が見込まれると主張しています。

厚生労働省（2015）による2008年度から2010年度の特定健診・特定保健指導制度の評価によれば、「積極的支援参加と不参加者を比較すると1人当たり入院外医療費については、男性で7020～5340円、女性で7550～6390円の差異が見られた」とされています。残念ながら、これらの入院外医療費の削減額の合計がいくらなのかは示されていません[31]。

それでは、この制度にかかった費用はどうでしょうか。鈴木ほか（2015）によれば、この特定健診・特定保健指導制度には、2008年度から2011年度の4年間で総額3025億円、1年度年間当たり756億円の財源が投入されています。この投入費用に見合った医療費の節減効果が出ているかについては、全国の特定健診のデータ及び関連する医療費データが蓄積されている「レセプト情報・特定健診等情報データベース（通称NDB）」を利用した厳密な費用対効果分析が望まれるところです[32]。

30　ただし、最近では重度の肥満者向けに減量のための薬剤が開発されているそうです。

31　厚生労働省の公表値をそのまま利用して、簡単に合計値を出してみると、特定保健指導の修了者71万人に1人当たり約7000円／年度の入院外医療費節減額をかけると、合計49億7000万円の医療費の節減が1年間で達成されたことになります。また、実際に分析の対象とされた積極的支援を受けた人は10万9000人です。したがって、厳密に考えれば、10万9000人に約7000円をかけると外来医療費の節減額は7億6000万円まで減少します。ただし、費用については健診対象者の機会費用などは含まれていません。また、効果についても長期的な健康水準の改善や、それによる労働生産性の向上なども含まれていません。あくまで、直接的かつ短期的な費用のみで簡便に合計したものとご理解ください。

6-4 今後の方向性と討論課題

保険者や政府の合理性

メタボ健診実施者の保険者や政府は合理的なのか

さて、ここまで読者の皆さんと個人の異時点間の選択や時間割引率について考えてきました。しかし、われわれは1つ大きな見落としをしています。それは、無意識に政府や自治体の合理性を仮定している点です。例えば、国民健康保険などの保険者は、メタボ健診で医療費が長期的に節減されれば、最も恩恵を受けるわけですから、メタボ健診に必死で取り組んでいると考えていました。さらに、保険者が目標となる健診受診率を達成できなかったり、特定保健指導の修了率が低いと、政府からの補助金を減らされるというペナルティを課される仕組みになっています[33]。しかし、メタボ健診の受診率は2017年で53.1%と、2023年度までの目標の70%にまだまだ届かない状況です。

ここで、保険者の時間割引率が低く、かつ一定であれば（つまり指数割引）であれば、長期的な医療費抑制の効果は大きいと見込めるので、できるだけの費用と労力を挙げて健診受診率や保健指導の修了率の向上に取り組むはずです。しかし、保険者が双曲割引の強い場合には、このような長期的な努力を先送りして、赤字の穴埋めをしている政府からの補助金を今年度も増額するように政治的な圧力をかける方を選択するかもしれません。また、政府が政策立案をする際にも、長期的な医療費抑制効果を挙げるためには綿密な制度設計を行うことが必要ですが、当年度中に予算を獲得することや、その根拠となる法案の成立の方に注力しているかもしれません。いくら保険者に経済的誘因（インセンティブ）を与えても、自律的に実施が可能な政策手段がなければ責任の押しつけあいになってしまいます。どうやら、個人であれ、組織であれ、双曲的な割引率を持つ場合には、ナッジ（誘導）だけでなく、より強い介入や監視が必要

---

32 このNDBは、審査を受ければ研究利用できるようになっています。近年では、このNDBを利用した外部研究プロジェクトの成果が論文として発表され始めています。

33 2013年度には、全国の保険者3400のうち181がペナルティを課され、合計で7600万円の後期高齢者医療制度の支援金が減額されました。逆に成績の良かった131保険者に対して同額が加算されました。つまり、減算された保険者の割合は全体の5%で、1保険者当たりの金額は42万円になります。

になるのかもしれません――[34]。

【討論課題】

あなたは、特定健診・特定保健指導制度の実施に賛成ですか、反対ですか。賛成の場合には、現状の制度をどのように改善しますか。例えば、対象者の選定を変更しますか。あるいは健康診断の受診率や保健指導の修了率を向上するためにどのような誘因（インセンティブ）を付けますか。あるいは反対の場合には、特定健診・特定保健指導制度に代わる政策を医療費削減の効果も含めた提案してください。

34 世界中で肥満対策としてさまざまな政策が実施されています。個人の自主的な取り組みを促す減量キャンペーンとしては、台湾で、「健康100台湾動起来（健康100％ 台湾よ、動き出せ）健康体重管理計画」を実施し、減量した体重は合計938トンに上るそうです。中東のドバイでは太りすぎの人が減量すると、1kg減量当たり1gの純金を政府が贈呈したそうです。また、消費者への情報提供としては、食品の栄養成分表示やファストフード・レストランのメニューでのカロリー表示が実施されています。非健康な食品に課税するSin Tax政策としては、ハンガリーの「ポテトチップス税」、フランスや米国バークリー市の「ソーダ税」などがあります。

Health Economics

第7章 公的医療保険はなぜ必要か——需要の不確実性と逆選択

なるほど君は久しぶりに高校時代の友達「がんばる君」に会っていた。彼は成績はよかったのだが、大学に進学せず、自営業を継いでいる。もともとしっかりした性格だったが、仕事をはじめてますますたくましくなって、なるほど君は少しうらやましく感じた。ところが、がんばる君によると、最近の不況で自営業はうまくいっていないらしい。どうやら売上高が少ない月には義務付けられた保険料を支払うこともむずかしいという。でも、健康保険料だけは、怪我をしたときに困るから利益のほとんどない月でも払っているらしい。なるほど君は、なぜみんなが健康保険に入ることを義務付けられているのだろうと思った。みんなが自由に民間保険に加入することにすれば、がんばる君はもっと保険料が低い保険を選んで加入できるだろう。いやむしろ、がんばる君は体もじょうぶなので、保険に入らなくてもだいじょうぶかもしれない。

7-1　医療の問題を知る

公的医療保険への強制加入

日本の医療保障制度

わが国では、序章で説明したように、すべての国民がなんらかの公的な医療保険制度に加入する国民皆保険制度がとられています。このため、国民は医療保険制度の保険料を毎月支払う必要があります。また、企業は赤字であっても従業員の保険料の半分を負担する仕組みになっています。自営業者や無職（年金生活者）の人が加入する公的な医療保険制度（国民健康保険）では、保険料を納入できない未納者の問題が近年大きくなってきています。

このようなベースとなる公的な医療保険制度に加入したうえで、上乗せで民間保険に加入することができます。多くの保険会社が民間医療保険を販売しています。業界団体である生命保険協会の統計によると、医療保険（がん保険含む）の年間契約残高は、６兆9157億円、契約件数は5115万件[1]にも達してい

1　生命保険協会加入会社で医療保険（がん保険含む）を販売している全43社の2013年度の合計値。

ます。

医療では、なぜこのように保険が利用されるのでしょうか。それは、医療サービスに対する需要が不確実であるという特性によります。つまり、医療サービス（あわせて医療費も）にはいつ、どのくらい必要になるのかが前もってわかりにくい、「不確実性」という特性があるのです。この特性に対して、あらかじめ保険料を支払っておき、病気になった場合に必要な医療費を支払ってくれる医療保険を利用することで対応しているのです。しかし、民間保険ではリスク選択（後述）という行動により、低所得者や高齢者が利用できない場合もあります。このような保険に加入できないケースを避けるため、多くの先進国では政府が運営する**公的医療保険制度**への加入を義務付ける強制加入方式をとっています。それでは、次項では保険の機能から説明していきましょう。

7-2　経済理論で理解する

保険の機能、リスク選択、プーリング均衡

保険による不確実性への対応

なぜ医療サービスにおいては、保険のような第三者が支払う仕組みを利用するのでしょうか。これは、医療費の支払いは不確実性を伴うためであると考えられています。例えば、特定の重篤な疾病はまれにしか起こらず、**無作為**（random）に発生するように思われます。また疾病にかかると多額の費用が必要となったり、収入の道が途絶えたりすることによって、家計に壊滅的な打撃を与えることもあるでしょう。このような医療費の予期できない支払いリスクを回避するために、保険が利用されています。

次に、保険の仕組みを細かな点を省略して説明しましょう。あるサッカークラブに年齢や技術がほぼ同質なメンバーが100人いると仮定します。このクラブでは、毎年だいたい１人が、試合で大怪我をして100万円の費用が必要になってしまいます。個人に負担させるには大金ですし、かといってクラブの財源ではサッカー場を維持するのが精一杯です。そこで、このクラブでは、メンバーに呼びかけて毎年１人につき１万円ずつ出してもらい、基金をつくることにしました。基金は合計100万円を積み立てておき、メンバーがあらかじめ定め

た基準に合致する大怪我を負うと100万円を支払います。この仕組みによって、このクラブのメンバーは毎年１万円（保険料）を支払うことによって、不幸な事態（保険事故）になった場合に100万円という大金を支払うリスクを避けることができるのです。これが保険の**リスク分散**という機能の一例です。

民間保険の仕組み

一般的に保険は、多数の被保険者のリスクをプールすることによって、当該リスクの不確実性を減少させます。このためには、多数の保険に加入する者を集め、すべての加入者が事故にあう確率は一定で、それぞれが事故にあう確率は**独立**（independent）であるという条件のもとに運営される必要があります。これは**大数の法則**——[2]と呼ばれ、保険が安定的に運営されるための条件を示しています。したがって、地震などの多くの人が同時に事故にあってしまうような場合は、独立の条件が満たされないため、民間保険にはなじまないとされています。

次に民間保険では赤字を出すと存続できないため、保険料収入と保険給付額の収支が均衡するように保険料水準や保険給付を制御しなければなりません。これを**収支相等の原則**と呼びます。したがって、保険料率は保険給付対象となる保険事故の発生確率に応じて決定する必要があります。このため、民間保険においては、保険事故が起こる確率が高い人（高リスクな人）ほど保険料率が高くなります。

これを簡単な数式で示しますと、保険料率（rate of premium）を r、保険として掛ける金額を示す保険金額を L とすると、保険料収入は $r \times L$ となります。次に、疾患にかかる確率である罹患率を p、罹患した場合に実際に支払われる保険金額である保険給付金額を C とすると、保険金の支出は $p \times C$ となります。したがって、保険契約ごとの収益は「収益＝ $rL - pC$」のように表されます。保険市場が完全競争市場の場合には、保険会社の利益はゼロとなるため、収益

2　お互いに独立で同一の分布を持つ確率変数の列 $X_1, X_2, \ldots, X_N$ において、$E(X_1) = E(X_2) = \cdots = E(X_N) = \mu$ が存在するならば、$N \to \infty$ のとき、

$$\bar{X} = \frac{X_1 + X_2 + \cdots X_N}{N}$$

は μ に収束するという法則。

＝０より $rL = pC$ となります。保険給付で損害を賄える（つまり $L = C$）を**完全保険**（full insurance）と呼び、この場合に完全競争市場では、$r = p$ となります。このように、保険料率が保険事故の発生する確率の水準と同じ保険料率を**保険数理的に公平な保険料率**（actuarially fair premium）と呼びます。民間保険会社の場合には、このような保険料率に一定の事務経費（例えば広告費用や事務費用）を上乗せして、実際の保険料率を決定しています。

期待値

完全競争市場である保険市場において、人々はなぜ保険を購入するのかを考えましょう。そのためには、期待値について知る必要があります。**期待値**（expected value）とは、ある事象が生じる確率に応じた収益の加重平均値を指します。確率変数の平均値と考えてもよいと思います。

例えば、ＡとＢがコイン投げで遊ぶとします。もしコインを投げて表が出れば、Ｂが500円をもらい、裏であれば０円とします。このゲームに参加料が必要な場合、Ｂは参加するでしょうか。この問題を考えるために、期待値を計算してみましょう。もし、コインに何も細工がされていなければ、表が出る確率は0.5、裏が出る確率も0.5でしょう。この確率を表のときの500円と、裏のときの０円にそれぞれ掛け合わせて、両者を合計すると期待値が算出できます。

コインを１回投げたときの期待値
　＝[表の確率0.5×表の収益500円]＋[裏の確率0.5×裏の収益０円]
　＝250円　（7‐1）

したがって、Ｂは、このゲームに参加することによって期待される収益（250円）が、参加するために予想される費用を上回る場合に参加するでしょう。つまり参加料が１回当たり250円未満であれば、Ｂはゲームに参加すると考えられます。より一般的には、ある事象が複数起こる場合の結果に対する期待値は（7‐2）式のように示されます。

期待値＝合計（起こりえる事象の確率×当該事象からの収益）　（7‐2）

●図表7-1　ドリームジャンボ宝くじの期待値

	当たり数(枚)	販売総数	当選確率	賞金(円)	期待値(円)
1等	37	3億7000万枚	0.0000001	200,000,000	20
1等前後	74	3億7000万枚	0.0000002	50,000,000	10
1等組違	3,663	3億7000万枚	0.0000099	100,000	1
2等	74	3億7000万枚	0.0000002	100,000,000	20
3等	111	3億7000万枚	0.0000003	10,000,000	3
4等	7,400	3億7000万枚	0.0000200	1,000,000	20
5等	111,000	3億7000万枚	0.0003000	30,000	9
6等	3,700,000	3億7000万枚	0.0100000	3,000	30
7等	37,000,000	3億7000万枚	0.1000000	300	30
				期待値の合計	143

注）2005年ドリームジャンボ宝くじデータより作成

期待効用理論——3

例えば、宝くじの期待値は、1等の当たる確率（1000万の1）に賞金の金額（2億円）をかけて1等の期待値（1000万分の1×2億円＝20円）を出し、次に2等の期待値、3等の期待値を出して……と最後の7等まで計算していき、すべての期待値を足しあげていけば算出することができます。図表7-1に1等から7等までの期待値を合計すると、143円になることが計算されています。宝くじの1枚の値段は300円ですから、得られる所得の期待値から考えると宝くじは割に合わない賭けと考えられます。では、なぜ現実には宝くじを購入する人が多いのでしょうか。

これは、期待値とそこから得られる効用が人によって異なるからであると考えられています。不確実性がある状況下で人が合理的に選択肢を選ぶ際に、「期待効用を最大化」するように判断するという**期待効用理論**（Expected Utility Theory）——4に基づいて説明すれば、人々の行動をかなり定量的に表現できます。期待効用理論とは、行為の結果が不確定な状況では、効用をその確率で加重平均した期待効用を最大化するように行動するという考え方です。ここでのポイントは、最大化するのは期待「効用」であり、「期待値（利得や所得）」ではない点です。

3　本節は、西村（2000）を参照しています。

4　期待効用理論については、Neumann and Morgenstern （1953）を参照してください。

一般的に**期待効用**（expected utility：EU）は以下のように表現できます。ただし、選択可能な行動を a、将来生じる状態を s、状態 s が生じる確率を $p(s)$、行動の結果としての利得を $y = g(a, s)$、利得から得られる効用を $U(y)$ とします。

$$EU(y) = \sum p_j(s_j)U(g(a_i, s_i)) \qquad (7\text{-}3)$$

（７－３）式を見ると、「選択的な行動により将来生じる状態」のそれぞれの利得から得られる効用に、それぞれの状態が生じる確率を乗じた値をすべて合計すると、期待効用が得られるとなっています。したがって、a が二者択一の場合には、期待効用は２つの状態 (y_1, y_2) の効用とその確率で以下のように簡略化できます[5]。

$$EU(y) = pU(y_1) + (1-p)U(y_2) \qquad (7\text{-}4)$$

リスク選好と効用水準

さらに、同じ宝くじに対しても人によって行動が大きく異なります。皆さんのまわりにも、わずかな確率に大金をかけることを好む人がいる一方で、賭けごとをいっさい行わない人もいます。このような人の行動のちがいは、人々のリスクに対する選好（risk preference）を考えることで説明することが可能です。一般的に経済主体のリスクに対する態度は、以下の３種類に分類されます。

①リスク愛好的（risk loving）：利得の期待値が等しければ、確実な利得よりも不確実な利得を好む個人。宝くじや賭けを好む人はこちらになります。
②リスク中立的（risk neutral）：利得の期待値が等しければ、不確実な利得から得られる効用と確実な利得から得られる効用が等しい個人。この人は、先の宝くじの場合には、143円以下であれば購入する人です。
③リスク回避的（risk averse）：利得の期待値が等しければ、確実な利得から得られる効用のほうが、不確実な利得から得られる効用よりも好ましい個人。日本人には、このタイプの人が多いと思われます。

5（７－４）式は、すでに第１章の１－２で情報の価値を説明する際に利用しています。

●図表7-2　リスク回避型の場合の効用関数

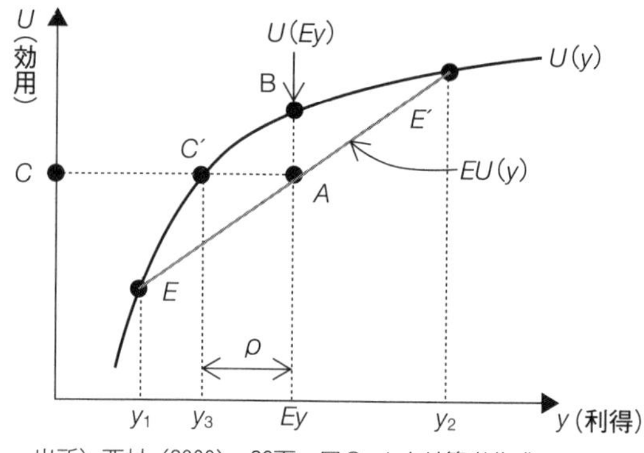

出所）西村（2000）、26頁、図2-1より筆者作成

リスク回避的な人は、不確実な利得を確実な利得に確定するために、保険契約を利用することができます。この点を図表7-2で説明しましょう。

不確実な効用と確実な効用

図表7-2の横軸は利得（y）、縦軸は効用（U）を示しています。効用の水準は、利得の水準により変化します（$U(y)$）。図表7-2の y_1、y_2、y_3 は、確実な利得の水準を示します。一方で、効用水準は y の水準に応じて決まります。例えば、利得 y_1 の場合には、$U(y_1)$ は E 点の水準になり、利得 y_2 の場合には $U(y_2)$ は E' 点になります。

次に、y_1 または y_2 が一定の割合（p）で利得となる不確実な場合の効用水準を考えましょう。このような状態の効用水準の期待値は、$EU(y) = pU(y_1) + (1-p)U(y_2)$ となり、図では EE' 線で示されます。例えば、$EU(y)$ の位置を p に応じて設定すると、利得が不確実な場合の効用水準は A 点で示されます。もし、この個人が「リスク中立的」な場合には、期待効用 $EU(y)$ と確実な効用 $U(Ey)$ は同じになるため、A 点の水準がそのまま効用の水準になります[6]。

6　ここで、Ey は y_1 と y_2 の期待利得で、$Ey = p \times y_1 + (1-P) \times y_2$ で表せます。p の値が定まると、Ey の値も決まります。

一方、「リスク回避的」な場合には、不確実な効用 $EU(y)$ よりも確実な効用 $U(Ey)$ を好むため、A 点よりも高い水準の B 点が効用水準になると考えられます。このようにリスク回避的な個人の場合には、効用曲線は上に凸の曲線になります。

リスク・プレミアムと確実同値額

リスク回避的な個人にとって、不確実な場合（$EU(y)$）と確実な場合（$U(Ey)$）の効用水準のちがいは、A 点と B 点の差で示されます。それでは、この差を両者の効用水準でなく「確実な利得」の差で見ると、どの程度になると思いますか。リスク回避的な個人の効用曲線においては、A 点から得られる効用水準は A 点から並行に延ばした線との交点 C' が示す水準（C 点）になります。逆にこの効用水準 C 点を得るにはリスク回避型の効用曲線との交点 C' をもたらす利得の大きさ（y_3）を見ればわかります。この y_3 は、**確実同値額**（ceratironty equivalent）と呼ばれ、リスク回避的な個人が $EU(y)$ 上の点 A と同じ効用水準となる確実な利得の量です。

さらに、この y_3 と Ey の差（図表６－２の ρ）を、**リスク・プレミアム**（risk premium）と呼びます。このリスク・プレミアムは、人々の不確実に対する嫌さかげん（あるいは好きな場合もある）を表す指標です。これを保険の利用という点から考えると、リスク回避的な個人にとって、保険契約を締結することによって、A 点の利得を確実な利得に確定できるなら、リスク・プレミアム以下の費用（保険料）を支払っても、効用水準が改善されます。

保険市場でのレモンの原則＝逆選択

第２章では、中古車市場における情報の非対称性の問題について説明しました。実は、保険市場においてもレモンの原則が当てはまります。この場合には、先の事例と反対に保険の買い手（保険加入者）が保険の売り手（保険会社）よりも自分の健康状態やどのくらい医療サービスを必要とするかに関する情報を多く保持するという形の「情報の非対称性」が存在すると考えられます。この場合にはレモンの原則が同じように働き、**逆選択**（adverse selection）という問題が起こります。

●図表7-3　期待医療費の確率分布

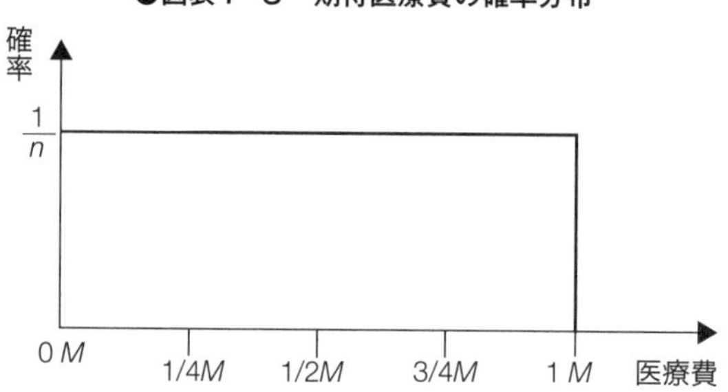

出所）Folland et al.（2001），p193, Figure 9.3より筆者作成

これは、保険が売り出されると、平均よりも多くの医療費を使ってしまう人が保険の加入者として集まってしまうという現象です。この結果、平均的な医療費支出を前提とした保険料は高リスク（疾病になる確率が高い）の人に対しては割安となり、さらに多くの保険を購入することとなります。一方、低リスク（疾病になる確率が低い）の人にとって、この保険料は割高なため、保険の購入をなるべく差し控えます。

逆選択と医療保険

図表7-3では、横軸を、医療保険を購入する予定のある人（n 人）の予想される医療費支出とします。ここで、n 人は年齢や性別は同じであると仮定し、それぞれの予想される医療費支出の幅は、0円から M 円であるとします。縦軸を医療費支出が行われる確率とし、その分布はどの金額でも同じ確率で発生する一様分布であるとします（それぞれの確率は$1/n$）。保険会社は少なくとも収支均衡を維持し赤字経営を行わないと仮定します。つまり、保険の販売価格（いわゆる保険料にあたる）は、保険加入者の平均的な医療費支出を賄う水準以上（広告費や間接経費も含む）でなくてはなりません。

情報の非対称性はこの市場でも起きるでしょう。ここでは、保険加入者（買い手）は一定期間に必要となる医療費を正確に知っており、保険会社（売り手）は、過去の実績から、保険加入者の予想医療費の分布のみを知っている（つまり、どの個人がたくさん医療費を使うかは識別できない）と仮定しましょう。

第2章で出てきたオークション主催者にふたたび登場してもらいましょう。医療保険の保険料は一括払いとして、毎月ではなく一度に支払うものと仮定します。今回のオークションでは、まず0円を宣言しました。n 人の保険購入予定者（買い手）は、全員この価格での保険購入を希望するでしょう。しかし、保険会社（売り手）は、n 人の予想される平均医療費は1/2M であることから、少なくとも1/2M の保険料（価格）で販売しなければなりません。

中古車市場の分析と同じように、オークション業者は、今度は価格を1/2M まで引き上げました。この場合、保険の買い手のうち、自分の医療費が1/2M 以下であると予想する人（0M, 1/4M）は、保険を購入せず自分の貯蓄などで対応しようとするでしょう。なぜなら、保険料が予想する医療費よりも高いためです。このようにして、より健康な買い手は保険市場に参加しなくなります。この結果、あまり健康でない人たちだけが残った保険市場における医療費の平均支出額は、1/2M から3/4M に上昇します——[7]。

このようにして、高リスクの人々が、低リスクな人々を保険市場から追い出してしまうこととなります。そして、本来であれば保険を利用できた人が、保険を購入しなくなるという、「市場の失敗」を招くこととなります。

逆選択の非効率性

情報の非対称性が存在するにもかかわらず、ある程度市場が機能している場合でも、逆選択は経済的な非効率をもたらすとされています。では、ここでの非効率とはなんでしょうか。

人々が医療保険を購入する理由は、病気になったときに必要となる資金を保険金でカバーするためです。医療には「不確実性」という特性があり、現実には、医療費がいつ、どの程度必要になるかを正確に予測することは困難です。このとき、保険制度を利用すれば保険料負担により医療費の支払いリスクを回避することができるようになります。この保険によって、人々は所得の大部分を貯蓄にまわしたりせず、安心して消費活動に利用できることとなります——[8]。

7　この事例がわかりにくかった方は、$n=5$、$M=100$万円として計算してみてください。

ところが、逆選択により保険市場が存続できなかったり、あるいは仮に保険会社が高リスクの加入者のみを集めることになれば早晩赤字により保険会社は倒産し、保険の提供ができなくなってしまいます。これは、保険を利用するというニーズがある場合には、完全情報のもとでの保険市場に比して社会的な非効率を招くこととなります。

リスク選択と医療保険

一方、近年の日本においては、各種の民間医療保険が販売されており、市場は拡大傾向にあります。実は、逆選択を防止するために、保険会社はさまざまな対抗策を講じているのです。保険会社はさまざまなリスクに関する情報を入手し、消費者に異なる保険料を提示しているとされています[9]。例えば、保険会社は、加入前に「健康診断の受診」を義務付け、「既往症」がある場合には告知義務を課すことによって、加入希望者に関する情報不足を補うことができます。保険会社は、得られた情報から顧客層をセグメント化し、利益率が高い層に積極的に医療保険を販売することが行われていると考えられています。このような行動は、**リスク選択**（risk selection）と呼ばれています。極端な場合には、医療費をほとんど使用しない健康な人のみに保険を販売する戦略を取る場合もあります。こうした「おいしい顧客」ばかりを集めることを**クリーム・スキミング**（cream skimming）と呼んでいます。クリーム・スキミングが起こると、比較的健康な人（つまり医療保険の必要性が比較的低い人）は容易に保険に加入できますが、比較的不健康な人（つまり医療保険の必要性が比較的高い人）については、なかなか保険が利用できないという問題が生じます。とくに、一般的に健康水準が低い人は所得水準も低い場合が多いことから、社会問題になる場合があります。

8　皆さんはご存じないかもしれませんが、わが国においても国民皆保険制度が設立される前には、一家の働き手が重病になると、たちまち収入が途絶え、医療費を貯蓄から支払う余裕のない家計では、一家離散などの悲惨な例が多く見られたのです。

9　詳しくは大倉（2002）を参照してください。

なぜ強制加入の社会保険が必要なのか

この問題に対して、多くの先進国は強制加入の社会保険方式を導入して対応しています。この場合、国民は**公的医療保障制度**（例えば社会保険制度）に加入し、それぞれの医療に関する行動は、その政府の介入を大きく受けることになります。このため、公的医療保険制度をどのように構築するかは、医療政策の重要な課題なのです。強制加入の社会保険が利用されることの理由について、**ステイト・スペース・ダイアグラム分析**（state-space diagram）――[10]を用いて説明します。ここでのステイト・スペース・ダイアグラム分析とは、ある個人の所得の状態を２つのステージ（例えば、健康時と疾病罹患時）に分け、最適保険の観点から「保険の加入状況と個人の効用の関係」を表す図（図表7-4）を利用した分析です。

ステイト・スペース・ダイアグラム分析の仮定条件

仮定条件としては、以下の４点が設定されています。

第一に、完全競争の状態にある保険市場を仮定しています。そして、ここで販売される保険は、完全保険（full insurance；必要な医療費の分のみ保険で償還される）および公平な保険（fair insurance；保険料は必要な医療費に発生確率を乗じて計算される。経費０）の２つを満たす状態にあると考えます。

第二に、個人は、保険を購入することによって、初期所得と異なる所得の組み合わせに移行することができることを仮定しています。例えば、第一の条件が同時に満たされる場合（完全保険）には、この保険契約の集合（保険契約線 EE）は、所得の期待値の集合となります。

第三に、個人がリスク回避的であると仮定しています。個人がリスク回避的な場合には、この個人の効用を表す無差別曲線は図表7-4のように原点に凸となります。したがって、この個人が効用を最大化するのは、保険契約線 EE の左下の内側（外側の場合は収支赤字）で、無差別曲線が最も右上（より高い効用水準）に位置できる点になります。これは図表7-4の保険契約線 EE と

10　ここでは、Rees（1989）で利用されているステイト・スペース・ダイアグラム分析を参考にしています。ステイト・スペース・ダイアグラムの原典は Rothchild and Stiglits（1976）です。

●図表7-4　ステイト・スペース・ダイアグラム

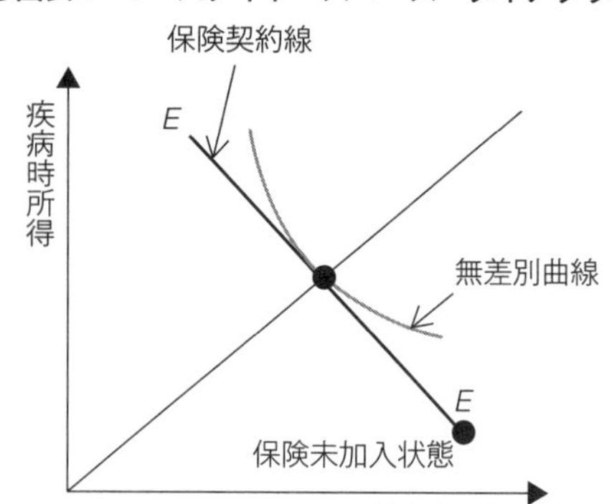

無差別曲線が接する A 点で表されます。

第四に、個人は、高リスク者と低リスク者の２種類がいると仮定します。ここでは、高リスク者の罹患確率を p_h、低リスク者のそれを p_l と置きます。このとき、それぞれの保険契約線を図表７-５に描くと、低リスク者の場合にはより急な傾き（傾きの絶対値が大きい：保険契約線 EL）に、高リスク者の場合にはより緩やかな傾き（傾きの絶対値が小さい：保険契約線 EH）になります。

$$\left|\frac{-(p_h-1)}{p_h}\right| < \left|\frac{-(p_l-1)}{p_l}\right| \qquad 1 > p_h > p_l > 0 \qquad (7\text{-}5)$$

完全情報のもとでの分離均衡

完全情報の保険市場では、保険会社は保険契約者のリスクが判別可能です。このため、リスクに応じた保険契約を設定し、それぞれ異なる保険料率を設定します（図表７-５）。現実にも、**経験保険料方式**（experient rating）では、過去の病歴等からリスクを判定し、個別に保険料を設定しています。したがって、同じ初期所得を保有する場合でも、高リスク者は H 点で、低リスク者は L 点で保険契約を締結し、お互いに最適な保険契約を得ることができます。ただし、２者を比較すると低リスク者（L 点）のほうが上位に位置することから、

●図表7-5　完全情報における分離均衡

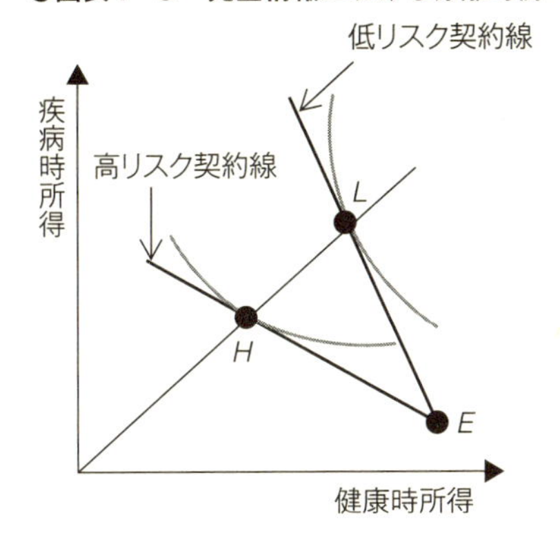

他に比してより高い効用を持つという結果となります（図表7-5）。

情報の非対称性とプーリング契約線

次に、保険市場において情報の非対称性が強い場合を考えましょう。この場合には、保険会社は保険契約者のリスクを判別することができず、高リスク者の割合（λ）と低リスク者の割合（$1-\lambda$）のみ知っていると仮定します。一方、加入希望者は、これまでの情報から自分のリスクがわかるとしましょう。そうすると、高リスク者は、低リスク者のふりをして、保険料の安い低リスク者向けの保険を購入するという行動に出る可能性があります。このとき保険会社は、高リスク者と低リスク者の平均的な保険料を設定せざるを得ません。このときの保険料率の設定方法は、**地域保険料方式**（comunity rating）と呼ばれています（地域保険方式については7-3でさらに説明を加えます）。地域保険料は、$\bar{p}=\lambda p_h+(1-\lambda)p_l$ で計算され、高リスク契約線と低リスク契約線の間にある**プーリング契約線**が設定されます（プーリング契約線は λ の値が高いほど高リスク契約線に近づくことになります）。

プーリング保険契約線が設定されると、高リスク者も低リスク者も同じ保険料率を支払い図表7-6の P 点で契約を締結します。この契約は高リスク者にとっては保険料が割安であり、分離均衡の場合より無差別曲線は右上にシフトし効用が高くなります。一方で、低リスク者は保険料が割高な保険契約を締結

●図表7-6 不完全情報におけるプーリング均衡

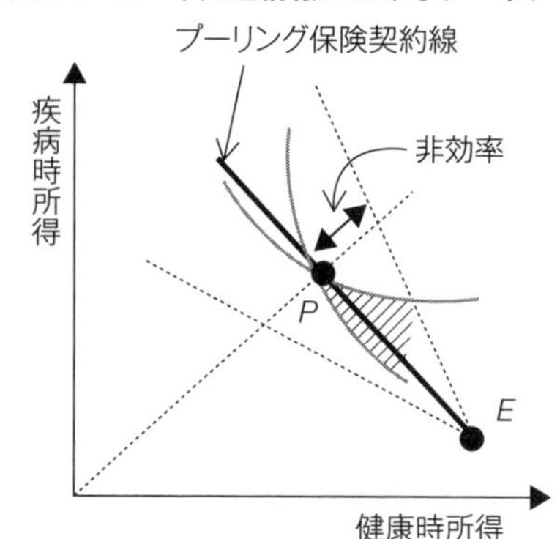

することなり、分離均衡に比して効用は低下します（図表7-6）。

ここで注意が必要なのは、**プーリング均衡**では高リスク者も低リスク者も同じ保険を利用できるという公平性の点でメリットがある一方で、低リスク者は割高な保険料で購入している点は非効率[11]であることです。効率性を重んじる新古典派経済学では、この非効率性を重大な問題と考えます[12]。

プーリング均衡の安定性とクリーム・スキミング

それでは、プーリング均衡は安定的でしょうか。図表7-6の*P*点の下方にある斜線部分は、高リスク者にとってはプーリング均衡における効用より低く、低リスク者にとっては、プーリング均衡よりも効用が高い部分です。もし保険会社が、当該部分における保険契約（プーリング均衡点に比して低リスク者の効用だけを高める保険）を提示すれば、低リスク者の保険加入者だけを、プーリング均衡契約から奪うことができます。例えば、図表7-6では完全保険から自己負担部分のある保険契約（図表7-6の網かけ部分）を作成すれば、低リスク者のみと選択的に契約するクリーム・スキミングが可能になります。す

11　本来の最適な保険契約点である*L*点から*P*点に移動するため、効用が低下し、その2点間の距離は非効率の大きさとされます。

12　権丈（2005)、16頁によれば、制度派経済学ではこの非効率性は公平という価値を得るための費用と考える傾向があります。

ると今度は、プーリング契約線で契約した人は高リスク者のみになり、プーリング契約の保険料では保険給付を賄えなくなり、赤字になるか、保険会社が倒産することになります。このように、保険会社が低リスク者のみを選択して保険契約を締結できる場合には、プーリング均衡は安定的ではありません。

強制加入の社会保険制度の必要性

そこで、プーリング均衡を安定させるために、低リスク者および高リスク者両方に強制的な加入を義務付けたのが、社会保険制度と考えられます。多くの先進国では、保険者が低リスク者と契約し、高リスク者が保険を購入できない問題を避ける一手段として、強制加入方式を採用しています。この場合には、個人のリスクにかかわらず、政府が一律の保険契約線（プーリング保険契約線）を設定し、高リスク者も低リスク者も同じ P 点の保険契約を有することとなります。このプーリング均衡の場合には、個人の支払能力による保険料格差を解消することができ、誰でも医療保険を利用できるという点で公平性の確保に有効と考えられます（ただし、非効率性が温存されます）。

7-3　実証分析の結果を検討する

プーリング均衡から分離均衡への移行

保険市場における逆選択とリスク選択の可能性

それでは、日本の医療保険市場にはリスク選択や逆選択が起こっているのでしょうか。日本は1965年から国民皆保険制度を採っており、ほぼ全国民は強制的に公的医療保険に加入することになっています。このため、逆選択やリスク選択に関する実証研究を行うことが困難です。このため本節では、先進国では珍しく民間医療保険が主体となっている米国の実証研究を中心にご紹介します。

地域保険料方式と保険料率の高騰

伝統的に米国の民間保険会社は、その地域全体の平均的な疾病リスクから保険料を算出して保険を販売することが一般的でした。この方式を**地域保険料方式**（community rating）と呼び、高リスクの人も低リスクの人も同じ地域であれば、同じ保険料で保険を購入することになりました。これは、保険会社が被保険者のリスクの情報が入手できないため、先のプーリング均衡により保険を販売したと考えられます。

この方式は、高リスクの人に低リスクの人から保険料の格差緩和という形で「所得移転」を行う効果があります。つまり、疾病リスクの高い人にとっては比較的低い保険料で加入することができるという点で、地域全体の住民に医療保険を提供することに適していたといえるでしょう。一方で、低リスクの人は割高の保険料を支払うことになります。その後、医療費の高騰によりこの方式の保険は保険料を引き上げはじめ、本来であればより低い保険料でも加入可能であった低リスクの人にとって耐えがたいほどの水準になったのです。

経験保険料方式による分離均衡への移行

このような医療保険料の増加に対して、HMO（Health Maintenance Organization）という医療保険組織は、**経験保険料方式**（experience rating）の保険商品──[13]の販売を始めました。経験保険料方式は、被保険者の属性や過去の医療費支払い実績などのリスクを測定し、リスクに応じて保険料を設定するものです。この形式の保険は前節の分離均衡による保険（ただし、低リスクの人向けの保険に相当）に該当すると考えられます。

具体的には、まずグループ保険に経験保険料方式を導入しました。グループ保険とは企業が従業員に提供する医療保険で、米国では企業の従業員は個人で保険に加入するよりも、企業の提供する医療保険に集団で加入する場合が一般的です。HMOは、企業のような地域全体より小さい規模のグループに対して、グループごとのリスク水準に応じた保険料を設定しました。こうして、従来型の保険に比して低リスクのグループに対しては割安の保険料を提示することで、低リスクのグループの取り込みに成功し、急成長したのです。

Hamilton（1995）は、家族数、雇用条件、居住地、慢性疾患等の情報を入手することによって、正確に加入希望者の医療費を予測することができるとしています。また、van de Ven and van Vliet（1992）によれば、過去の病歴・入

13　このような保険商品は通常1年契約で、翌年に他の商品に変更することも可能です。

院記録などを勘案してリスクを調整したとすれば適切な保険料を算定することが可能であると主張しています。この経験保険料の採用により、保険会社は逆選択により不利益を被るというよりは、積極的にリスク選択を行うようになったといえるでしょう。しかし、従来の地域保険料であれば保険に加入できた高リスクの人にとっては、経験保険料で計算した保険料は地域保険料に比して高くなります。したがって、高リスクの人の所得水準が低い場合には、自分のリスクに対して割安な地域保険料であれば保険を購入できるのに、自らのリスクを正確に反映した経験保険料の場合には保険を購入できないという問題が生じます。

経験保険料率による保険は医療資源の利用率が低い

このように、HMO などの新しい**マネジドケア保険**（managed care plan）には、従来の地域保険料方式の保険に比して低リスクの人が加入していると考えられます。Luft, Trauner and Maerki（1985）は、カリフォルニア州の公務員を対象に、HMO と従来型の保険——[14]を比較したところ、HMO 加入者は17～25％ほど医療費の利用額が少ないことがわかりました。Buchanan and Cretin（1986）は、大企業の従業員を対象に HMO と従来の保険を比較したところ、HMO に加入している家族は加入前の医療費の利用額がより低いことを確認しています。さらに、Strumwasster, et al.（1989）と Zwanziger and Auerbach（1991）は中西部の大企業を対象にマネジドケア保険と従来型の医療保険を比較したところ、前者は30％、後者は27％ほどマネジドケア保険のほうが予想医療費が低いことを確認しています。これらの結果は、HMO などの経験保険料を採用する保険ではより低リスクな被保険者を選択的に獲得している可能性を示唆しています。

あわせて、HMO では従来型の保険に比して、同質的な被保険者に対してであっても、医療資源の利用率を抑制しているとの研究結果もあります。1974年から実施された「ランド健康保険実験（RAND health insurance experiment）」では、HMO と従来型保険を比較するために、大規模な社会実験——[15]が実施

14　この研究では、従来型の保険として非営利保険では最大のブルークロス・ブルーシールド（Blue Cross and Blue Shield）を選択しています。

●図表7-7　ランド健康保険実験の研究デザイン（ただし、一部分のみ）

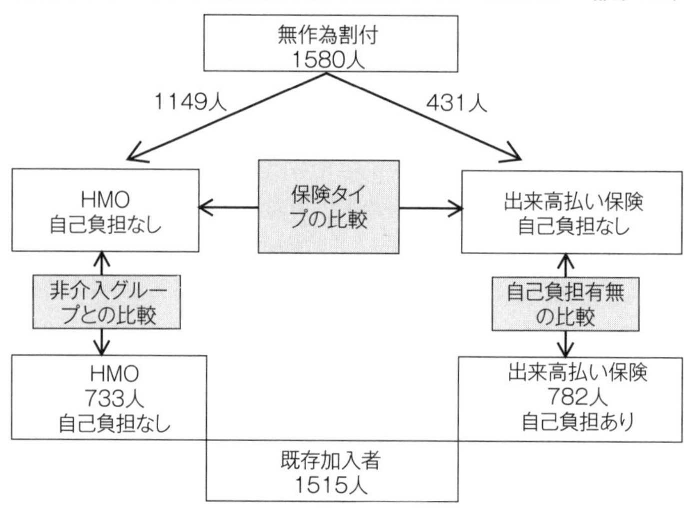

出所）Manning et al.（1984）, p3, Table1 より筆者作成

されました。この研究では、1580人の参加者を従来型保険とHMO——16に無作為割付け（randomized controll）を行い、その利用率のちがいを「前向き（prospective）」——17に観察しました。なお、この研究では無作為割付のサンプルにバイアスがないかを確認するために、別途HMO加入者から無作為に抽出した733人を比較集団（cotrol group）として用意し、さらに、従来型保険における自己負担の有無による影響を確認するために、別途出来高払い保険加入者のサンプルも用意しました（図表7-7）。

Manning, et al.（1984）によれば、その結果は、HMOの入院件数は40％低

15　社会実験とは、新たな仕組みや技術について、場所と期間を限定して試行することを指します。

16　このHMOは、米国のワシントン州シアトルにあるグループ・ヘルス（Group Health Cooperative of Puget Sound）で、HMOのなかでは品質が高いことで有名です。筆者も一度訪問し、医療サービスのプロセス管理の手法を見せてもらったことがあります。

17　前向き研究（prospective study）とは、最初に観察する集団と項目を設定して、追跡調査を行う方法で、医学研究でよく利用されます。一方、多くの経済学の研究では、実際に事象（event）が起こったあとに記録されたデータを分析します。このような方法を「後ろ向き研究（retrospective study）」と呼びます。一般に医学研究においては、前向き研究のほうがデータの信頼性が高いと考えられています（ただし、必要な費用も高くなります）。

●図表7-8　ランド健康保険実験の分析結果（ただし、一部）

保険タイプ		100人当たり入院件数	100人当たり入院日数	外来受診件数（診療分）	外来受診件数（予防・検査分）
HMO	新規割付	8.4	49	4.3	0.55
	既存加入者	8.3	38	4.7	0.60
従来型保険	自己負担なし	13.8	83	4.2	0.41
	自己負担25%	10.0	87	3.5	0.32
	自己負担95%	8.8	46	2.9	0.29

出所）Manning, et al.（1984）, p16, Table6より筆者作成

く（HMO 8.3対 従来型13.8）、外来受診件数はやや高く（HMO 4.7対 従来型4.2）、トータルでは28%費用が低くなっていました（図表7-8）。この結果は、同質的なグループで自己負担がないという同じ条件で比較しても、HMOは入院・外来の医療サービスの利用率を低下させていることがわかりました。なお、このランド健康保険実験は、非常に信頼性の高い研究デザインを採用しており、この実験で得られたデータはさまざまな研究で利用されています――[18]。例えば、医療保険の自己負担率のちがいにより、医療サービスの利用率がどのように変化するかについても興味深い研究があります。

州政府介入と地域保険料の強制

経験保険料方式によって、低リスクの人は自分のリスク水準にあった安価な医療保険が購入できるようになりました。一方、これまで低リスクの人が割高な保険料を支払ってくれたおかげで割安な保険料で加入できた高リスクの人は保険料が高くなりました。さらに、過去1年間に医療費をたくさん使うと翌年の保険料はさらに高額になりました。こうして、経験保険料方式の保険の販売競争が激しくなるにつれて、健康な人のみを加入させようとする、クリーム・スキミングが起こったといわれています。経験保険料の採用は逆選択の防止に効果を発揮しましたが、これによって高リスク低所得者が医療保険を購入でき

18　ランド研究所のホームページでは、この研究のデータ（HIE Data Files）を一定の条件で米国の大学に属する研究者や学生に公開しているそうです。日本の医療経済学者は、データ収集で労力の大半を割く場合が多いので、本当にうらやましいことです。

ないなどの弊害が起きたのです。

地域の住民が医療保険を購入できないために、生活の安定が脅かされるという問題に対しては、唯一強制力を有する主体である政府が、地域住民が公平に医療保険を購入できるように介入しました。一部の州政府は、新たに販売する医療保険は、同じ地域の住民に対しては同じ保険料を適用するよう強制する**強制地域保険料方式**（mandatory community rating）を規制で義務付けました。また、州によっては保険料の上限と下限を設定するというより緩やかな形での規制を行う場合もありました。この結果、規制を嫌った一部の保険会社は、州によっては保険販売から撤退するという抗議行動をとったようです。こうなると、今度は保険を購入できない（あるいは選択肢が狭まる）地域住民が困ってしまいます。

7-4 今後の方向性と討論課題

社会保険方式のメリットとデメリット

本章では、なぜ医療分野では保険が利用されるのかを、医療サービスの需要の不確実性から説明しました。さらに、保険加入希望者が行う「逆選択」と保険会社が行う「リスク選択」の理論を紹介しました。実証研究については、日本では公的保険の選択ができないため、米国の実証研究を紹介しました。米国では当初、プーリング均衡のような地域保険料による医療保険の販売が行われていましたが、保険会社が保険加入希望者の情報を収集することによって経験保険料方式が広がり、逆選択よりもリスク選択の問題が大きくなったことを見ました。さらに、高リスクの人が保険を購入できないという問題に対して、州政府が地域保険料方式を強制するという規制を実施したことを紹介しました。

上記のようなリスク選択は、国民皆保険制度を持つ日本では遠い話のように感じられます。しかし、わが国でも、新しい保険料の算定方式の導入が自動車保険（自賠責保険ではなく任意保険）で起きていると筆者は考えています。

わが国の自動車保険（任意保険）では、1996年の日米保険協議最終合意により外資参入が可能となり、1998年７月には自動車保険の保険料が自由化されました。これによって、従来の自動車保険料率算定会が算定した均一保険料の使用義務がなくなり、保険会社が自由に保険料を決定することができるようになりました。つまり、当時の大蔵省が採用していた護送船団方式の公定価格から、各社が設定できる自由価格に大きな変更を行ったことになります。これを受けて、外資系保険会社[19]がリスク細分型保険（契約者の年齢・居住地・性別・車種・車の使用頻度から得られる顧客のリスクに応じた保険料）を採用した商品を日本でも販売しはじめました。一方、これまで車屋さんを代理店として販売していた自動車保険が、直接電話で販売されるようになりました。皆さんも、多くの外資系保険会社が保険料の安さをアピールして電話での加入を誘うテレビCMをご覧になっていることと思います[20]。このように、一部の保険会社が低リスクの人を選別して契約できることになると、他の保険会社も追従せざるをえません。このため、1999年には日本の保険会社もリスク細分型保険の販売をはじめました。今では、インターネットからも契約できるようになり、リスク細分型保険は非常に身近になっています。

これによって安全運転をしている低リスクの運転者はこれまでの割高な保険料からリスクにあった保険料を負担すればよいことになり、事故を起こしやすい高リスクの人は保険料が割高になりました。これは、高リスク者が任意保険を購入しなくなるというデメリットはあるものの、国民全体としてはメリットが大きいように思われます。自動車保険の場合、公平性に関する懸念は少なく、効率性の向上が受け入れやすいからでしょう。

どの国でも、医療制度は全国民を視野に入れた仕組みや運用が行われるべきでしょう。このとき、低リスクの人を優先するのか（効率性）、高リスクの人への配慮を行うのか（公平性）は、さまざまな側面から考える必要があります。日本でも、公的医療保険への強制加入を解除して低リスクの人に対して自由な保険選択を認めるべきであるという意見もあります。しかし、非効率性に関しては実証研究が進められているものの、公平性の確保による社会の安定や国民の安心感はなかなか数量化することが困難です。このような点もふまえながら、

19　1997年にはアメリカンホームダイレクト自動車保険、1998年にはアクサダイレクト自動車保険、チューリッヒ自動車保険が日本に参入しています。

20　これらのテレビCMを見ていただくと、安全運転をしそうな低リスクの被保険者に魅力的な保険商品になっていることがうかがわれます。

医療保険制度改革の方向について議論していくことが重要です。

【討論課題】

あなたは、日本において公的医療保険制度を将来にわたって維持するべきであると考えますか。それとも米国のように民間保険を選択して加入する制度に変更するべきであると考えますか。維持すべきか変更するべきかについて述べ、具体的にどのような保険制度を構築するべきかについて具体的に説明しなさい。さらに、あなたが提案する政策案がこれまで取られてきた保険制度よりもどのような点で優れているかを説明しなさい。

Health Economics

第8章

診療報酬改定は伝家の宝刀か

——保険償還の仕組みと経済的誘因

なるほど君は、久しぶりにおばあさんの家がある東京近郊のＳ市を訪ねてみた。実は、なるほど君のおばあさんは、ここ１カ月ぐらい入院しているのだ。久しぶりに会うなるほど君におばあさんは喜んだが、ときどき考え込んでいるようだ。「どうやらお世話になったこの病院も赤字で大変らしいのよ。どうしよう。ここが潰れてしまうと、すぐに自宅で一人暮らしはできないし、困ったねえ」。なるほど君は健康保険について勉強していたので、「病院がなくなったら困るから、健康保険からたくさん保険給付をしてもらったらいいんじゃないの」といってみた。しかし、おばあさんは、「でも、健康保険も赤字で困っているみたいだよ。政府も借金だらけらしいねえ」。なるほど君は困ってしまった。保険はいい仕組みだけど、赤字であれば維持できないし、病院も赤字では経営が続けられない。保険と病院の間のお金のやりとりはどのような仕組みにすればよいのだろう。

8-1　医療の問題を知る

医療機関の経営と公的医療保険制度

医療機関の動向と財務状況

「医療施設調査」（厚生労働省）を見ると、2008年１月現在で、病院は8842（うち一般病院7764）、一般診療所は９万9493となっています。近年の病院数と診療所数の推移を見てみると、病院は減少傾向、診療所は増加傾向であることがわかります（図表８-１）。

日本では、国民皆保険制度により国民は全員公的医療保険に入ることになっています。一方、医療機関もほとんどの場合が保険診療を主に行っており、保険の利用できない自由診療の医療機関の割合はわずかです。医療機関は医療サービスの価格を政府によって決められることになります。

さらに、「医療経済実態調査」（厚生労働省）から医療機関の経営状況を見ますと、一般病院は年間の収入の平均値が31億円で、本業の収支である医業収支は約6700万円の赤字になっています。一方、一般診療所は年間1.5億円程度の収入で、医業収支は平均的に1400万円程度の黒字になっていることがわかりま

●図表8-1　病院および診療所の年次推移

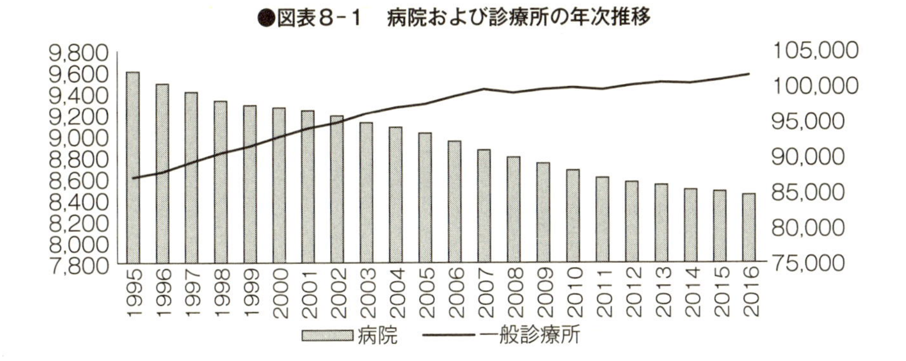

●図表8-2　医療機関等の収支状況

	一般病院		一般診療所	
	金額	割合	金額	割合
収入	3,109	100	157	100
うち入院	2,127	68	9	6
うち外来	835	27	137	87
うち介護	68	2	3	2
費用	3,243	104	146	93
うち給与	1,795	58	77	49
うち医薬品	376	12	21	13
うち材料費	278	9	5	3
収支	-67	-2	14	9

注）金額の単位は100万円
出所）医療経済実態調査（2019年）

す（図表8-2）。このようなちがいは、医療サービスの公定価格が病院よりも診療所に有利になっているからであると考えられています。

医療サービスの価格は2年ごとに大幅に見直されます。とくに、近年は政府財政の悪化により公定価格は徐々に引き下げられてきました。このため、病院は全国平均で赤字[1]になってしまったのです。それでは、この公定価格はど

1　病院は赤字で困っているというイメージが大きいのですが、公的病院と民間病院では大きく異なっており、公的病院は7～8割が赤字、民間病院は7～8割が黒字といわれています。このちがいは、公的病院は政策医療といわれる不採算な医療を担当していたり、人件費などの費用が割高になっているためだとされています。

のような仕組みで決められているのでしょうか。また、限られた財源を有効に利用するにはどのような支払い方式が望ましいのでしょうか。

8-2 経済理論で理解する

支払い方式の変更、独占的競争

支払い単位の包括化と品質低下の誘因

わが国で進められている支払い単位の包括化が医療機関の行動にどのような影響をおよぼすのかを、簡単な式で見てみましょう。まず、医療機関の収入（R）を、症例数（W）・１症例当たりの医療サービス量（S）・医療サービスごとの価格（P）の３つの要素の積で表します。（8－1）式は出来高払い方式の場合を示しており、政府の公定価格はサービス価格のみ（下線部）を固定します。このため、出来高払いの場合には、医療サービス価格（P）を引き下げても、症例数（W）と医療サービス量（S）を増加させることによって、収入（R）を維持することが可能になります。

$$\text{収入}(R)=\text{症例数}(W)\times\text{サービス量}(S)\times\underline{\text{サービス価格}(P)} \qquad (8-1)$$

これに対して、多くの先進国では１症例（あるいは入院１回）当たりの定額支払い方式を導入して、医療費を抑制するという対応を取っています。このような、**症例当たり定額払い方式**は、（8－2）式のように医療サービス量（S）と医療サービス価格（P）が包括化（下線部）されることとなり、医療サービス量を増加させることは収入の増加に結びつきません。ただし、１症例当たりの医療サービス・コストを減少させる誘因がはたらき、過小診療の問題が出てきます。一方、症例当たり定額払いにすると、サービス量とサービス価格が包括化されることによって症例数のみが可変となり、より医療費のコントロールが容易になります。

$$\text{収入}(R)=\text{症例数}(W)\times\underline{\text{サービス量}(S)\times\text{サービス価格}(P)} \qquad (8-2)$$

さらに、病院に年間予算を配布するなどの**総額予算方式**を採用すると、収入が一定の金額で決まるため、（8-3）式のように医療機関は症例数を操作しても、収入は増加しないこととなります。しかし、収入が一定のため費用の抑制に対する経済的誘因が強くはたらくことが考えられます。医療費コントロールの面では、あらかじめ総額が決められているため、非常に実効性が高いと考えられます。

$$\text{収入}(R)=\underline{\text{症例数}(W)\times\text{サービス量}(S)\times\text{サービス価格}(P)}\qquad(8\text{-}3)$$

このように、支払い方法は包括化されるほど費用を最小化する経済的誘因をもたせることが可能とされています。一方で、包括化されるほど過小診療やサービスの品質低下の危険性が高まることも指摘されています。わが国においては**出来高払い方式**が中心であるため過剰診療の問題が指摘されており、医療費を節減するために支払い方式の包括化が徐々に進められています——2。

ここで注意が必要なのは、支払い方式の変更によって医療サービス量が変化した場合でも、追加的に供給されていた医療サービスがすべて過剰であるとはすぐに判断できないことです。医療サービスをどのように供給するかの判断は、患者が考える以上にグレイゾーンが大きいとされています。追加的な医療サービスが健康改善にどのような影響をおよぼすかは、単純に予想できない場合も多いのです。また、支払い方式の変更が影響をおよぼすのは、このグレイゾーンに属する医療サービスであり、絶対に必要な医療サービスは、経済的誘因にかかわらず供給されると考えられます。

医療機関への医療費の支払い方式は、図表8-3のように国によってさまざまであり、医療サービスの種類によりさまざまな支払い方式を組み合わせる（mixed payment）方向での研究が行われています。

規制価格モデル（定額償還方式）の場合の独占的競争モデル——3

医療サービス市場は、独占的競争市場であると見なされる場合が多いようで

2　ただし、支払い方式の包括化は、公定価格の水準により異なる影響をおよぼす場合もあることに注意が必要です。

●図表8-3　さまざまな保険償還方式

支払い方式	支払い単位	採用例
総額予算 (budget)	病院ごと (per hospital)	英国(病院)
給与 (salary)	医療従事者ごと (per healthcare employee)	フィンランド、ポルトガル(医師)
人頭払い (capitation)	担当住民1人ごと (per patient)	英国(診療所)
症例当たり定額払い (DRG/PPS)	1症例ごと (per episode)	米国(病院)
出来高払い (fee for service)	サービス項目ごと (per item of service)	ドイツ、日本など

包括払い化　高　↑　低

出所）Rochaix（1993）より筆者作成

す。この独占的競争とは、多数の供給者が存在するが、それぞれの財・サービスの差別化をすすめ、同質的でなくなっている競争を指します。

医療の価格が規制を受けた公定価格である独占的競争市場を想定し、A病院もB病院も同じ公定価格（$\bar{p}$）で医療サービスを供給すると仮定します。ただし、ここでの公定価格は、患者が一連の治療（例えば1回の入院当たり）で直面する価格であると考えます[4]。A・B両病院が同じ公定価格（$\bar{p}$）で医療サービスを販売する場合には、価格は需要の決定因子からはずれ、A病院の医療サービスに対する需要は主に医療サービスのアウトカム（$x, \hat{x}$）、およびアメニティ（$y, \hat{y}$）により決定されることとなります。この場合、A病院の医療サービスに対する需要関数は（8-4）式で表されます。

$$q = (x, y, \hat{x}, \hat{y}, n, Z)$$

$$\text{ただし、}\frac{\partial q}{\partial x} > 0,\ \frac{\partial q}{\partial y} > 0,\ \frac{\partial q}{\partial \hat{x}} < 0,\ \frac{\partial q}{\partial \hat{y}} < 0,\ \frac{\partial q}{\partial n} < 0 \qquad (8\text{-}4)$$

3　本節は、Chamberlin（1933）を参照しています。

4　ここでの価格一定の意味は、同じ疾病で同じ状態の患者に対して、各種医療サービスの集合（例えば1入院などの一連の治療）を同じ価格（患者負担分）で提供することを意味します。

このモデルでは、Ａ病院に対する医療サービスの期待需要（q）は、Ａ病院の「診療の品質（アウトカム）」(x)、Ａ病院の「患者の快適性（アメニティ）[5]」（y)、Ｂ病院の「診療の品質」($\hat{x}$)、Ｂ病院の「患者の快適性」($\hat{y}$)、同じ市場にある病院の数（n)、患者（医療サービスの購入者）の属性（Z）で決定されるとしています[6]。ただし、当該モデルにおける医療サービスは、患者が事前に価格を知ることができる計画的な手術等を想定しており、救急医療や予定外の手術等は想定されていません。また、Ａ病院は患者ごとに平均的な医療サービスを供給すると想定しています。

すると、Ａ病院の医療サービスの販売量（q：需要量）とその総生産費用（C）の間には総費用関数として（８-５）式が定義できます。

$$C(q,x,y) = (a+bx+cy)q+F \qquad a,b,c,F>0 \tag{8-5}$$

この費用関数は、品質に対する増加関数で、病院は同じ技術的制約を持つと仮定しています。アウトカムとアメニティの水準の１単位の引き上げに必要とする費用をそれぞれ b と c とし、固定費用は F で一定とします。a は定数です。

Ａ病院の利益（π）は、（８-６）式のように収入（価格×需要量）から総費用（変動費用および固定費用）を引いたもので表されます。

$$\pi = \bar{p}q - C(q,x,y) \tag{8-6}$$

さらに（８-５）式を（８-６）式に代入すると、Ａ病院の利益は（８-７）式のように表されます。

$$\pi = \bar{p}q - [(a+bx+cy)q+F] = (\bar{p}-a-bx-cy)q-F \tag{8-7}$$

5　医療経済学においては、医療サービスの品質は、quality と amenity とに二分される場合が多いでしょう。具体的には、前者は治療の結果、健康水準が回復するような生存率・自宅復帰率などを指しており、後者は患者が快適な病室や丁寧な接遇などから受ける快適性を指しています。

6　本モデルでは病院が患者の医療ニーズにかかわらず需要を誘発し、在院日数の長期化や空床率の引き上げを行うという「供給者誘発需要」は想定していません。

規制価格モデルにおいて、利益を最大化する場合の条件を得るために、（8-7）式をxおよびyでそれぞれ偏微分するとアウトカムおよびアメニティの最適な均衡水準（x^*, y^*）として（8-8）式および（8-9）式を得ます。

$$x^* = \frac{\eta_x}{1+\eta_x} \times \frac{\bar{p}-a-cy}{b} \qquad (8\text{-}8)$$

$$y^* = \frac{\eta_y}{1+\eta_y} \times \frac{\bar{p}-a-bx}{c} \qquad (8\text{-}9)$$

規制価格モデル（定額償還方式）においては、一連の治療における価格は一定ですので、品質を引き上げることにより競争を行う（非価格競争）ことになります。これは、価格が自由な完全競争市場とは異なる競争形態です。（8-8）式および（8-9）式によれば、規制価格モデル（定額償還方式）の場合には、最適なx^*とy^*との間には一方が増加すれば他方が減少するというトレードオフの関係が認められます。したがって、当該モデルの示す医療サービス市場においては、病院は患者の品質弾性値に応じて、医療サービスの「アウトカム（x）」と「アメニティ（y）」のトレードオフ関係のなかで最適水準を選択することになります。

さらに、品質と公定価格の関係を見てみると、（8-8）式および（8-9）式から、公定価格を引き上げるとその他の条件が一定であれば、最適な品質（x^*およびy^*）は上昇することが見てとれます。これは公定価格が品質に重要な影響を与えていることを示唆しています。

先進国においては、ほとんどの国で社会保険制度が創設されていますが、そこで次節では社会保険における支払い方式の変化によって、病院サービス市場がどのような影響を受けるかを見ることにしましょう。とくに「支払い方法の変更に応じて医療供給量が変化する」ことを、実証分析を中心に見ていきたいと思います。

8-3　実証分析の結果を検討する

公定価格の水準および支払い単位の変更

出来高払いから症例当たり定額払いに変更した場合の影響

それでは、支払い方式が、出来高払いから症例当たり定額払いに変更になったことにより、費用削減および患者のクリーム・スキミングの発生を示唆する実証分析をご紹介します。

1989年、米国の高齢者向け医療保障制度（Medicare）は出来高払い方式から症例当たり定額払い方式に移行しました。この変更は増加する医療費をコントロールするためです。出来高払いの場合、サービス価格のみ規制しますので、規制価格を引き下げても症例数やサービス量が増加することで、医療費は再度増加してしまいます。しかし症例当たり定額払いにすると、サービス量とサービス価格が包括化され、症例数のみが可変となり、医療費コントロールが容易になります。前述した支払い単位の式で見ると、（８－１）式から（８－２）式に支払い単位が包括化された（下線部）ことを意味します。

$$\text{収入}(R) = \text{症例数}(W) \times \text{サービス量}(S) \times \underline{\text{サービス価格}(P)} \qquad (8\text{-}1)$$

$$\text{収入}(R) = \text{症例数}(W) \times \underline{\text{サービス量}(S) \times \text{サービス価格}(P)} \qquad (8\text{-}2)$$

Ellis and McGuire（1996）によると支払い方式の変更の結果、病院での平均入院日数が、導入前に比して4.5日（14%）減少しました。これは、症例当たり定額払いの場合、１入院当たり収入は定額のため、より短期で退院させたほうが費用が低下し、収益的に有利になるためといわれています。このような入院期間の短縮は、限られた病床を効率的に使用するという点では好ましいといえるでしょう。ただし、退院を急ぐあまり、安静が必要な人まで退院させ、後で症状が悪化して再入院となれば、かえって医療資源のむだ使いになります。

さらに、平均入院日数は、より短期（軽症）の患者では逆に増加しました。これは長期の患者よりも利益を確保しやすい短期の患者を積極的に受け入れたことを示唆しています。

人頭払いから出来高払いに変更した場合の影響

こんどは、支払い単位が逆に小さくなった例を見てみましょう。支払い方式が、「人頭払い[7]」から「出来高払い」に変更した結果、質の高いサービスの増加を示唆する実証分析をご紹介します。

英国では、夜間の往診には「医師本人が行く場合」と、「医師が代理の看護師に委託する場合」がありました。これまでは、医師は担当患者については人頭払いで収入を得ていましたので、夜間診療の依頼を受けて往診し、いくら時間を使って診察しても、収入が増加することはありませんでした。ただし、医師が往診できない場合には、医師は看護師に代理を頼むことが可能でした。この場合には、医師は代理看護師の往診回数に応じて出来高払いで収入を得ることができましたが、依頼した代理看護師に対して費用を支払う必要がありました。

英国政府は、夜間診療における医師の往診を増やすために、1990年に医師が往診した場合に人頭払いのほかに出来高払いで１回当たり9.9ポンドを支払うこととし（人頭払い → 出来高払い）、代理看護師による往診の価格を以前より減額（25ポンド → 16.6ポンド）しました[8]。前述した支払い単位の式で見ると、（８－２）式から（８－１）式の下線部に定額支払い単位が小さくなったことを意味します。

$$\text{収入}(R) = \text{症例数}(W) \times \underline{\text{サービス量}(S) \times \text{サービス価格}(P)} \quad (8-2)$$

$$\text{収入}(R) = \text{症例数}(W) \times \text{サービス量}(S) \times \underline{\text{サービス価格}(P)} \quad (8-1)$$

Giuffrida and Gravelle（2001）によると、この結果、図表８－４のように医師の行動に変化が見られました。このときには、患者側（需要サイド）の負担等には何も変更を与えていないため、支払い方式の変更は、医師側（供給サイド）のみに変化を与えたと考えることができるでしょう。

7　人頭払い方式とは、医師に対して登録した住民数（患者数ではない）に応じて報酬を支払う方式で、医療サービス量にかかわらず、年間の支払い額はほぼ事前に確定します。

8　つまり、医師が往診した場合には１日当たりの価格が０ポンドから9.9ポンドほど値上げし、代理看護師が往診した場合には8.4ポンド値下げしました。

●図表８-４　GPの夜間訪問診療における影響

年度	夜間訪問診療率（人口1000人当たり）	看護師による代理訪問の割合
1985-86	166.5	47.1％
1986-87	165.6	−
1987-88	174.5	45.6％
1988-89	188.9	−
1989-90	196.6	48.6％
1990-91	259.9	30.8％
1991-92	348.8	32.7％
1992-93	341.8	32.3％
1993-94	376.5	34.9％
1994-95	357.5	38.5％

出所）Giuffrida and Gravelle（2001）より筆者作成

図表８-４の結果から明らかなように、1990年の支払い方式変更（出来高払いへの変更および代替サービスの公定価格引き下げ）に伴い、夜間診療は急増し代理看護師による診療の割合が低下しています。このことから支払方式を変更して、代理看護師による往診を減らし、医師本人が往診することによって、医療サービスの品質を向上させる（医師のほうが代理看護師よりも患者に関する多くの情報を保持する）ことが可能となったと考えられます。

総額予算から出来高払いに変更した場合の影響

次に、支払い方式が「総額予算」から「出来高払い」に変更した結果、とくに価格の高いサービス供給が増加したことを示唆する実証分析をご紹介します。第３章３-３で紹介したRochaix（1993）は、カナダのケベック州における総額予算制度から一時的な出来高払い制度に移行という外生的ショックが医師の行動に与える影響を測定しています。

実証研究の解説に入る前に、カナダの医療制度の概要を説明します。カナダでは、日本と同じように公的医療保険による皆保険体制が整備されています。ただし、日本と異なるところは、保険は州ごとに運営され、連邦政府からの税財源が投入されている点です。患者の自己負担はほぼ無料で、国民の医療保険制度に対する評価は高いとされています。カナダの医療制度は、総合診療医

(GP) への受診を義務付けるアクセス制限があり、基本的に待ち行列で資源配分をしているとされています。

次に、制度変更の経緯を紹介します。1979年よりケベック州は、1次医療を担当するプライマリケア医に対する支払い制度に総額予算方式を採用しました。この総額予算方式は、年度ごとの総額予算を決定する方式で、医師の収入があらかじめ決定されるため、サービス量を増加させても、医療費総額は影響を受けないという想定をしています。

しかし、この制度に対する不満が大きかったため、総額予算方式を、1970～76年まで採用していた出来高払い方式に一時的に切り替えることにしました。この出来高払い制度の期間には、公定価格は一定に固定されました。前述した支払い単位の式で見ると、(8-3) 式から (8-1) 式下線部に定額支払い単位が小さくなったことを意味します。

$$\text{収入}(R) = \underline{\text{症例数}(W) \times \text{サービス量}(S) \times \text{サービス価格}(P)} \quad (8\text{-}3)$$

$$\text{収入}(R) = \text{症例数}(W) \times \text{サービス量}(S) \times \underline{\text{サービス価格}(P)} \quad (8\text{-}1)$$

分析に利用されたデータと分析結果

Rochaix (1993) はこの自然実験の機会をとらえて、医師の行動の変化を分析しています。データは53種類の医療サービスの供給状況に関するケベック州GP677人のパネルデータ (1977～1983年の7年分を月別に把握) を利用しています。データ収集にあたって、GP の行動はその所得水準によって異なると想定し、とくに問題となる目標所得を超過してしまうか否かを基準に、所得水準が低い順に G_0 (ほぼ退職状態の高齢者)、G_1、G_2、G_3 の4グループ[9]に分類しています。

制度変更による医療サービス量の変化

制度変更による医療サービス量への影響を見るために、被説明変数を医療サービス量 (Q_i：i は53種類の医療サービス項目) として、一時的な出来高払い

9　このように医師を分類したのは、それぞれのグループで行動が異なると事前に予想したためと思われます。

●図表8-5　出来高期間ダミーの係数

医師グループ ＼ 代替的な検査	簡便な検査（Q_1）	一般的な検査（Q_{50}）	高度な検査（Q_{52}）
低所得（G_1）	−0.077	0.036	0.038
中所得（G_2）	−0.091	0.018	0.036
高所得（G_3）	−0.066	0.076	0.094

出所）Rochaix（1993）より作成

期間を示すダミー変数（NC_1）との関係を見ています。

図表8-5にあげている3種類の施術（Q_1、Q_{50}、Q_{52}）は近似した代替可能な医療サービス（検査）です。ただし、実施のための資源投入・時間・専門性の高さに応じて、料金水準は $Q_1 < Q_{50} < Q_{52}$ と設定されています。つまり、Q_1 よりも Q_{52} は高い医療技術や多くの医療資源の投入が必要になるため、公定価格が高く設定してあります。

分析結果を示す図表8-5を見てみましょう。検査ごとの出来高期間ダミーを見ると、簡便な検査は減少（符号がマイナス）し、高度な検査は増加（符号がプラス）しています。出来高払い方式の期間では、より価格の高い施術に医療サービス供給量がシフトしていることが見てとれます。さらに所得水準の異なる医師群を比較すると、とくに高所得のGP（G_3）が顕著に高価格の検査を増加させているのが確認できます。以上のことから、総額予算方式から出来高払い方式に一時的に支払い方法を変更した場合、サービス供給活動が活発化し、とくに価格の高い医療サービス供給が、所得水準の高い医師において、増加することが見てとれます。

公定価格水準と品質の関係

次に、「公定価格が下がる」と「医療サービスの品質も下がる」ことを示唆する実証分析を紹介します。米国カリフォルニア州の低所得者向け医療保障制度（Medicade）は、1980年代を通じて規制価格を引き下げつづけました。その結果、一般的な民間医療保険加入者に比して、メディケイド加入者の医療サービスの品質がどうなったのかを、Langa and Sussman（1993）は手術の発生割合を指標として観察しました。すると、1983年の血管再開通術を受ける割合は、メディケイド加入者を１とすると民間保険加入者は1.66と、0.66の差がありましたが、公定価格の引き下げが続いた後の1988年では、メディケイド１に対して民間保険加入者2.33と、差が拡大しました。これは、1983年と1988年で医療需要や医療技術に大きな差がないことを考えると、血管再開通手術が必要な人数はほぼ同じと考えられますから、必要な手術を受けられないか、または手遅れになったことを表しており、民間医療保険と比べて公定価格を下げつづけたメディケイドの医療サービスの品質が低下したことがわかります。

公定価格水準と医療サービス量の関係

さらに、出来高払い方式の場合には、公定価格（P）の水準を引き下げると、医療機関側が医療サービス量（S）を増加させて対応することが予想されます。これは、（８－１）′式に見られるように、収入（R）を維持するために、価格（P）が下げられた分をサービス量（S）を増加させてカバーするというものです。

収入(R)＝症例数(W)×サービス量(S)↑×<u>サービス価格(P)↓</u>　（８－１）′

この点について、鈴木（2005）は、2002年度の診療報酬改定（公定価格の引き下げ）について非常に明確な結果を提示しています。この研究では、富山県の国民健康保険の整形外科におけるレセプトを用いて、「患者１日当たり外来医療費」[10]を説明するモデルを構築して、改定直後の2002年４月から１年間の月次変化を分析しています（図表８－６）。

その結果、2002年４月の月次ダミー変数は係数が負で統計的に有意となっており、公定価格の低下により外来患者の１日当たり医療費が低下したことがわかります。さらに興味深いのは、2002年４月から2003年３月にかけて、毎月の月次ダミー変数の係数が負から０に向けて徐々に増加している点です。つまり、公定価格変更による１日当たり医療費の落ち込み分が回復し、ほぼ改定前と同

10　この変数は（８－１）での「収入(R)」を外来医療の「症例数(W)」で割ったものとも考えられます。よって、その増減は「サービス価格(P)」と「サービス量(S)」で説明できます。

●図表８-６　整形外科の１日当たり外来医療費に対する月次ダミー係数の推移

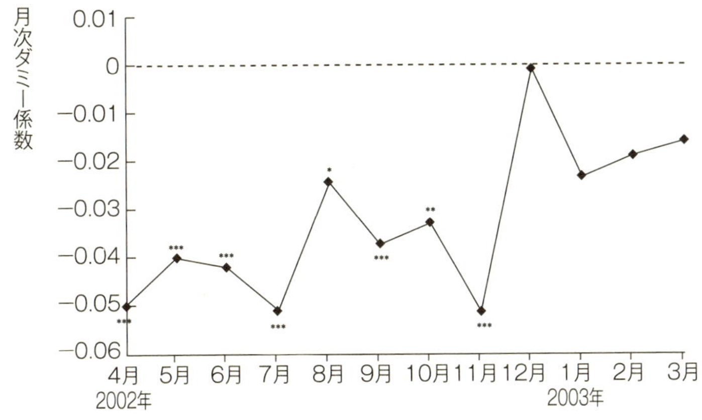

注）月次ダミーの＊＊＊は $p<0.01$、＊＊は $p<0.05$、＊は $p<0.1$ を示す
出所）鈴木（2005）、109頁、図５-４より筆者が加筆作成

じ水準になっているのです。

この結果について、富山県において観察期間中に患者の需要がとくに変化していないと考えると、医療機関側が医療サービス量を制御することによって、公定価格低下の効果を打ち消すような行動をとっていると考えられます。したがって、出来高払い方式を取りながら、公定価格の引き下げにより医療費を抑制するという政府の介入は、時間的な経過を観察するとあまり効果がないことが示唆されています。ただし、ここでは当初減少した医療サービスが過剰やむだであったかどうかの情報はないため、そもそも政府の変更した価格水準が適切であったかの判断はできないことに注意する必要があります。

8-4　今後の方向性と討論課題

公定価格の水準と支払い単位の変更

本章では、限られた医療資源を有効に利用するための「支払い単位」や「公定価格の水準」について見てきました。支払い単位については、単位が小さいほど供給が増加し、医療費の制御が困難になる傾向が予想されました。一方で、支払い単位を大きくすると医療費制御は容易になるものの、供給は過小になる懸念がありました。あわせて、公定価格制度の下では品質を重視した非価格競争が行われ、公定価格の水準が低くなると、医療サービスの品質が低くなる可能性も理論モデルから示唆されました。

これまでの実証研究の結果を見ると、医療サービス提供者が経済的誘因に敏感に反応するのは、世界共通のようです。このため、政府は医療サービス量を拡大したい場合には出来高払いなど支払い単位の小さい方式を採用し、医療費を抑制したい場合には支払い単位を包括化します。あわせて、公定価格の水準も重要です。特定の医療サービス供給の価格を割高に設定すれば、他の代替サービスよりも優先して供給される可能性が高いことがうかがえます。

わが国において、これまでは公定価格の水準を操作することによって、特定の医療サービスの供給量を誘導していたと考えられます。池上（1996）によれば、日本の診療報酬制度では、公定価格は以下のような手順で決まっています。第一に、中央社会保険医療協議会で医療費総額の増減率の決定を行います。第二に、「医療経済実態調査（医療機関へのアンケート調査）」から収支の悪化した医療機関をチェックし、収支均衡になるように医療費の配分を考えます。第三に、「社会医療診療報酬行為別調査（毎年の６月分レセプトの全数調査）」から診療行為別の回数を見ながら価格付けを行います。この作業の際には、価格付けを行う厚生労働省にさまざまな利害関係者からの価格引き上げの要請が舞い込みます。これを、厚生労働省は基本的に過去の利益シェアを維持するという観点で整理しているようです。一方で、政策的に重要な分野に対しては、公定価格を高めに設定することで、サービス供給量の増加を促す政策をとっています。

このような出来高払い制度に加えて、急性期医療分野において、2003年４月より入院医療費の診断分類別の１日当たり定額支払い制度であるDPC（Diagnosis Procedure Combination；診断群分類）——11が日本で導入されました。こうした支払い単位の変更により、医療費の制御がより容易になる一方で、医療サービス量が過小となる可能性も指摘されています。DPC制度が急性期医療に与えた影響については、すでに電子データの蓄積が行われており、これ

11　DPCは診断群分類ごとに定められた１日当たり定額支払い方式で、従来の出来高払い方式よりも包括化された支払い方式であるとされています。

からさまざまな分析が行われることが期待されています。

【討論課題】

あなたは、わが国の保険償還方式として、米国のような疾病分類別の定額支払い方式（DRG/PPS）を導入するべきと考えますか。まず、導入に賛成か、反対かを述べた後に、あなたの提案する政策の具体的な内容を説明しなさい。さらに、あなたが提案する政策案が現在導入が進みつつある疾病分類ごとの1日当たり定額支払い制度（DPC）よりもどのような点で優れているかを説明しなさい。

Health Economics

第9章

混合診療解禁のメリット・デメリット

——医療制度の効率性と公平性

　なるほど君は、おばあさんをお見舞いしたついでに、実家に寄ることにした。久しぶりに会った母親からまたも医療に関する問題がもちあがった。「実はお母さんは特殊ながんらしいのよ」なるほど君は心臓が飛び出るほど驚いた。「ええっ、だいじょうぶなの。治るよね」「それが特殊ながんで手の施しようがないらしいの」「そんな！　なんとかならないの？」母親はいいにくそうにつづけた。「お医者さんによると米国には新しい抗がん剤があるらしいのだけど、日本の保険がきかないので、月に100万円も医療費がかかるらしいの。それに、その抗がん剤を使っちゃうとこれまで健康保険が使えた入院料もすべて自費になるので、出費が月々200万円を超えるらしいの」「これから、なるほど君の学費や老後の資金も必要なのに。それに新しい薬なので副作用の危険も大きいらしいし……」なるほど君は、怒りで天を仰いだ。なんてことだ、ちゃんと保険料を払ってきているのに、なぜ健康保険が利用できないんだ。それに、一部に保険がきかない薬を使うと他の部分まで保険が利用できないなんて詐欺じゃないか。

9-1　医療の問題を知る

混合診療禁止ルール

混合診療禁止ルールの具体的な内容

　わが国の公的医療保険制度は、フリーアクセスなどで患者が利用しやすい仕組みになっていますが、一方で患者の保険の利用を制限するルールもあります。そのなかで代表的なのが「混合診療禁止ルール」です。

　混合診療禁止ルールとは、一連の診療行為のなかで**保険診療**（公的医療保険の給付対象となる診療行為）と**保険外診療**（公的医療保険の給付対象外となる診療行為）を同時に行った場合には、公的医療保険からの保険給付を行わない（すなわち、すべて患者負担となる）というものです。このルールの法的根拠はあまり明確ではない[1]のですが、厚生労働省の方針により、わが国の医療

1　川渕（2000）に詳しい説明が掲載されています。

●図表９−１　混合診療禁止ルールの仕組み

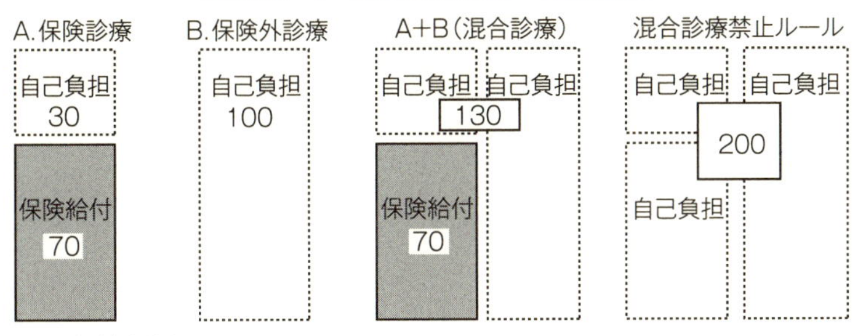

出所）筆者作成

保険制度の基本的ルールとされています。

この混合診療禁止ルールの仕組みはわかりにくいので、図表９−１を用いて説明しましょう。図表９−１のＡでは保険診療の場合が示されています。わが国の公的医療保険制度では、現在実行可能なほとんど（しかし、すべてではありません）の医療サービスを保障しています。したがって、受診した多くの場合には、実際の医療費の７割（医療費が100万円の場合は70万円、以下同様）は医療保険からの保険給付で支払われ、患者の受診時の負担は３割（30万円）[2]となります。右隣のＢは、公的保険の給付対象外の医療サービスの場合です。わが国で保険外診療となる医療サービスは、美容整形や認可を受けていない新薬・新技術などがあります。この場合には、治療に要した費用はすべて患者の負担（100万円）となります。つまり保険がない状態と同じになります。なお、Ａは公定価格ですが、Ｂは自由価格となり、医療機関が高い価格をつけることも可能です。

その次に、Ａ（保険診療）とＢ（保険外診療）が「診断からの一連の治療[3]」のなかで、両方存在する場合にはどうなるでしょうか。混合診療禁止

2　実際には、高額療養費制度により一定額（８万円程度）以上の自己負担額がある場合には、別途患者負担の軽減措置がとられています。しかし、ここでは単純化して説明します。

3　わかりにくい表現ですが、もとの混合診療を禁止した厚生労働省の文書がこのような表現になっています。このため、混合診療禁止ルールに対して何が「一連」なのかについて疑問が生じる場合があります。授業でいろいろな抜け穴の話をしたところ、ある学生から、「患者のために混合診療を行って、一番問題になりにくい方法を教えてください」という質問を授業後にこっそり受けたことがあります。さすがに教師なので脱法方法を教えるわけにいきませんでしたが、若者の柔軟？な考え方にびっくりしました。

のような規制がなければ、保険診療については３割（30万円）を自己負担とし、保険外診療については10割（100万円）を自己負担とすればよいように思われます（これを**混合診療**[4]と呼びます）。この場合、患者の負担額は130万円となります。

しかし、現在のところわが国では混合診療禁止ルールにより、混合診療（Ａ＋Ｂ）の場合には、Ａの保険給付部分（70万円）に対する公的保険からの支払いが行われません[5]。このため、図表９-１の一番右のように200万円全額が自己負担となるのです[6]。

乳がんの事例

具体的な事例で混合診療禁止ルールの適用を見てみましょう。乳がんは日本人の女性では胃がんを抜いて最も頻度の高いがんです。毎年約３万人の女性が乳がんにかかり、その数は増加する傾向にあります。進行した乳がんでは、乳房を切除する手術を受ける必要があります（乳がん切除手術：保険診療）。その際に、切除した乳房を人工的に再建する手術もいっしょに受けることが技術的には可能です（乳房再建手術：保険外診療[7]）。患者にとっては、乳房切除と乳房再建を同時に行ったほうが入院回数や身体的負担が少なくてすみます。しかし、混合診療禁止ルールのもとでは、両方を同時に実施すると、医療費がすべて患者負担となってしまいます。このようなことから、患者および医療関係者からは混合診療禁止ルールの撤廃を要望する声があがっていました。

4　武田（2003）によれば、混合診療とは「医師と患者の合意のみを根拠として、未承認薬や特殊な療養を受けることや、医療機関の自主性により保険外診療その他に係る患者からの差額調整を自由に認める」こととしています。

5　ただし、特別に厚生労働省が認めた場合には、保険外併用保険制度（旧特定療養費制度）という混合診療が認められています。例えば、病院の個室代（室料差額）などが当てはまります。

6　具体的には、医療機関は公的保険に保険給付を請求することが禁止されています。このため、患者が負担できない場合には、医療機関がすべての費用を負担する場合もあります。

7　乳房再建術は、2006年４月から保険診療が適用になっていますが、わかりやすい事例なので、そのまま説明に利用しています。

混合診療禁止ルールはなぜあるのか

この混合診療禁止ルールの根拠としては、主に２つあるとされています。第一に、支払い能力の有無による診療格差（**階層医療**ともいわれる）を発生させないためという主張です。階層医療とは、例えば心臓移植を混合診療で取り扱った場合、自己負担部分の支払いが拡大し、その支払い能力のない人は支払い能力のある人に比して、医療ニーズが同じでも受ける医療サービスに格差が生じることを指します。つまり、わが国の中所得者層の間での医療の公平性を担保するという考え方です。

第二に、情報の非対称性による供給者誘発需要などの弊害を避けるためとの主張です。例えば、がん治療を行う場合、患者が一般的なサービスと同じように、その治療効果や費用に関する情報を入手・理解することは困難です。このため医師が、患者の**請負人**（エージェント）として正確な説明を行い、理解を確認したうえでの選択を促す必要があります。しかし、医師が患者の請負人として適切な経済的誘因を持っていないと、正式に認可されておらず効果のほとんどない治療を利潤動機からすすめることが懸念されるという考え方です。これは、医師の請負人としての役割が不完全で、それを補正する仕組みを維持するべきという考え方です。

9-2　経済理論で理解する

医療資源の配分と公平性、モラルハザード

医療での公平性の基準

混合診療に関する議論のなかでは、階層医療の問題が大きな位置を占めています。そこで、まず公平性に関する議論を理解するために Culyer and Wagstaff（1993）の図表を用いながら、医療資源の配分方法と健康水準の関係について説明します。

ここでは現実を単純化して、高所得（支払い能力が高い）のＡさんと低所得（支払い能力が低い）のＢさんの２人しかいないとしましょう。最初に、公平性を確保するために、政府が規制によって医療費の配分をＡ・Ｂで平等にすると決めたとしましょう。このとき、ＡさんとＢさんの医療費の割合は、図表

●図表9-2　医療費を平等に配分した場合の健康水準

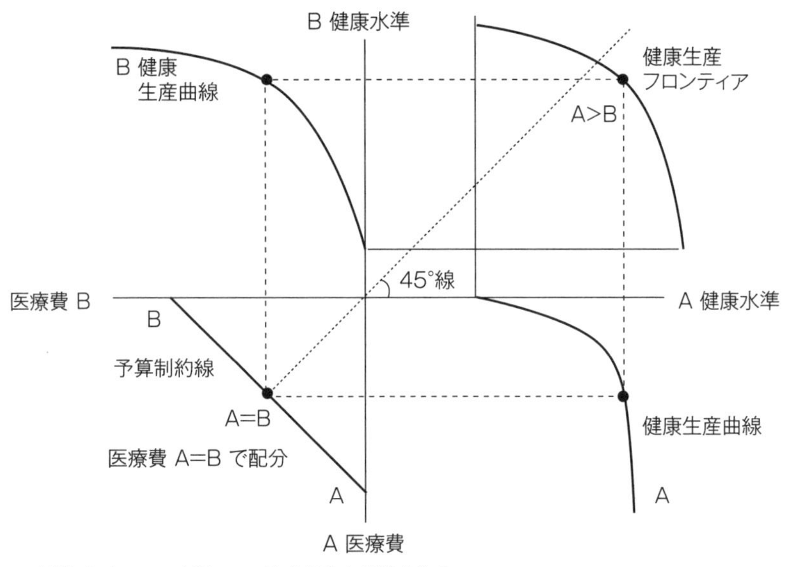

出所）Culyer and Wagstaff（1993）より筆者作成

●図表9-3　医療費を支払い意思額に応じて配分した場合の健康水準

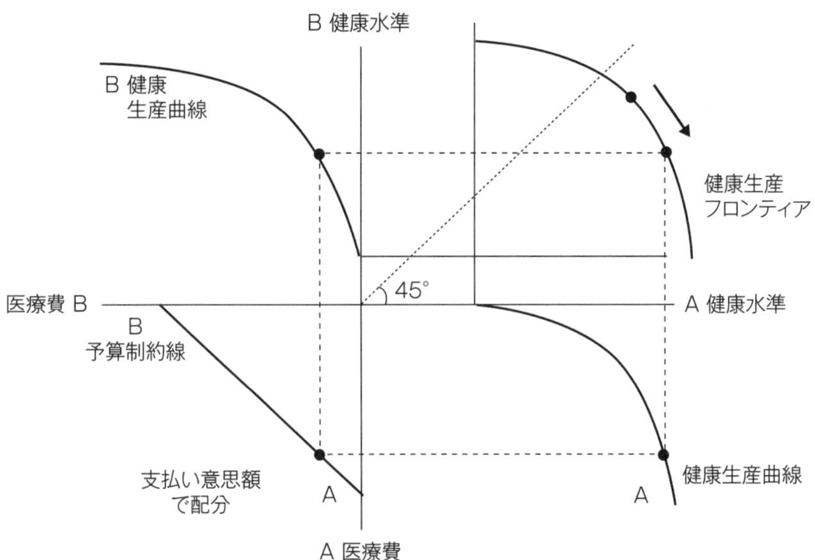

出所）Culyer and Wagstaff（1993）より筆者作成

●図表9-4　健康水準を平等にするように配分した場合

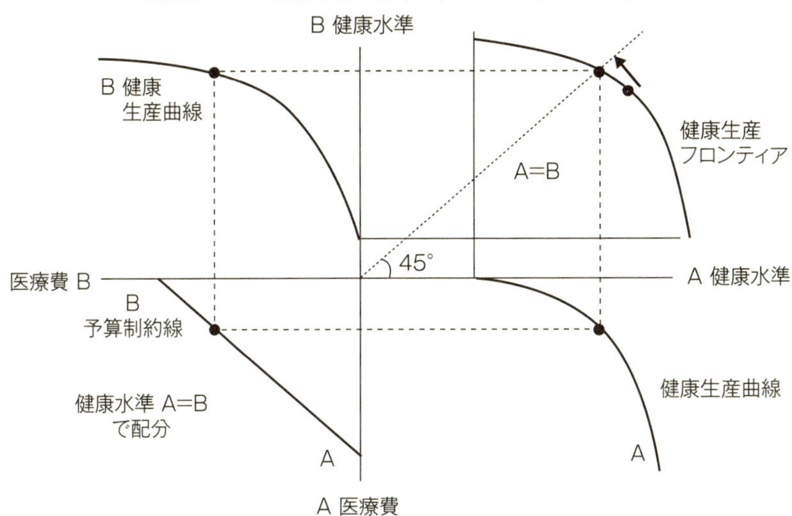

出所）Culyer and Wagstaff（1993）より筆者作成

9-2の左下部分の**予算制約線**上の点で示されます。利用可能な医療資源をA・Bで2分して同じ額の医療費を利用すると、図表9-2の左下部分で予算制約線のちょうど中間（A＝B）で医療費が決められます。この医療費の利用は健康生産曲線（図表9-2の右下と左上の部分の曲線）を通じて、A・Bの健康水準を決定します。図表9-2では右下部分がAの健康生産曲線、左上部分がBさんの健康生産曲線となります。この水準を第1像限（右上）に引きのばすと、**健康生産フロンティア**[8]（図表9-2の右上の曲線）上のA・Bの健康水準が比較できます[9]。ここで、健康生産曲線の初期値（生産曲線の切片）は、AさんのほうがBさんよりも高いという仮定を置いています。これは、一般的に所得が高いほうがその他の条件が同じであれば健康水準が高いことが観察されているからです[10]。このとき、A・Bの健康水準のちがいは図表9-2の右上部分に示され、AのほうがBよりも高い健康水準を達成すること

8　健康生産フロンティアとは、A・Bの2者の健康水準について達成可能な最大値を示した生産可能曲線のことです。

9　わかりにくい方は、ミクロ経済学の「予算制約線」、「生産関数」、「生産可能性曲線」などを復習してみてください。図表9-2の左下が「予算制約線」を180度回転させたもので、右上は「生産可能性曲線」、左上と右下は「生産関数」になります。

となります。この結果は、健康生産曲線の形状が同じ（切片を除く）であれば、同じ医療費をむだなく利用しても、A・Bの健康格差は縮小せず、AのほうがBよりも健康水準が高いままになるためであると考えられます。

次に、利用可能な医療資源を市場でより高い価格をつけたほうにより多く配分（支払い意思額による配分）すると、Aさんの医療費はBさんの医療費よりも多くなります。この結果は、図表9－3の左下部分で予算制約線上の点で示され、ほとんどの医療費をAさんが使います。このとき、A・Bの健康水準のちがいは図表9－3の右上部分に示され、AさんのほうがBさんよりもかなり高い健康水準を達成することとなります。したがって、同じ医療費をむだなく利用しても、A・Bの健康格差はより大きくなると考えられます。

最後に、政府がAさんとBさんの健康格差を解消することを政策目標（健康水準A＝B）として、医療資源の分配を計画的に行ったとしましょう。このときには、政府はAさんよりもBさんに医療費を多く割り当てる必要があります。この医療費の差が健康水準の初期値の差をちょうどカバーしたときに、A・Bの健康水準が同じになります。つまり、健康水準の格差を是正するには、健康水準の低い層に重点的に医療費を使う必要があります（図表9－4）。

カリヤー・モデルからの示唆

Culyer and Wagstaff（1993）の理論モデルは混合診療禁止ルールの廃止によって、自由価格の保険外診療部分が拡大することを示唆しています。混合診療が解禁されると、平等な配分──[11]から支払い意思額に応じた配分への変更を棹さすと考えられ、混合診療の解禁は健康水準の格差を拡大する可能性があ

10　この点は、良い悪いの価値判断ではなく、先進国共通で観察される事実をもとにしています。例えば、国際保健機関（WHO）が健康の決定要因（the determinants of health）としてあげた7つの要因の第一は「所得と社会的地位（income and social status）」で所得や地位が高いほど、高い健康水準につながるとしています。したがって、皆さんはこの仮定に憤慨するかもしれませんが、残念な現実から説明を進めることをご了承ください。

11　現在の医療保険制度は、厳密には「同額の医療費」というよりは、「医療サービスの必要度（ニーズ）に応じて配分している」と考えたほうが適切かもしれません。このような配分方法についてもCulyer and Wagstaff（1993）は分析を行っています。しかし、本書ではわかりやすさを優先して省略しました。ただし、ニーズに応じて配分する方法をとっても、ここでの結論はほとんど変わりません。

●図表９-５　混合診療禁止ルールの撤廃と維持の場合の格差

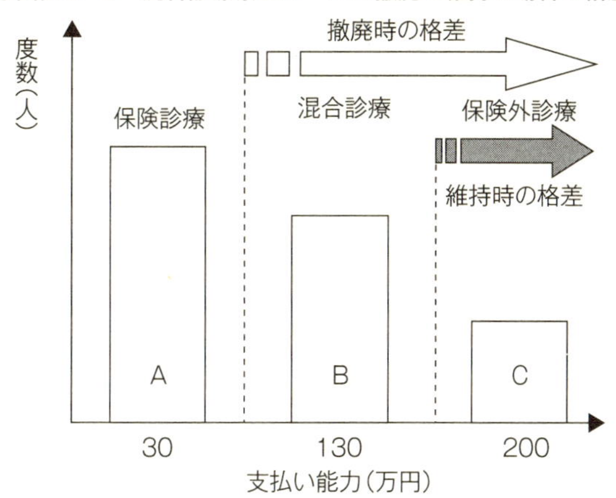

出所）筆者作成

ります。ただし、混合診療には、新しい技術を利用できる人が増加するというメリットがあります。この医療の格差と新技術の利用について図表９-５で説明をしましょう。

階層医療と新技術利用

混合診療禁止ルールの廃止は、医療の格差にどのように影響するのでしょうか。これまでの医療経済学者の議論を非常に単純化して、図表９-１の事例を用いて説明しましょう。現在のような混合診療禁止ルールの場合には、「保険診療部分を自己負担（図表９-１では30万円）できる人」（図表９-５のＡ）と「混合診療部分を自己負担（130万円）できる人」（Ｂ）はともに全額自己負担200万円を支払えないため、保険診療のみを利用し、両者間に医療格差は生じません。しかし両者に対して、「全額自己負担（200万円）する能力のある人」（Ｃ）は200万円支払って保険外診療を受けられるため、「ＡおよびＢ」と「Ｃ」との間に医療格差が生じると考えられます。

一方、混合診療禁止ルールを撤廃すると、「保険診療部分を自己負担（30万円）できる人」（Ａ）と「混合診療部分を自己負担（130万円）できる人」（Ｂ）の間に格差が生じますが、「混合診療部分を自己負担（130万円）できる人」

（B）と「全額自己負担（200万円）する能力のある人」（C）は両方とも保険外診療を受けることができ、この間の医療格差は解消されることになります。したがって、階層医療の問題は日本国民の支払い能力の分布により、影響が異なると考えられます。例えば、ほとんどの国民が「保険診療部分を自己負担（30万円）できる人」（A）で、「BおよびC」の割合が非常に小さい場合には、混合診療禁止ルールを撤廃しても実際の格差が生じることはほとんどないかもしれません。逆に、「AおよびB」の国民がほとんどで、その割合が同じぐらいの場合には、混合診療禁止ルールの撤廃により、診療格差は拡大するかもしれません。

新技術が利用可能な範囲の拡大

混合診療の想定する保険外診療の内容が、新しい治療技術や生活の質を高めるような技術であった場合には、混合診療の解禁により、その技術を利用できる人が拡大するかもしれません。先ほどの事例で説明すると、混合診療禁止ルールのもとでは、支払い能力が200万円ある人の場合（図表9-5のC）にしか、このような技術が利用できません。しかし、混合診療が解禁されれば、支払い能力が130万円の場合（図表9-5のB）にも保険外診療の医療サービスを利用できることとなります。冒頭のなるほど君の母親の場合も抗がん剤を利用できるようになるかもしれません。ただし、新しい技術は一定量の経験（症例数）が蓄積されるまでは、リスクも高いことを忘れてはいけないでしょう。

混合診療禁止ルールの規制としての効果

前項を逆に考えると、混合診療禁止ルールは、保険外診療の利用を支払い能力の点から制限することによって「日本で利用される医療サービスを保険診療の範囲に限定する」という強力な効果を持っています。保険診療の対象となるには、政府による認可を経なければなりません。一方で保険外診療の医療サービスは、認可を受けた医療機関が免許を有した医療専門職によって行われるのであれば、価格も自由で、その内容（効果や安全性）について政府からのチェックは原則としてありません。

このような点から考えると、混合診療禁止ルールの撤廃は、危険で効果のない医療サービスの監視を「政府の規制」から「医療機関および医療専門職のモラル、消費者の自己防衛能力」に徐々に移行させることになるかもしれません。もし、政府の規制が不適切で、そのデメリットが大きくなりすぎる場合には、後者の役割を大きくしたほうがよいかもしれませんし、規制を緩和しつつ、新しい監視の仕組みを構築することを検討するべきかもしれません——[12]。

医療費は増加するのか、減少するのか

ここで視点を転じて、混合診療禁止ルールの撤廃が医療費に与える影響を見てみましょう。

混合診療を解禁すると、これから続々と開発される新しい技術・薬品を保険外診療にとどめ、保険診療分の医療費の増加を食い止められるかもしれません。一方、これまで保険外診療をあきらめていた一部の人が、混合診療を解禁すると新たに医療サービスを利用するため、その分の医療費は増加しそうです。

さらに、医療機関の行動も変化するかもしれません。例えば、保険外診療が広く利用されるようになると、一部の医療機関は保険外診療の価格を吊り上げ、保険診療部分で足りない費用を埋め合わせようとするかもしれません。患者の行動はどのように変化するでしょうか。例えば、混合診療解禁によって拡大する自己負担部分の不確実性を、公的医療保険に民間保険を追加してまかなうようになるとどうなるでしょうか。ここでは、見かけの価格が下がることによって医療需要が増加する**モラルハザード**の影響について見てみましょう。

モラルハザードと医療需要——[13]

第6章では、保険の機能やメリットを検討しました。一方、保険を購入することによって、医療費のほとんどが保険でまかなわれるため、必要以上にサービスが購入されるというデメリットが危惧されます。

まず、ある人が必要とする医療サービスの需要が価格に対して完全に非弾力的と仮定します（図表9-6の左図）。例えば、救急医療や生死にかかわる手術

12　例えば、医療専門職や医療機関の団体が、自主的に相互監視を行ったり、品質に関する認証（例えば、専門医制度）を厳格に実施することも考えられます。

13　本節は、Folland et al.（2001）を参照しています。

●図表9-6　医療サービス需要とモラルハザード

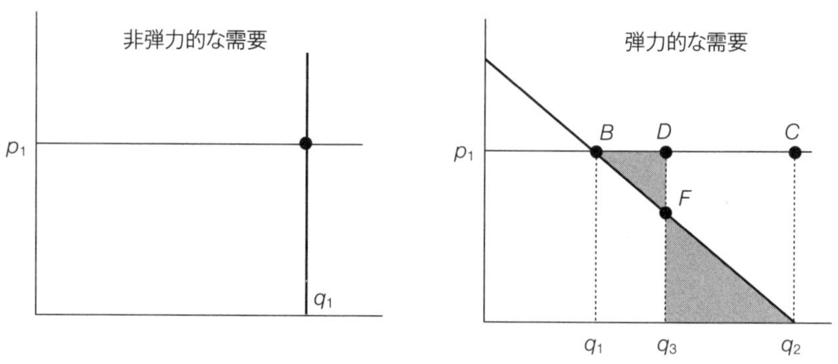

出所）Folland et al.（2001）, p154, Figure 7.3より筆者作成

などにおいては、価格の高低にかかわらず、消費者は必要な医療サービス（価格 p_1、量 q_1）を購入すると考えられます。このとき、社会的にかかる費用は、$p_1 \times q_1$ で示されます。

次にある人が必要とする医療サービスが価格に対して弾力的で、価格の高低によって医療サービスに対する需要が変化すると仮定してみましょう（図表9-6の右図）。この場合には、外来受診や検査・投薬の回数のように、需要曲線は価格に反応し、右下がりとなります。このとき、ある人が医療費全額を保障してくれる医療保険に加入していると、すでに支払いずみの保険料以外には自己負担額（見かけの価格）が0円で医療サービスを購入することができます（ただし、時間費用等は無視します）。このとき、医療サービスの見かけ上の価格は0円であるため、q_2 まで医療サービスを需要し、その総費用は $p_1 \times q_2$ となります。この図表9-6の右図の費用はあきらかに、$p_1 \times q_1$ よりも多くなります。

こうした需要の価格弾力性によって引き起こされる経済的誘因に対する合理的な反応を**モラルハザード**（moral hazard）と呼びます。モラルハザードとはサービスの利用が過剰に増加することで、保険を利用した場合に、サービスの限界費用が低下するために引き起こされるといわれています。実は、医療保険には、自己負担率を低くすると、保険のリスクを回避する機能が高まる一方で、モラルハザードが悪化するというゼックハウザーのジレンマ（Zeckhauser's

●図表9-7　補完的な民間保険が利用された場合の医療費の増加

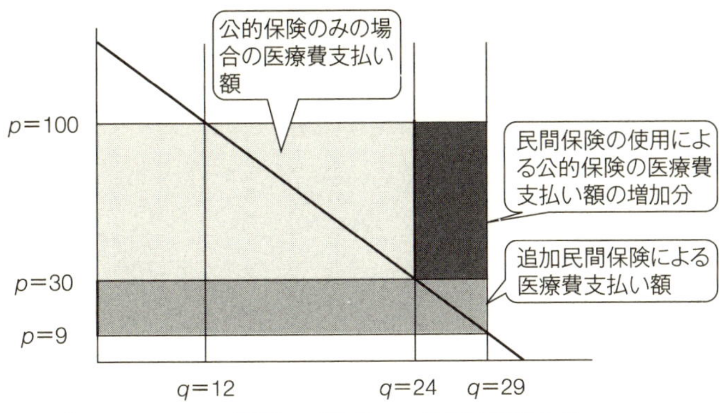

出所）Folland et al.（2001）, p158, Figure 7.5より筆者作成

dilemma）があることが知られています。

ここでのモラルハザードは疾病に罹患した後という意味で、しばしば事後（ex post）のモラルハザートといわれます。これに対して、予防を怠るなどの、罹患以前の行動を事前（ex ante）のモラルハザートと呼びます──14。

では、混合診療が解禁された場合にはどのような影響が出るのでしょうか。混合診療が可能な場合には、解禁前に比して患者が直面する見かけの価格（自己負担額）が下がると考えられます。このとき、価格弾力的な需要の場合には、患者はより多くの医療サービスを利用する誘因を持つことになります。一方で、当該保険外診療の部分は自由価格のため、自己負担額の上昇とその不確実性──15に直面することになります。リスク回避型の個人が多いと思われる場合には、公的保険に加えて民間保険で自己負担分をまかなう行動がとられると予想されます。

14　Culyer（2005）によれば、２種類のモラルハザードの定義は以下のとおりです。
・事前（ex ante）モラルハザード：被保険者が保険加入によって保険事故の確率を、事前に引き上げるように行動を変化させること
・事後（ex post）モラルハザード：被保険者が保険事故を起こした後に、保険給付によって見かけの価格が下がることによって、保険給付対象サービスの需要を増加させること

15　保険外診療部分は自由価格のため、受診する医療機関によって自己負担額が大きく異なることになります。したがって、保険診療部分は公的保険で保障されていても、高額な保険外診療を利用する際には、自己負担部分の金額の不確実性が高まることになります。

上乗せ民間医療保険と医療需要

それでは、公的保険に加えて自己負担部分を保障する民間保険[16]を購入した場合の、患者のモラルハザードについて、図表9-7で見てみましょう。縦軸に医療サービスの価格（p）、横軸に医療サービスの利用量（q）を取った場合に、もしまったく保険がない場合には、価格が100で利用量は12回[17]になると考えましょう。この状態に公的医療保険を導入して、自己負担を３割にして患者の見かけの価格を引き下げた（したがって、pは30）とします。このとき、右下がりの需要曲線（つまり価格弾力的な需要）の場合には、患者は医療サービスの利用量を24回まで増加させます。ここまでは図表9-6の議論と同じです。

さらに、この自己負担部分に民間の医療保険を購入し、自己負担額の７割を保障してもらったとしましょう[18]。そうすると患者の見かけの価格は、p30×0.3＝９より、９にまで低下します。患者は価格が下がったため、さらに利用量を29回にまで増加させるでしょう[19]。

このときの医療費の変化は、図表9-7の面積で示されます。公的保険が導入される前の医療費は、$p100 \times q12 = 1200$ です。ここに、公的保険が導入されると、$p100 \times q24 = 2400$ となります。このとき、患者の自己負担は720（$p30 \times q24$）、公的保険の給付が1680（70×24）という内訳になります。さらに上乗せの民間保険が購入されると、医療費全体は $p100 \times q29 = 2900$ で、内訳は患者の自己負担は $p9 \times q29 = 261$（購入前に比して、459減少）、民間保険の

16　ここで、多くの民間医療保険は定額払い方式で、自己負担額に対する定率払い方式ではないと気づかれるかもしれません。しかし、すでに少数ですが定率払い方式を導入している保険も存在しています。興味のある方は探してみてください。なお、混合診療が解禁されると定率払い方式の民間保険が日本でも増加すると筆者は考えています（フランスでは定率部分を保障する民間保険が一般的です）。

17　qについては年間の外来診療回数と考えると、月１回で年間12回受診すると考えるとわかりやすいかもしれません。

18　民間医療保険の購入によって、新たに保険料負担も増加しますが、ここではこれを無視して、医療費の総額の変化を中心に検討しましょう。

19　この説明に対して、民間医療保険の場合は、いったん自己負担を支払ってから後日保険金を受けとるので、見かけの価格は下がらないのではないかとの指摘を受けました。しかし、治療を受ける際に民間医療保険がカバーしていることを知っていれば、やはり見かけの価格は下がると思われます。

給付は $p21 \times q29 = 609$、公的保険の給付は $p70 \times q29 = 2030$（購入前に比して350増加）となります。

ここでのポイントは、混合診療の解禁により患者が保険外診療に対応して民間保険を購入すると、医療サービス量がさらに増加（24回→29回）し、公的医療保険の給付が増加（増加分は $p70 \times q5 = 350$）することです。この分析は、現実の状況をかなり単純化したものですが、国民が民間保険を購入する場合には、混合診療の実施により医療費の総額のみならず、公的保険の負担も増加する可能性がある[20]ことが明快に説明できます。

9-3　実証分析の結果を検討する

民間保険の利用と健康格差

規制改革・民間開放推進会議の主張

規制改革・民間開放推進会議は混合診療禁止ルールを撤廃するべきであると提案しました。その根拠は、主に3点です。

第一に、患者が治療に関する選択肢を増やすことができるというメリットです。わが国のような国民皆保険制度では、給付の対象となる医療サービスは画一的になりがちです。しかし、生活水準の向上や価値観の多様化によって、患者はむしろ患者個人の嗜好に合わせた多様なサービスを必要としていると考えられます。混合診療が可能になると、保険診療部分は公的保険給付が受けられることから、多様な医療サービスが利用しやすくなります。

第二に、混合診療の解禁によって新しい技術や医薬品の利用が進み、技術革新が促進されるメリットがあります。新しい技術や医薬品が公的保険の給付対象になるには、長期の試験やそのデータの審査に時間を要します。このような医療技術の安全性はなるべく多くの症例を積み重ねて確認を行う必要があります。混合診療が認められると、これらの医療を受けることによる自己負担総額が減ることから、多くの患者が新しい医療に参加できるというメリットがあります。

20　民間医療保険が医療制度や医療費に及ぼす影響については、OECD（2004）がくわしく検討しています。日本語では河口（2012）を参照してください。

第三に、これから続々と開発される新技術を公的保険の給付範囲から外すことによって、医療費が節約できるという考え方があります。海外では医療費の増加要因のほとんどは、新しい医療技術が開発され、より生存率が高く、より患者の身体負担が小さい治療が行われることによって引き起されるとされています。公的保険の給付範囲を必要最小限にとどめ、患者が選択する部分については患者に負担してもらえば、拡大する患者の要求に応えながら、公的保険の給付費用も抑えることができるとの狙いです。

しかし、第三の点については、先の図表を用いた分析から、必ずしも保険給付額を抑制するのに効果的とは限らないことがわかります。

日本の混合診療に関する研究

わが国では、全国一律の公的医療保険制度を布いているため、混合診療解禁による効果を計測することは、一部の特別な地区を対象にして実験的な研究を行わない限りは、なかなかむずかしいでしょう。そのため、混合診療に関するわが国の研究は理論分析に偏っています。

林・山田（2003）は、混合診療禁止ルールを撤廃し、差額徴収ルールへ移行することによって患者間の受診機会の公平性が改善することを、モデル分析を用いて論証しています。さらに、この論文は差額徴収ルールへの移行は新しい医療技術の普及を促進することを指摘しています。斉藤・鴇田（2003）は、混合診療の解禁が医療制度の効率性を向上させることを、余剰分析から論証しています。また、これまで公平性を担保するといわれていた混合診療禁止ルールが、実際には公平性の点でも問題があることを指摘しています。このほかに理論分析としては、両者をまとめた斉藤・林・中泉（2005）があります。また、混合診療を実施するにあたっての実務的な問題点については、池上（2005）が詳細に指摘しています。

混合診療に関連する実態を報告する研究としては、川渕（2002）がさまざまな保険外の患者負担の実態を、大原・開原（2002）は新技術（ピロリ菌除去法）の技術開発から保険診療導入までの経緯を、それぞれ報告しています。

●図表9-8　2つの研究における質問と回答（混合診療部分）

論文とその目的	質問内容（混合診療部分）	回答結果
田村（2003） 医療格差導入への一般市民の意識	「現行程度の医療は国民全員に保障するが、高い自己負担を払う人はより質の高い医療を受けられる制度」	「支持」した人は18.2%
鈴木・斉藤（2006） 混合診療が患者負担の増大や不平等の拡大を生じるか	「最先端の医療などまだ医療保険の使用が認められていない治療法や薬を使いたい場合に、医療保険が使えない部分のみ全額自己負担になる制度」	「全面的に賛成」が19.9%、「どちらかといえば賛成」が32.4%（両方で、52.3 %が賛成）

注）表現については筆者が一部要約を行っています
出所）田村（2003）および鈴木・斉藤（2006）より筆者作成

混合診療に対する国民の意識

混合診療解禁はさまざまなメリット・デメリットを含み、見方によって意見が異なることが予想されます。このような場合には、国民の意識が、政策決定に大きな影響を及ぼすと考えられます。さまざまなアンケート調査結果が報告されていますが、ここでは研究者が実施したものをご紹介しましょう（図表9-8）。

まず、国民の階層医療に対する意見については、田村（2003）が報告しています。この研究では、全国の成人5000人を無作為抽出し、2000年にアンケートを実施し、有効回答を得た3991人について分析しています。当該アンケートでは、「現行程度の医療は国民全員に保障するが、高い自己負担を払う人はより質の高い医療を受けられる制度を導入する」を支持した人は18.2%と非常に低い結果となっています。その原因を探るために、医療格差導入に反対している市民の属性を分析したところ、相対的に低所得・低学歴で、医療資源への配分において効率よりも公平を重視する傾向があることが指摘されています。この結果について、田村（2003）は、医療に関しては「絶対平等主義」があり、医療に格差を導入することによって多少のメリットを得られるよりも、公平性の維持を重視すべきと考えているのではないかと指摘しています。

また、鈴木・斉藤（2006）は、インターネットを利用した独自アンケートにより1712人から混合診療に対する意見を収集しています。その結果は田村（2003）と対照的に、全面的に賛成が19.9%、どちらかといえば賛成32.4%を合わせると、52.3%が賛成となっていました。一方、反対は合わせて１割程度に止まっていました。この意見について、所得階層・資産階層別にクロス集計すると、より高い所得・資産の人ほど賛成が多いものの、その差はわずかであったと報告されています。

この２つの研究はそもそも目的が異なるため、一概に比較するのは不適切かもしれません。ここで注意していただきたいのは、２つのアンケートの混合診療（あるいは医療格差導入）に関する表現が異なることです。田村（2003）は階層医療の論点を中心に、鈴木・斉藤（2006）は新技術導入を中心に考えているようです。したがって、混合診療の問題を議論する場合には、どの側面を中心に考えているのかをまず確認し、それぞれの側面について総合的に判断する必要があると考えられます——21。

日本の民間保険の購入行動に関する分析

さて、混合診療が解禁されて自己負担部分が拡大すると、その負担を補うために、民間医療保険の購入が増加するのでしょうか。この点を考えるために、公的医療保険の自己負担の増大が民間保険の購入を促進するかについて研究した滋野（2000）と澤野・大竹（2002）を見てみましょう。

滋野（2000）は、調査会社とモニター契約をしている1300世帯4282人に対して独自アンケートを実施し、「民間保険への加入の有無」に関する因子を抽出しています。その結果、所得水準が高いほど加入確率が高く、自己負担率が高いほど加入確率が下がるという結果を得ています。しかし、この研究は加入の有無だけで給付水準を考慮していません。

つづく澤野・大竹（2002）は、この点を改善し、保険給付金額を加えて分析しています。この研究は、生命保険文化センターが2263人を対象に実施した面接聴取法によるデータをもとにしています。「民間保険の加入の有無」に加えて「入院給付金額」——22を被説明変数として、消費者の医療費負担との関係を

21　この２つの研究の中間的な調査として、遠藤（2011）があります。
22　具体的には、入院１日当たりの保険給付金額を聞いています。

●図表9-9　平均余命と所得階層の関係（マーモットカーブ）

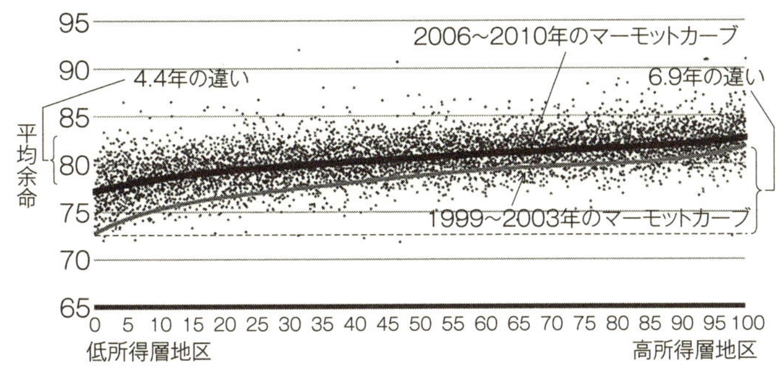

出所）King's Fund（2015）より

注）横軸は所得援助を受けている人の人口比でもっとも割合の大きい地区を0、もっとも割合の小さい地区を100とした。

分析しています。その結果、過去に「高額の医療費負担」「入院経験」がある場合には、民間保険への加入確率および入院給付金額の水準が高まることが確認されました。澤野・大竹（2002）では、この２つの説明変数は医療費自己負担の高さを示すと考え、民間保険は公的医療保険を代替していると結論づけています。つまり、混合診療の解禁により自己負担部分が増加すれば、民間保険をより多く購入する可能性を示唆してます。ちなみに、この研究は民間保険における逆選択の可能性を否定しています。

健康格差と医療制度

それでは、今後混合診療が解禁されたり、段階的に保険外併用療養費制度（旧特定療養費制度）が拡大されると、わが国の「医療費の配分」および「健康水準」にどのような変化が起きるでしょうか。世界的に見て平等を重視した医療制度を構築している英国では、常に健康格差の解消が政策目標として意識されてきました。2015年にキングズ・ファンド（King's Fund）から提出された報告書によれば、所得による平均余命の格差は6.9年（1999～2003年）から、4.4年（2006～2010年）に縮小していました（図表９-９）。この結果に、公平な医療制度を整備していると考えていた英国人は非常に驚いたそうです。

日本では、国民の健康格差に関する議論はまだ始まったばかりです。研究面では、社会疫学の分野で、近藤ほか（2005、2007）、川上ほか（2006）、近藤（2007）、川上ほか（2015）の研究が実施されています。今後の研究の進展によって、わが国の医療面での格差がどの程度なのかがわかるようになるでしょう。

9-4 今後の方向性と討論課題

効率性と公平性のバランス

本章では、混合診療禁止ルールの維持・撤廃をテーマに、医療制度における効率性と公平性のバランスを検討しました。理論面では、カリヤー・モデルによる資源配分と公平性の関係やモラルハザードのコンセプトを紹介しました。さらに、民間保険の利用による医療費増加の可能性を指摘しました。研究結果では、混合診療に関する理論研究を紹介しました。ただし、理論研究は前提条件の妥当性が重要なポイントです。さらに本章では、混合診療問題に対する国民意識を知るために２つのアンケート調査を紹介しました。最後に、英国の例ですが、医療制度において健康格差が拡大しているデータを例示しました。

これまでのまとめとして、混合診療をめぐる代表的な２つの組織の主張を一覧表にしてみました（図表９-10）。厚生労働省が重視しているのは、公平な制度を維持することです。ただし、階層医療の拡大は国民の支払い可能額の分布に影響を受けると考えられます。

一方、規制改革・民間開放会議の目的は、医療制度の効率性を高めることです。あわせて、公的な医療保険給付も抑制されると主張しました。しかしこの点については、今回のモラルハザードの考え方を用いて検証すると、混合診療が解禁されると公的医療保険の費用は節約できるどころか、民間保険の利用により医療費は拡大することが予想されます。

これは、経済学の理論的分析を行って政策を検証すると、その齟齬が見えてくるというよい例でしょう。事実、財務省はこの点に気づき、規制改革・民間開放会議に対して「混合診療解禁」の主張に再考を促したと聞いています。結局、混合診療の全面解禁は見送られ、保険外併用療養費制度（旧特定療養費制度）を段階的に拡大することで政府内で合意を見ました。

●図表9-10　混合診療の解禁により期待される政策効果

	効率性の観点	公平性の観点
規制改革･民間開放会議	○患者の選択肢が拡大 ○医療の技術開発を促進 ○医療費が抑制される(?)	
厚生労働省	×供給者誘発需要の拡大	×階層医療の拡大

出所）各種資料より筆者作成

折衷案としての保険外併用療養費制度

驚かれるかもしれませんが、それぞれの主張に対する折衷案ともいえる「保険外併用療養費制度」がすでにあります——23。保険外併用療養費制度は、1984年に「特定療養費制度」として導入され、特定の医療サービスに対して混合診療を認めました。当初、混合診療が認められていたのは、「高度先進医療」「差額ベッド（いわゆる個室料）」「前歯の選択材料差額（歯科医療のみ）」の3種類でした。その後、2004年の混合診療禁止ルールに関する政治的妥協——24を受けて、厚生労働省は2006年10月に特定療養費制度の枠組みを改編し、現在の保険外併用療養費制度としました。この改編によって、保険外併用療養費制度は2つのカテゴリーを持つことになりました。第一のカテゴリーは、患者が十分な情報提供を前提に選択する「選定療養」です。第二のカテゴリーは、先進的あるいは高度な医療で、保険診療と認められるかどうかの評価を行う「評価療養」です（図表9-11）。

第二のカテゴリーである「評価療養」には、①高度医療（先進医療を含む）、②医薬品・医療機器の治験に係る診療、③保険収載前の医薬品・医療機器の使用、④適応外の医薬品・医療機器の利用などがある。本章の最初に出てきた、なるほど君のお母さんが迷っていた日本で未承認の抗がん剤（ただし、治験のための利用および治験終了後の保険収載待ちの場合）は、現在ではこの「評価療養」の②③により混合診療の利用が可能になっています。

23　ただし、保険外併用療養費制度において、混合診療が可能になる個別の医療サービスの選定には、厚生労働省が大きな関与をしている点には注意が必要です。

24　この政治的妥協とは、2004年12月15日に厚生労働大臣と内閣府特命担当大臣（規制改革担当）の間で締結された「いわゆる混合診療問題に係る基本的合意」を指します。

●図表9-11　保険外併用療養費制度の対象

保険外併用療養費制度		
【選定療養】	【評価療養】	【患者申し出療養】
特別の療養環境（差額ベッド） 歯科の金合金等 金属床総義歯 予約診療 時間外診療 大病院の初診 小児う触の指導管理 大病院の再診 180日以上の入院 制限回数を超える医療行為	先進医療（高度医療を含む） 医薬品の治療に係わる診療 医療機器の治験に係わる診療 薬事法承認後で保険収載前の医薬品の使用 薬事法承認後で保険収載前の医療機器の使用 適応外の医薬品の使用 適応外の医療機器の使用	患者がかかりつけ医と相談して申し出た治療方法を、審査した上で求める

出所）厚生労働省資料より筆者作成

また、①高度医療については、特定のがんに対する重粒子線治療は、日本国内では３つの病院において評価療養として混合診療が実施可能です。また、アルツハイマー型の認知症に関する遺伝子検査は、日本においては１つの病院で混合診療が可能です。

この「評価療養」では、安全性および医学的効果の評価を受けている間は、実施する医療機関は厚生労働省に対して詳細なデータを提出することが義務付けられています。この提出されたデータをもとに専門委員会により、当該医療サービスの安全性および医学的効果が確認されると、正式に公的医療保険の保険診療として認められる。しかし、当該医療サービスの医学的効果が、公的医療保険の保険診療として不十分と判断された場合には、評価を行う機関が経過後は保険外診療に戻される仕組みです。その後、2016年から保険外併用療養費制度に「患者申し出療養制度」が第３の柱として追加されましたが、2019年で38人と、期待されたほど利用されていません。

島崎（2011）は、このような現状を踏まえて、混合診療はすでに政府によって一部解禁されており、今後の政策論争は混合診療を解禁するか否かよりも、現状の部分解禁を維持するのか、全面的に解禁をするのかが選択肢となると指摘しています。現在では、この保険外併用療養費制度をどの程度拡大するかが政治的関心を集めています。

これまで見てきたように、医療サービス市場においては株式市場や携帯電話市場と異なり、効率性だけでなく公平性が非常に重要です。本書でも医療制度の問題を検討するなかで何度も、効率性と公平性のバランスに触れてきました。しかし、この混合診療禁止ルールほど直接的に階層医療とつながっている問題はないでしょう。階層医療をどこまで認め、効率性と公平性のバランスをとるかについては、価値判断にゆだねられる部分が大きくなります。国民が医療制度やその問題をすべて理解することは困難かもしれません。しかし、医療経済学を学ぶことによって、その手がかりが得られたのではないでしょうか。国民はさまざまな価値観を持つ人々の集合ですので、国民の意識調査は政策決定において重要なエビデンスとなるはずです。より多くの実証研究を蓄積し、国民の判断に役立たせることが重要です。

【討論課題】

あなたは、混合診療禁止ルールの撤廃に賛成ですか、反対ですか。あるいは、保険外併用療養費制度の拡大に賛成ですか、反対ですか。賛成か、反対かを示したうえで、その理由を説明しなさい。さらに、あなたの案を採用する場合には、混合診療禁止ルールに関連する政策として、同時に何を行うべきかについてアイデアを示しなさい。

Health Economics

第10章

「医師不足」は定員増加で解決できるか——ニーズアプローチの限界

ある日「なるほど君」は、結婚したお姉さんから2人目の子供ができたという電話をもらった。姉は、1人目のときは実家に戻って出産していた。ところが今回は姉の声は不安そうだった。「本当は2人目も地元の市立病院で産みたいのだけど、医師不足で産科がなくなったらしいの」。なるほど君は驚いた。その市立病院は最近建て替えられて、広い吹き抜けのあるロビーが市民に好評と聞いていた。しかし、せっかく建物にお金をかけても、病院で働く医師が足りないのでは意味がないじゃないか。

でも、医師といえば頭がよくて高収入というイメージがあるから、なりたい人は多いはずだ。そうか、病床のように政府が医師の数を制限しているのかもしれない。そうなら、その制限をはずせば、遅くとも数年先には医師不足は解決できるはずだ。医師不足が問題になってからもう何年も経過している。なぜいまだに医師は不足しているのだろう。

10-1 医療の問題を知る

医師不足、医療崩壊

マスコミの「医療崩壊」報道はいつ始まったのか

「医療崩壊」「深刻な医師不足」などのセンセーショナルな記事が新聞やマスコミで用いられ始めたのは、2003年から2004年にかけてです。では実際「**医師不足**」の問題はいつから起きているのでしょうか。実は、医師不足は地方においては古くて新しい問題なのです。日本の景気がよかった1980年代においても、過疎地では医師不足の問題が報道されています。近年「医師不足」の新聞記事が多くなってきたきっかけは、自治体が経営する病院で2003年に発覚した「名義貸し」問題です。これは、大学病院の医師の名前（名義）を借りて、病院が雇用する医師の数を水増しし、公的医療保険から不正に給付を得ていたという問題です。この報道により、地方の自治体病院での医師不足が広く全国で認識されました。このような報道を見てみると、医師不足に悩む病院として、地方の自治体が設立した手術や分娩を担っている病院がよく登場します。逆に、同じ医療機関でも診療所や大都会にある病院については、医師不足はあまり報道されていないようです。

厚生労働省が犯人か

それでは、この「医師不足」問題――[1]の犯人は誰でしょうか。病院側は、病院の診療機能の低下は、そこで働いていた「医師の退職」や「大学病院からの医師派遣の減少」が原因であるとしています。前者に関して、退職した医師の言い分には、病院勤務が過酷で体力的に限界であるというものが多く見られます。後者に関して、大学病院側は、2004年から開始された臨床研修の義務化――[2]により、大学病院で人手が不足したためと主張しています――[3]。これに加えて、2009年には民主党政権による事業仕分けの場で、医師の長期の供給計画が間違っていたため、医師不足になったという指摘がなされました――[4]。この計画の策定は、実質的には厚生労働省が行ったと考えられています。

厚生労働省による医師の需給予測は、過去にも何度か行われています。1982年の臨時行政調査会（いわゆる第一次臨調）の第三次答申で、将来的に医師過剰が予測されるため、医学部定員の削減が検討され、1986年に、厚生省の「医師の需給に関する検討会」で医学部定員の10％削減が提案されました。この方針は２度の閣議決定を受けて、1994年および1998年の「医師の需給に関する検討会」でも維持されました。すでに「医師不足」報道が過熱していた2006年の同検討会の報告書では、一部の県について医学部定員の調整を検討項目として明記したものの、医学部定員の増員には触れられませんでした。厚生労働省が医師不足を認め、医学部定員の拡大に政策転換したのは2008年になってからでした。仮に、2004年当時に医師不足が起きていたとすれば、厚生労働省の医師数の需給予測は大きくはずれたことになります。

1　ここでは、実際に医師不足が起きているか否かの判断を確定せず、広く「医師不足に関する問題」として検討していきましょう（理由は後述します）。

2　これまで努力義務であった２年間の臨床研修（実地訓練）を義務化し、研修場所もこれまで実質的に大学病院に限られていたものを、条件を満たす民間病院に拡大しました。

3　臨床研修義務化と医師不足の関係にご興味のある方は、野村（2011）の分析を読まれることをお勧めします。

4　行政刷新会議ワーキングチーム「事業仕分け」第２WGの2009年11月17日の議事録（公表）に、「医師の需給に関する検討会」の結論が医師不足のそもそもの原因ではないかという指摘があります。

しかし、厚生労働省がその能力をフル活用し、十分に注意して計画を立案していれば、「医師不足」問題は起きなかったのでしょうか。また、計画を上方修正して供給量（医師の数）を増やせば、現在の問題は解決するのでしょうか。次節では、いったんこの問題の犯人探しをやめて、経済学でこの問題の分析を行い、その解決策を検討してみることにします。

10-2 経済理論で理解する

2つのアプローチ

ニーズと需要のちがい

医療経済学では、「**ニーズ**（need）」と「**需要**（demand）」を峻別します。第4章の81頁でも説明したように、ニーズとは客観的な医療サービスの必要量を示します。患者の症状や疾病に応じて必要な（あるいは最適な）医療サービス量が客観的に決定できると仮定すると、同じ疾病の患者であれば、支払い能力の多寡にかかわらず、医療ニーズは同じになると考えられます。一方で、需要ではニーズがあることに加えて、購入するための「支払い能力」が条件になります。このため、同じニーズの患者でも所得や支払い能力によって需要が異なることが想定されます。例えば、客観的に心臓移植手術が必要な患者は「ニーズ」を持ちますが、そのための高額な医療費が支払えない場合には「需要」とならないと考えられます。

ここからは、このニーズをベースとして考える方式（**ニーズアプローチ**）と需要をベースとして考える方式（**需要アプローチ**）――[5]に分けて説明を進めましょう。日本の厚生労働省はニーズアプローチをとっていると考えられますので、まずこちらから始めましょう。

ニーズアプローチからの問題認識と対応策

ニーズアプローチでは、「医師不足」は計画的に養成される実際の医師数と必要な医師数のギャップと考えます。医師のような医療専門職は、高度な知識

5　英語では economic approach（経済学アプローチ）と呼ぶのが一般的ですが、本書ではわかりやすくするために、需要アプローチと呼びます。

●図表10-1　ニーズアプローチによる医師不足の概念図

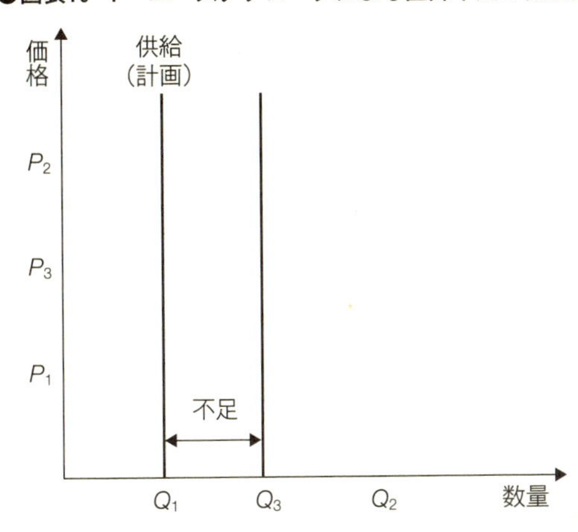

出所）筆者作成

と長い教育期間が必要なため、多くの先進国では計画的に養成されます。例えば、図表10-1では政府が将来的に必要な医師数を Q_1 と予想し、この数を計画的に養成したとしましょう。もし、実際に必要な医師数が Q_3 となると、Q_1 から Q_3 の間の医師が不足することになります。

厚生労働省は、ニーズアプローチにもとづく医師不足（Q_3-Q_1）の実態調査を2010年に実施しています。この「病院等の必要医師数実態調査」では、「病院にとって必要な医師数」（図表10-1の Q_3 に該当）と「実際に確保している医師数」（図表10-1の Q_1 に該当）をアンケートで聞いています。これによると「求人をしても確保できない医師不足分」は1万8288人とされています。さらに、「現在求人はしていないけれども病院が必要と考えている医師数」は5745人となっていました[6]。この不足分の合計（Q_3-Q_1）2万4000人という数値は、多くのマスコミで医師不足の証拠として報道されました。

一方で、この調査の内容を見ると首を傾げたくなるような結果もあります。

6　ビジネスの経験がある方は、必要数の算定方法に違和感を覚えられるのではないでしょうか。どの会社でも人員が十分に足りている部署はほとんどなく、サラリーマンの業務に関する不満の多くは人が足りないということでしょう。また、管理職の方は不満がないように人を増やすと、今度は収益目標への影響が大きいことも体感されていると思います。

例えば、医師の必要数が充足されない理由として、雇用に関する「条件」は14.0%しかなく、「医師の絶対数が不足」が38.0%と最多になっています。ところが、なぜ求人をしているのかの理由は「医師の退職」が33.6%と最多なのです。つまり、病院側は医師の絶対数不足が問題としながらも、3分の1の病院は退職希望の医師を引き止めたり、その後任を補充することができないと表明しているのです[7]。

ニーズアプローチでの医師不足の解決策は、この不足分を賄うために医師の養成計画を上方修正することとなります。このため、厚生労働省（および文部科学省）は医学部の定員を2009年から拡大することを決定しています。

ニーズアプローチでの必要医師数の予測方法

ニーズアプローチでは、政府や専門職団体などが医療サービスのニーズを測定し、その測定量に応じて医師を計画的に養成する考え方をとります。日本ではこの医師の必要数の推定は、先の「医師の需給に関する検討会」で実施されています。このニーズアプローチの予測方法について、少し詳しくご説明しましょう。

ごく初期の、医師数を含めた医療ニーズの測定方法としては、Lee and Jones（1933）が、「医師数」を「患者数」と「1人の患者の治療にかかる必要時間」の積を「医師1人当たり年間稼動時間」で割る方法で推定しています。厚生労働省（1998）による日本のニーズ測定方法は、Lee and Jones（1933）と基本的に同じで、将来の予想患者数をベースに医師の必要数を測定するという、原理的には簡便な方法を用いています。

$$\text{必要医師数} = \frac{\text{将来患者数（将来人口} \times \text{受診率〔入院外来別〕）}}{\text{医師1人当たり患者数〔入院外来別〕}} \qquad (10\text{-}1)$$

$$\text{供給医師数} = \text{将来医師数（医学部入学定員数} \times \text{合格率）} \times \text{労働量〔男女別〕} \qquad (10\text{-}2)$$

（10-1）式の**必要医師数**は、基本的に入院・外来別の将来患者数を、医師1

7　一般企業では、労働不足の場合には現在の従業員の給与の引き上げや労働環境の整備によって、退職防止や雇用確保の企業努力をするのが当たり前で、逆に雇用が確保できない場合には、その待遇に問題があると考えるでしょう。

人当たり担当患者数で除して算出しています。この将来患者数は、将来人口の予想に医師を受診する確率（受診率）を入院と外来を別々に乗じて推計しています。医師１人当たり患者数は、外来の場合には、１人の医師が１日当たりで42人（外来患者１人当たりの診療時間を10分と設定）の患者を治療すると想定して算出しています。入院の場合は、医療法に定められた入院患者数に対する配置するべき医師数（標準定員数）から算出しています。この結果、1998年時点で2010年（推計時点から12年後）の必要医師数を27万人（中位推計）としています。

これに対して、(10-２) 式の**供給医師数**は、基本的に将来医師数に労働量による重み付けをして算出しています。この将来医師数は、毎年の医学部入学者数（7705人）に医師国家試験の合格率（0.98）を乗じて推計しています。この将来医師数に、男性の場合には１、女性の場合には0.7のウェイトを乗じて、供給医師数を算出しています。この結果、2010年時点で28.9万人（中位推計）としています。つまり、この時点の医師の需給予測では、医師数は過剰傾向と判断され、医学部定員の一層の削減――[8]が提案されていました。

ニーズ測定の精緻化とその限界

ニーズアプローチの測定手法は、近年では精緻化が進んでいます。例えば英国では1994年から、NHS（国民保健サービス）の地域保健局が医療資源の計画配置のためニーズを測定する手法として、入院・外来だけでなく疾病グループ別の将来患者数を罹患率などから予測する方法を用いています。1996年にはNHSは、救急治療やホスピスの利用人数も含めた機能別のニーズ測定も始めています――[9]。

このようなニーズ測定は、いわばシミュレーションですから、いくつかの前提条件が必要になります。例えば、「医療技術の進歩」がなく、世代による「医療ニーズの変化」がなく、医師の業務の一部をナース・プラクティショナ

8　当時の医学部定員の削減率は7.8％にとどまっていたため、従来からの目標値である10％削減まで、プラス2.2％の追加削減が必要であると提言しています。

9　ただし、英国では全患者を疾病分類別にした包括的なデータベースが整備されているために、その情報を利用して精緻な推定が可能である点にも注意する必要があります。

ー（nurse practitioner）が行うといった「代替関係」に変化がないと仮定しています。また、患者の意識が変化して救命のための手術を控えてホスピスを利用するようになるかもしれないなどといった変化は考慮されていません。しかし、Murphy et al.（2009）がカナダで1994年から2005年の世代（コーホート）別に行った追跡調査によれば、有病率などのニーズが出生時期により変化することが確認されています。米国における医師の将来推計を実施したSchwartz et al.（1988）によれば、医師の「管理業務」および「新しい医療サービス」の増加により、医師の供給増加分が相殺され、米国政府が懸念している医師過剰は起こらないと結論づけています。つまり、ニーズアプローチは万能ではなく、その前提条件がはずれれば、予測は不正確とならざるを得ないのです——10。

需要アプローチからの問題認識と対応策

それでは、需要アプローチのほうはどうでしょうか。需要アプローチでは、ニーズアプローチと異なり、医師の需要や供給はその価格、つまり「賃金率」——11の水準によって変化すると考えます。まず、病院は病床等の「資本」と医師・看護師等の「労働」を投入して、医療サービス（手術等）を生産していると考えます。そのため、病院は勤務医の労働市場から医師を調達してくる必要があります。一般的な財・サービスの市場では、企業（ここでは病院）は供給者となりますが、医師の労働市場では病院は勤務医を雇用して労働を購入する需要側となります——12。つまり図10-２の勤務医の労働市場では、労働力を供給するのは医師側で、労働力を需要するのは病院側です。また、労働の市場での価格は賃金率です。勤務医の労働の供給曲線*SS*では、価格（賃金率）が高いほど供給が増加すると考えられるので右上がりになっています。一方で、病院側の需要曲線*DD*は価格（賃金率）が低いほど多くの医師を雇用すると

10　したがって、政府の予測がはずれた場合にどの前提条件が妥当でなかったかを議論することは意味がありますが、政府が無能であると批判するのは建設的ではないと思われます。

11　賃金率とは、多くの場合に単位時間当たりの賃金（例えば時給）を指します。

12　医師は病院に勤務する「勤務医」と診療所を開業する「開業医」に大別されますが、医師不足が問題になっているのは主に前者であると考えられます。このため今回は勤務医の労働市場のみを考え、勤務医が開業医になる場合には市場から退出すると考えます。

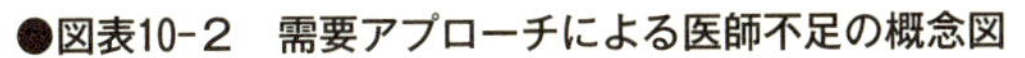

●図表10-2 需要アプローチによる医師不足の概念図

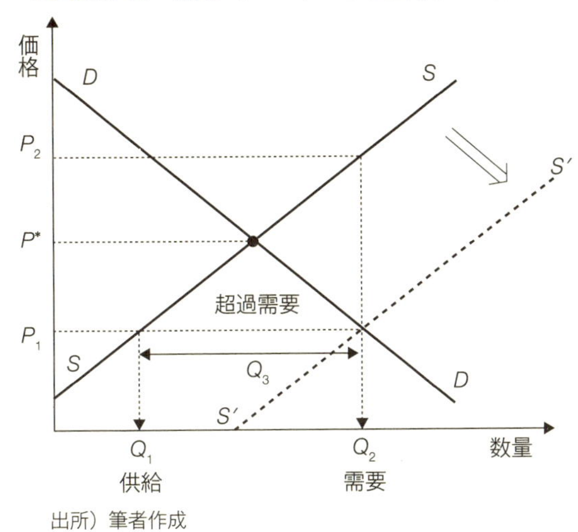

出所）筆者作成

想定されるので、右下がりとなっています。

需要アプローチでの医師不足とは、この需要が供給を上回っている「**超過需要**（excess demand)」の状態のことを指します。労働市場での供給量が Q_1、需要量が Q_2 としますと、その乖離幅の Q_3 が超過需要の量となります。例えば現在の賃金率が市場価格（P_3）より低い P_1 にとどまっていると、医師側は供給量を削減（あるいは勤務医市場から退出し、開業医や非臨床職などに転職）します（Q_1）。一方、病院側は現状の低い賃金率（P_1）であれば、多くの医師を雇用したいと考えます（Q_2）。

勤務医の労働市場が標準的な競争市場であれば、超過需要が生じると価格（賃金率）が上昇し、供給（勤務医の労働量）の増加と需要（病院の雇用量）の縮小が起きて、医師不足は解消されると考えられます。ここでのニーズアプローチとの重要なちがいは、高い価格（賃金率）を勤務医に支払う能力のない病院は、医師の雇用をあきらめるという点です。つまり、一定数の病院は必要と考える医師の雇用ができなくなることを許容している点です[13]。

また、医学部の定員を増加させる政策は、供給曲線を下方シフトさせること

13 例えば、人口密度が低く採算の悪い地域で、必要不可欠な医療サービスを提供している病院でも、医師を雇用できなくなることを許容することになります。

となります。例えば、供給曲線 $S'S'$ までシフトすれば、賃金 P_1 のままで、超過需要を解消します。

勤務医市場の特徴と価格メカニズムの限界

しかし、多くの人が医師不足と考えている現状でも、勤務医の賃金率に顕著な上昇は確認されていないようです[14]。吉田（2009）は、医師の賃金にとくに規制は見られないが、2001年から2006年にかけて勤務医の時給はむしろ低下していると指摘しています[15]。このような点から、勤務医の労働市場では、一般的な競争市場とは異なる特徴があることが想像できます。海外の事例から原因を探ると、需要側の「**買い手独占**（monopsony）」が原因の１つであることが考えられます[16]。

買い手独占の勤務医市場

「買い手独占」とは労働市場において需要側（病院）が独占的な構造を持つ市場で、需要側が賃金の決定や雇用量に影響を及ぼすことができると考えられます。これは、特定の業種・地域に就職希望者が集中する場合には、需要側は市場支配力を持つことができるためです。例えば、Folland et al.（2001）は、看護師の労働市場での買い手独占が看護師不足の原因であると説明しています。看護師等では、一般労働者に比して①地域限定（配偶者の勤務地の近くに限定）、②職場限定（医療機関に限定）があるため、労働市場が多数の供給者（看護師）と少数の需要者（病院）で構成されます。このときに、病院は市場価格よりも低い賃金で看護師を雇用することが可能です。日本の勤務医の場合にも、急性期病院限定（症例数が多い）や都市部限定（子供の教育）などの条件に合う医療機関の数が限定されると、当てはまる可能性があります。

14　ただし、過疎地の自治体病院が高給で医師を確保する事例はあります。ある医師が過疎地への単身赴任を決意したところ家族に猛反対され、２年のみという約束で赴任しました。ところが最初のボーナス日にこれまでの数倍の金額が振り込まれ、当日中に奥さんから「こっちは大丈夫だから５～６年ゆっくりしてきて」という電話が来たという話もあります。

15　2001年には6175円であった時給が、2006年には5582円に低下したと指摘しています。

16　このほかに、医師の賃金率上昇や供給増加に時間がかかるために起こる「動的不足」や、米国で確認されている「所得効果」および「配偶者所得による留保賃金率の上昇」なども原因として考えられます。

●図表10-3 買い手独占市場の特性

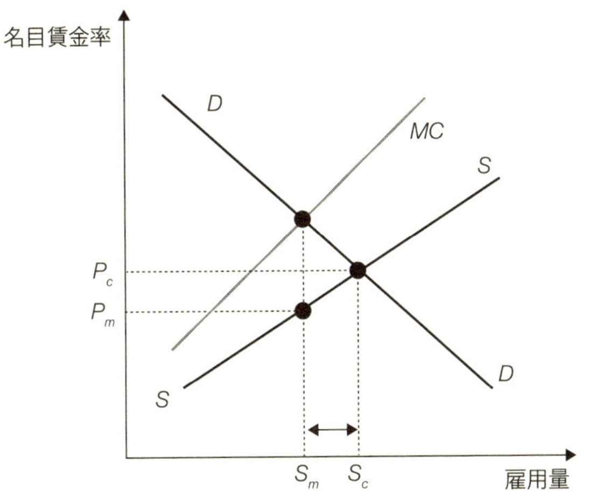

出所）漆・角田（1998）、145頁、図10より筆者作成

図表10-3では、ある地域（例えば県庁所在地）における勤務医の労働市場で、病院が1つしかない買い手独占の状態を想定しています。もし競争市場の場合には、勤務医を雇用する病院側の需要曲線 DD と勤務医の労働供給の供給曲線 SS の交差する P_c が価格となり、その場合の雇用量は S_c となります。しかし、買い手独占の場合には、需要側の病院は利益を最大化するために、限界費用曲線 MC と需要曲線 DD の交わる水準――[17]で雇用量 S_m を決定します。そして、この雇用量で賃金を P_m に決定します。このとき、完全競争の場合に比して価格は低く（$P_m < P_c$）、雇用量は縮小（$S_m < S_c$）します。

この買い手独占が原因である場合には、医療サービスの公的価格（診療報酬）を引き上げて、医療機関の収入を増加させても、勤務医の賃金が上がるとは限らないことになります。このような市場構造のケースでは、勤務医の賃金や労働条件に関する規制（政府による強制的な介入）により、労働環境を改善する対応策も検討されるべきでしょう。

17 労働の限界費用が労働の限界価値生産物と等しくなるという条件を満たします。

10-3 実証分析の結果を検討する

2つのアプローチの比較

ニーズアプローチと需要アプローチの比較

残念ながら医師不足に関する日本の実証研究はほとんどありません[18]。このため、残念ながら海外の実証研究をご紹介します。Lane and Gohman (1995) は、米国のデータを用いて、看護師不足地域についてニーズアプローチおよび需要アプローチの両方の結果を比較した興味深い研究です。

まず、ニーズアプローチでは、政府機関 (Office of Shortage Designations) が郡 (County) ごとに、常勤看護師数を「供給看護師数」とし、「必要看護師数」を入院患者数に対する比率から算出し、供給看護師数に対する必要看護師数の比率が全体の下から4分の1のグループに入っている場合に看護師不足地域と判定しています。

一方、需要アプローチでは、Lane and Gohman が看護師の需要関数と供給関数を設定し、郡単位の実際のデータを用いて推定しています。その結果から推定された看護師の需要が供給を10%以上上回る場合、その郡を看護師不足地域と判定しています。

推定結果を図表10-4で見てみましょう。病院の看護師に対する需要関数では、「賃金」の係数は符号が負で統計的に有意でしたので、病院は賃金が低いほど多くの看護師を需要することになります。このほかに医療サービスの生産量（延べ入院日数）が多いほど、病院の財務状態がよいほど、多くの看護師を雇用を増加させることが示されています。一方で、看護師側の供給関数では、「賃金」の係数は正で統計的に有意で、賃金が高いほど供給が増加することを示しています。さらに、他の職場での賃金が高いほど当該地域での看護師の供給が減少することが示されています。

それではニーズアプローチと需要アプローチの看護師不足地域の判定のちがいをより詳しく見てみましょう。図表10-5を見ると需要アプローチによる看護師不足地域は423郡ですが、そのうち、ニーズアプローチでも不足地域とな

18　これまで明確に「医師不足」との判断を明示しなかった（209頁の注1）のは、日本の医師需給に関する需要アプローチによる実証研究の結果が確認できなかったためです。

●図表10-4 需要供給関数の推計結果

常勤看護師数の需要関数

説明変数	係数	*t* 値
定数	−7.54 ***	8.34
常勤看護師の賃金	−0.92 ***	11.17
病院の市場支配力		
（ハーフィンダル指数（独占度指数））	−0.16	0.23
（病院数）	−0.12	0.25
病院サービスへの需要の強さ		
（延べ入院日数）	0.29 ***	12.08
（乳幼児死亡率（貧困指数））	−0.06	0.14
他の投入要素の価格		
（看護助手等の賃金）	−0.11	2.01
（病院の財務的健全性）	0.25 ***	2.61
（資本（病床）投資の価格）	0.30	0.9

常勤看護師数の供給関数

説明変数	係数	*t* 値
定数	−2.40 ***	4.00
常勤看護師の賃金	0.17 ***	1.96
他の職場での賃金		
（当該地域以外の常勤看護師の賃金）	−0.36 ***	2.18
（当該地域の１人当たり平均賃金）	−0.65 ***	6.08
看護師の職の得やすさ		
（常勤看護師の割合）	0.01	0.46
（非常勤看護師の割合）	−0.19 ***	12.22

出所）Lane and Gohman（1995）より筆者作成

ったのは133郡（全体に占める一致の割合は７％）にすぎません。一方、看護師充足地域での２つのアプローチの一致率は54％となっています。つまり、充足地域の判定での一致率に比して、不足地域での一致率は非常に小さいのです。

では、なぜ２つのアプローチでの判定が分かれるのかの理由を知るために、判定が不一致であった地域の特性を図表10-５で比較してみましょう。需要アプローチでは不足地域とされたのにニーズアプローチでは充足地域とされた郡(B）は、その反対の地域（C）と異なる点が２点あります。第一に、看護師（常勤）の賃金が比較的低い点です。第二に、１人当たり平均賃金で見た他の職場での賃金が高いことです。つまり、看護師の低賃金と代替的な職場の高賃金により、看護師の供給が減少していると考えられます。また、乳幼児死亡率で見た病院サービスへの需要水準が低く、実際の人口当たり看護師数が多い点

●図表10-5　看護師過不足地域の判断結果

需要ベース	ニーズベース 不足	充足	合計
不足	A　133郡 一致率（7.07%）	B　290郡	423郡
充足	C　432郡	D 1025郡 一致率（54.52%）	1457郡
合計	565郡	1315郡	1880郡

出所）Lane and Gohman（1995）より筆者作成

●図表10-6　看護師過不足地域の判断結果

	B：需要不足&ニーズ充足	D：需要充足&ニーズ不足
常勤看護師の賃金	16429	25594
他の職場での賃金		
当該地域以外の常勤看護師の賃金	21506	22270
当該地域の１人当たり平均賃金	11567	10729
病院サービスへの需要の強さ		
乳幼児死亡率（貧困指数）	94.67	105.07
人口当たり常勤看護師数	7.70	6.19

出所）Lane and Gohman（1995）より筆者作成

も見られます。この２点から、ニーズベースでは看護師が充足されていると判断されたと思われます――19。この結果を日本に当てはめてみると、ニーズアプローチで日本全体が医師不足と判定されていても、需要アプローチで見ると勤務医の賃金が高く他の代替市場（開業医など）の賃金が低い地域では、医師が充足していると判定される可能性もあります。

計画か、市場かの論争

このように大きなちがいがでる２つのアプローチのいったいどちらを信頼すればよいのでしょうか。Folland et al.（2001）では、米国で現在も医療政策に

19　日本では全国ベースで医師不足か否かが議論になりましたが、むしろ地域（例えば自治体単位）ごとに医師の過不足を議論するほうが、判定が正確で対策が立てやすいと思います。

おいてニーズアプローチをとるべきか需要アプローチをとるべきかの論争が続いていることをコラムで紹介しています。米国では、民間保険者（HMO）が1990年代にさまざまな経済学的誘因を設定して、専門医からプライマリケア医への医師のシフトや、訓練された看護師等の他の医療専門職への医師業務の代替を促進しました。この点についてMoore（1994）は、プライマリケア医の所得上昇によりその供給数が増加したことをあげて、労働市場における価格メカニズムを積極的に評価するべきと述べています。一方、Reinhardt（1994）は、この評価に反対し、第一に医師の養成数は政府により制御されており、医師の労働市場への参入が自由ではないこと、第二に実際の治療をどのようにするかは医師の自由裁量が大きいことの２点をあげて、医師の労働市場における価格メカニズムには限界が大きいと主張しています。

10-4 今後の方向性と討論

ニーズアプローチの限界

医学部定員の増加で対応できるか

これまで見てきたように、医師不足か否かの判断をするには、需要アプローチとニーズアプローチのどちらをとるかにより結論が変わる可能性があります。

厚生労働省がニーズアプローチをとっている日本では、病院（つまり需要側）に対する必要医師数の調査を実施し、医師不足と判断されています。しかかし、ニーズアプローチは一定の仮定条件下で、医師の需給を推計するため、その仮定条件が当てはまらなければ、予測ははずれることになります——[20]。したがって、そもそもニーズアプローチには限界がある点を考慮せずに、医師の需給を考えること自体に無理があったのではないでしょうか——[21]。また、需要アプローチとの比較で見たように、現在の勤務医の賃金水準を他の代替的

20　とくに、その予測期間が長期になればなるほど、仮定条件が変化する可能性が高くなるため、正確に予測することはより困難になります。

21　日本では政府の発表数値を検証せずに盲信し、その数値がはずれると猛烈にバッシングが行われるケースが見られますが、政府が神様でない以上、すべての予測値には限界があります。本書を読まれた皆さんには、「誰が言っているのか」だけでなく、「どのような手法で推計したのか」を見て妥当性を判断するようにしていただきたいと考えています。

な職場も含めて考慮する必要があります。

このように考えると、医学部定員を増員しても、現在の勤務環境（賃金だけでなく、勤務時間や訴訟リスクも考える）を改善しないままでは、勤務医市場から医師が退出して、代替的な開業医になったり非臨床職（例えば製薬会社の研究職）につくことが続く可能性が高いと考えられます。このため、医学部定員の拡大で、必要な勤務医が確保できるとは考えにくいでしょう。また、医師の養成には大学で６年間、臨床研修に２年、合わせて８年以上かかりますので、最初の増員（2009年）の効果が影響を及ぼすのは、少なくとも2017年以降となるでしょう。したがって、ここ数年ではその影響はほとんど期待できないと考えてよいでしょう。

市場特性に合わせた政策

そうであれば、短期的に勤務医の供給を増加させるためには、逆に代替的な労働市場から医師を呼び戻す（あるいは少なくとも流出させない）方策を講じる必要があります。勤務医の労働市場で「買い手独占」が生じているとすれば、医療サービスの公定価格を引き上げて病院の支払い能力を強めても、勤務医の賃金引き上げや労働環境の改善を行うとは限らないと考えられます。このような場合には、やむを得ず賃金や労働環境に関する規制を強める対応が考えられます。併せて、医師の業務量が現状でも過重であれば、医師業務を看護師が、看護師業務を介護士が一部代替できるように、規制や教育課程を見直してはどうでしょうか──[22]。

医師の雇用環境の変化への考慮

医療政策的としては賃金だけでなく、急性期病院の医師の勤務環境が大きく変化していることを把握することが重要と考えます。例えば、井手・田中（2008）によると、急性期病院では平均在院日数の減少（1995年の32.8日から2007年の17日）により、一日の担当患者数（担当ベッド数）が同じでも、一定期間に担当する患者数が1.9倍となり、書類作成などの間接業務量が1.5倍とな

22　お気づきの方も多いと思いますが、これは勤務医の代替財（サービス）を利用するという考え方です（本書第５章の101頁をもう一度参照してみてください）。

ることを検証しています。これらの患者数・間接業務量の増加は、直接診療に当てる時間を圧迫するという点でも、勤務医の労働量や精神的負担が大幅に増加していることを示しています。

併せて、小松（2006）によれば、病院での訴訟リスクの増加が「立ち去り型サボタージュ」という、勤務医の退職につながっていると指摘しています——[23]。つまり、従来よりも過酷な勤務に加えて、医療サービスの特性——[24]が理解されないまま犯罪者となるリスクを科されるという現状もあわせて改善する必要があると考えられます。このように、勤務医の労働環境をめぐっては、「労働密度が上昇」し、「訴訟リスクが顕在化」していることも政策面で考慮する必要があるでしょう。

根源的な原因も忘れてはならない

日本では、医師不足の問題から日本の医療制度が崩壊したという論調がよく見られます。しかし、海外でも医師不足は起きています。最近の研究で医師不足を題材にしたものを見ると、例えば米国・英国・カナダ・オーストラリアで問題として認識されています。つまり、「労働力不足」は医師や看護師などの医療専門職につきものの問題と考えてもよいのではないでしょうか。ただし、日本特有の構造問題としては、過剰な病床（あるいは病院数）が忘れてはならない原因として指摘できます。つまり、日本では人口当たりの病床数が多いために、医療専門職が分散して配置され、そのために個別病院で24時間体制を取ると、医師に過重な負担がかかる傾向があります。このため、伏見（2009）が試算しているように、急性期病院を集約化して、比較的医師の負担が少ない

23　小松（2006）には、「医療における罪の明確な定義なしに、医師に刑事罰を科すと医療を壊すことになりかねない」「あいまいな理由により犯罪者にされかねないと、普通の医師までが警察とマスコミを恐れるようになっている」（はしがき、iii頁）という指摘があります。

24　医療サービスの特性のひとつに医療サービスの不確実性があります。本書69頁の図表3-4をもう一度みてください。医師が同じ技術や努力で医療サービスを提供しても、その結果は患者によって確率的に変化します。この確率分布の概念がないと、治療の結果が患者の期待通りにならなかったことに対して、医師の努力や技術に問題があったはずだとして責任を問われかねません。この点は、マスコミ関係者にも正しく理解されていないかもしれない重要な問題です。

療養病院から急性期病院に医療専門職を移動させ、集中的に配置することにより、現状の医師数でも労働環境を改善できる可能性があります。

なお、2016年の政府の医師需給の検討会では一転して、2024年～2033年に需給関係は均衡から過剰に向かうと報告しています。

【討論課題】

あなたが厚生労働大臣であったならば、日本の医師需給についてニーズアプローチを採用しますか、それとも需要アプローチを採用しますか。どちらかを主なアプローチとして判断し、そのうえで講ずるべき政策があれば提案してください。

Health Economics

第11章

「終末期医療」は無駄なのか——日本人の死生観

「なるほど君」のお母さんはがんが発見されてから、徐々に状態が悪化していた。結局、米国で開発された新薬は使わず、保険診療の範囲で手を尽くしたが、どうやら手遅れのようだった。すでに入院してから数カ月が経ち、お母さんは自宅に戻りたがっていた。

なるほど君はお母さんが死んでしまうことには耐えられないが、これまでも病院の担当医はベストをつくしてくれたことがよくわかっていたので、病院にいるより不安だが自宅に戻れるようにしようと決意した。

ところが退院日の前日になって、一度も見舞いにこなかった叔父さんが病院に「妹を殺す気か！」と怒鳴り込んできた。経緯を説明しようとしたなるほど君を無視して、いきなり叔父さんは担当医に文句を言い始めた。

11-1　医療の問題を知る

終末期をめぐる論争

終末期とは何か

終末期はあまり日常生活では使わない言葉ですが、死が近い状態と考えてください[1]。終末期に患者に実施される医療には、救命（つまり健康回復）を重視して行う治療と、生活の質（Quality of Life、以下 QOL）を維持するため疼痛管理を行う緩和ケアの２種類があると考えられます。なるほど君のお母さんの場合でいえば、最後まで救命のために根治的な手術などを病院で行うケースと、痛みをコントロールしながら家族と QOL の高い時間を居宅で過ごすケースが考えられます。しかし、なるほど君が困ったように、本人が希望しても、家族や医師の意見もあり、「救命」から「QOL」重視への変更は、難しい問題がともないます。

1　一般的な定義では、「病状が不可逆かつ進行性で、その時代に可能な最善の治療により病状の好転や進行の阻止が期待できなくなり、近い将来の死が不可避となった状態」とされています。

●図表11-1 「福祉のターミナルケア」論争に関する2つの主張

福祉のターミナルケア	賛成派	反対派
終末期ケアの現状	患者の意向によらない過剰な救命重視の医療が行われている可能性	立場の弱い高齢者に対して救命重視の医療が過少になっている可能性
終末期のケアのあり方	終末期に際して積極的な延命治療だけではなく、ホスピスでの緩和ケアを拡大する	終末期の判断は困難で、緩和ケアの希望者であっても、高齢者が医療を受ける権利を守るべき

出所）石井（1998a）、広井(1998a)、横内（1998a)、石井（1998b）、横内（1998b）、広井（1998b）、西村（1998）などから筆者作成

「福祉のターミナルケア」論争

日本では、「終末期に医療を抑制して福祉（介護サービス等）で代替し、併せてQOLを重視する緩和ケアやそのためのホスピスを拡張するべき」という主張と、これに反対して「終末期であっても高齢者の医療を受ける権利を擁護するべき」との主張との政策論争が、10年以上前に医療福祉専門誌[2]の誌上で戦わされました（図表11-1）。この**「福祉のターミナルケア」論争**は、1996年に発表された「福祉のターミナルケアに関する調査研究事業報告書」（長寿社会開発センター）において「高齢者の終末期に際しては、患者の意向によって死亡場所を選択できるようにするべき」との主張から始まりました。この主張は、「高齢者が終末期になった場合には、QOL重視のケアを行う体制をとること」を提案しています。これに対して、「終末期が予測可能なのは『がん』などであり、多くの場合には予測できない。高齢者の医療を受ける権利を制限すると、助かる命が犠牲になる可能性がある」との反対意見が出されました。この反対意見は、「経済的な問題によりいかなる医療も制限するべきではなく、そのための医療費は国民が負担するべきである」との考え方が背景にあります。この論争には明確な決着は見られなかったようですが、終末期医療における2つの代表的な意見を示していると考えられます。

---

2 興味のある方は、石井（1998a）、広井（1998a）、横内（1998a）、石井（1998b）、横内（1998b）、広井（1998b）、西村（1998）などを読んでみてください。

このような終末期医療の問題に、経済学はどのような実態把握や解決策を提案することができるでしょうか。まず、高齢化と終末期医療の関係について見てみましょう。

11-2 経済理論で理解する

燻製ニシン論争

高齢化と終末期医療に関する疫学モデル（morbidity theory）

高齢化と終末期医療が医療費にどのような影響を及ぼすかについては、疫学[3]分野にいくつかの理論モデルがあります。図表11-２はある世代（コーホート）[4]の誕生から死亡までの平均期間を「健康な期間」と死亡前の「不健康な期間」に分けたモデル図です。この世代の死亡率が低下し平均寿命が延長した場合に、健康な期間と不健康な期間の割合がどのように変化するかについては、A、B、Cの３つのパターンが考えられます。

Aの場合には、人口の高齢化により、死亡の原因となる疾病へ罹患した期間が増加すると想定しています。この結果、生存期間の延長において、健康な期間の増加幅よりも医療を利用する不健康な期間の増加が大きくなります（the expansion of morbidity theory）。Bの場合には不健康な期間は変化せず、健康な期間のみが増加します。Cの場合には、不健康な期間は短縮し、健康な期間が大幅に増加します（the compression of morbidity theory）。

一般的に「高齢化により医療費が増加する」とのイメージは、Aの状態を想定していると考えられます。一方で、Bの場合には、世代（あるいは年齢）によって医療サービスの内容が変わらないとすれば[5]、医療費もほとんど変わらないと考えられます。さらに、Cの場合には高齢化により医療費がむしろ減少すると考えられます[6]。Payne et al.（2007）が疫学調査の結果をレビュ

3　疫学とは、個々の患者というよりは人口集団を対象に伝染病や生活習慣病などの原因や傾向を明らかにするために、統計学の手法を用いて研究する研究分野です。

4　コーホートは、同期間（あるいは同年）に出生した集団を指します。例えば、現在60歳以上から70歳未満の集団の高齢化の影響をモデル化して考えます。

5　先進国のなかには年齢によって人工透析や大腿骨置換術などを差し控えるガイドラインを設定している場合もあります。

●図表11-2 人口の高齢化と医療費への影響に関する概念図

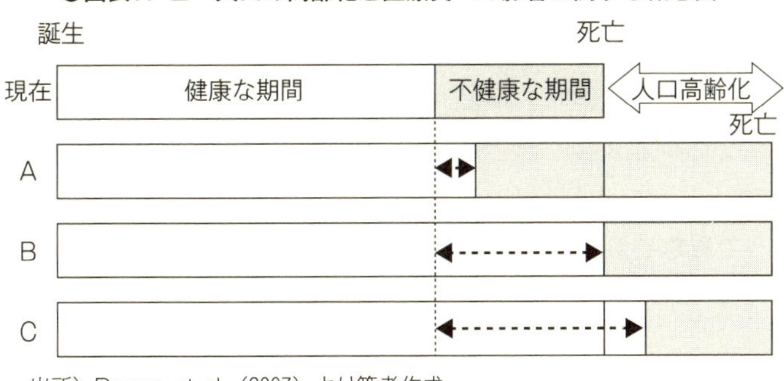

出所）Payne et al.（2007）より筆者作成

ーしたところ、先進国では高齢者の罹患率や障害率は低下しており——7、人生における健康な期間が伸長しているため、C の the compression of morbidily theory が一貫して支持されているとしています。このような疫学研究の成果からは、高齢化は医療費を増大させるという一般的なイメージは疑わしいと考えられます。

しかし、結論を出すにはまだ考慮しなければいけない点があります。この理論では死に至るまでの不健康（つまり病気）な期間の変化が「鍵」となっています。この期間を終末期ととらえるならば、終末期が短縮したとしても、極度に濃密な医療が行われると、医療費は逆に増加する可能性があります。

Becker et al.（2007）は、米国で終末期医療費が全体の４分の１にも至る理由を合理的な理論で説明を試みています。従来の経済理論では、終末期においては医療費の見返りとして生存期間の延長が見込めないため、医療サービスを需要しないずです。ところが、実際に終末期に多く（ときには過剰な）の医療費が使われる合理的な理由として以下のような説明を試みています。第一に、死亡により個人の持つ資産（お金）の価値が消滅するため、少しでも生存の可能性があれば、利己的な個人はすべての資産をつぎ込む。第二に、終末期では生存するという「希望」——8自体の価値が大きくなり、そのために医療費を支

6 ただし、不健康な期間の短縮が医療サービスを使った結果による効果と考えれば、医療費をかけるからこそCになったのであって、必ずしも医療費が節減できるとは限りません。
7 ただし、関節炎・糖尿病・がんなどの生活習慣病は増加していることに注意が必要です。

払う。第三に、患者が生存することによって家族や医療関係者に正の外部性――[9]があるため、終末期医療の社会的価値は個人としての価値を上回る。もし、このような説明が現実に適合するならば、終末期の医療費は高騰するということになりかねません。

疾患によって異なる終末期の経路

われわれは日常的に死に立ち会うことがありませんから、死亡前の様子は映画やテレビドラマなどで知るぐらいでしょう。そこで、終末期にどのような状態になるのかの理論モデルを見てみましょう。図表11-3は、Lynn and Adamson（2003）が提示したがんの場合の時間の経過に伴う機能の低下を表しています。がんは病状の進行によって急激かつ単調に機能が低下して短期間で死に至ります。このため、がんの場合にはかなり正確に終末期か否かの判断ができると考えられます。

しかし、多くの心臓疾患・肺疾患では、事情が異なります。図表11-4に見られるように、緩やかに機能が低下していく過程で急激な機能低下・回復を繰り返すパターンをとります。このとき、症状が悪化して機能が低下した際に医療サービスの供給を停止すると、余命を縮めてしまう可能性があります。このため終末期かどうかの判断はがんに比して困難です。

さらに、老化による衰弱（老衰）や認知症の場合には、図表11-5のように、低い機能のままの状態が長く続くパターンです。加えて、時々小刻みな機能の低下・回復が起きるため、終末期の判断は更に困難と考えられます。このように、終末期は患者が「がん」であるか「それ以外の疾患」であるかによって、終末期の判断の困難さに違いがあると考えられています。

red herring 仮説

それでは、経済学の世界に戻って、高齢化と終末期医療が医療費に与える影

8　この「希望」を「将来生存するための現在の消費（current consumption of future survival）」と説明しています。

9　本書47頁の注5に「外部性」の説明がありますので、参考にしてください。この「正の外部性」は、患者が一日でも生き延びることによる家族の効用増加などです。

●図表11-3 がんの機能低下パターン

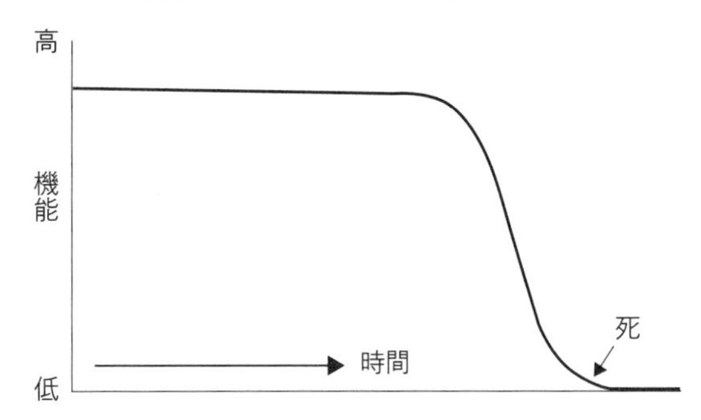

●図表11-4 心臓・肺疾患の機能低下パターン

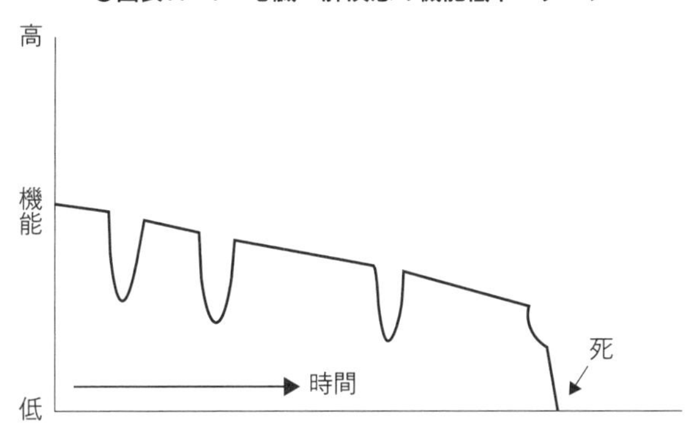

●図表11-5 老衰・認知症の機能低下パターン

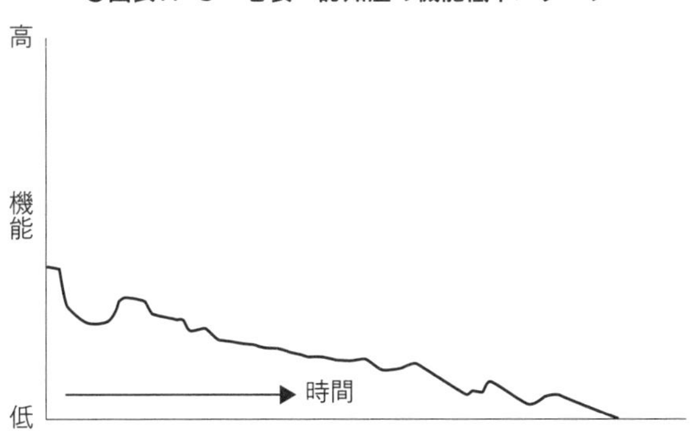

出所）いずれも Lynn and Adamson（2003）より筆者作成

響を見てみましょう。先の疫学研究での morbidity theory 理論で出てきた、「高齢化が医療費増加をもたらすか」については、Zweifel et al.（1999）が **red herring（燻製ニシン）仮説**を提示しています。red herring には、直訳である「燻製ニシン」という意味のほかに、人の注意を他にそらせて本筋を悟らせないようにするもの（煙幕・おとり）との意味があります。これは、猟犬の訓練をする際に、本物の獲物を引きずった道に、匂いの強い燻製ニシン（偽者の獲物）を交差して引きずっておいたことで、猟犬が獲物を見失ったことからきています。このことから、red herring 仮説は、「年齢」は医療費の本当の増加要因ではない（つまり red herring）とし、「死に至るまでの有病期間」（time to death、以下 TTD）が真の獲物であると主張するものです。このTTD は、前節での「不健康な期間」とほぼ同じ概念と考えてよいでしょう。Zweifel et al.（1999）は、スイスの疾病金庫（公的保険）の２～５年間のデータを用いて、それまで確認されていた「年齢」と「医療費」の関係が、TTDを変数として制御した場合、統計的に有意でなくなることを示しました。この燻製ニシン仮説には、支持する研究がある一方で、多くの反論や問題点の指摘が行われ、いわゆる「red herring」論争が起きました。

例えば、Seshamani and Gray（2004）は、その研究結果が地域によって異なる可能性や、より長い期間のデータを用いるべきであると反論しました。そして実際に、16年間の長期データを用いて、死亡前の医療費の増加が13年前から確認できることを示しました。また Polder et al.（2006）は、研究で使われたデータは死亡した患者のみであったが、治療後に生存した患者も加えて分析する必要性を指摘しました。実際にオランダのデータを用いた分析では、死亡患者よりも生存患者のほうが医療費が少ない傾向が見られることを確認しました。また、Hoover et al.（2002）は、医療費には急性期医療費（acute health care cost）に加えて、介護費用（long term care cost）も含めてトータルな費用（total health care cost）に考えるべきであると主張しました。米国のデータを利用した当該研究では、医療費以外の介護費用なども考慮すると高齢化により総費用が増加することが示されました。

この燻製ニシン論争によって、医療費の増加要因としては、「年齢」よりも「死亡までの有病期間（TTD）」が大きな要因であることがわかってきました。

したがって、高齢者がさらに高齢化する影響を考えた場合には、発症して死亡するまでの治療期間（TTD）が長いことが問題となります。また、介護費用などを含めたトータルな費用は高齢化により増加するとの認識が一般的になりました。この結果がわが国でも支持されるのかについては、次節の日本の実証研究結果のなかでご紹介しましょう。

11-3　実証分析の結果を検討する

日本で red herring 仮説は支持されるか

日本における高齢者医療費の推移

最初に、近年の日本の国民医療費とそのなかの老人医療費の推移をみておきましょう――[10]（図表11-6）。日本の国民医療費は、2010年（37.4兆円）からみると2015年（42.4兆円）の５年間で約５兆円増加しています――[11]。一方で、老人医療費（75歳以上の医療費）は12.7兆円から15.1兆円と５年間で2.4兆円増加しています。この期間に高齢化率は23.0%（2010年）から26.6%（2015年）までゆるやかに上昇していますから、老人医療費の合計値は横ばいか減少していると考えて差し支えないでしょう――[12]。したがって、今のところ老人医療費だけが国民医療費を急増させているとは考えにくいところです。

高額な終末期医療費の事例

しかし、皆さんの多くは高齢者が亡くなる前に高額なハイテク医療を使っているので、老人医療費は増加しているはずとお考えではないでしょうか。よく新聞などに、短期間に高額な医療費を利用した事例が出てきます。これは医療費を審査する組織（例えば、国民健康保険中央会）が高額な医療費の事例を毎

10　医療費の増減を見るには、どの期間を比較するかが重要です。今回は、公的介護保険の導入後である2001年から長寿医療制度（後期高齢者医療制度）の導入前の2006年までを比較してみましょう。

11　ただし、「国民医療費」は日本独自の医療費の算定方法で、公的医療保険制度で給付されない分娩や美容整形、介護保険関係の費用は含まれていないことに注意が必要です。

12　この老人医療費の推移グラフを授業で示すと、多くの受講生が意外だったという感想をもらします。たぶんマスコミ報道で、「高齢化」が医療費増加記事の枕詞のように利用されているためと思われます。

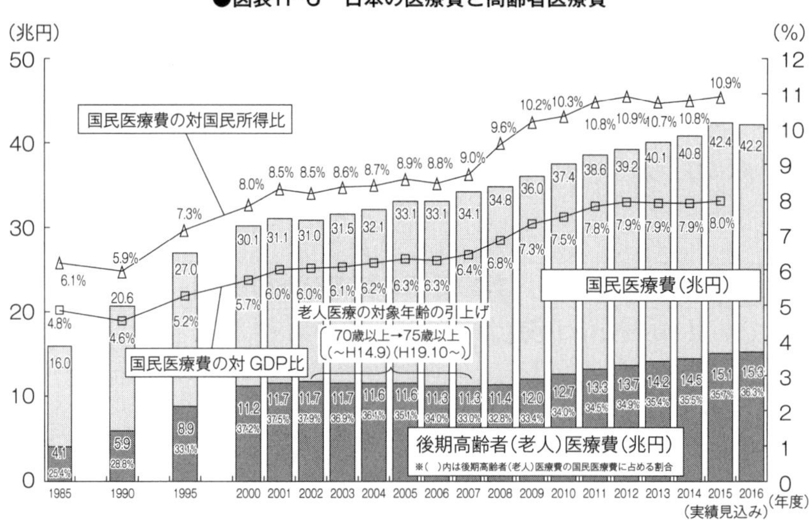

●図表11-6　日本の医療費と高齢者医療費

出所）厚生労働省（2018）『平成30年度厚生労働白書』

年発表しているからです。例えば、高齢者の加入者が多い国民健康保険および長寿医療制度の2009年の数値では、１カ月に400万円以上の医療費（医科のみ）を使っている事例が１万6000件近くあります。このように多額な医療費を使う場面を想像してみると、いわゆるスパゲッティ症候群といわれる、終末期の高齢患者にあらゆるハイテク医療をつくしているシーンが想像されます。

しかし、この発表をよく見てみると、400万円以上の高額医療費１万5970件のうち75歳以上の高齢者分は5569件で約３分の１にすぎません。さらに全体の件数（入院件数で2029万4500件）に占める割合は0.0003％に達しません。つまり、実際には皆さんがイメージされるような高額な医療費の事例はかなり例外的なケースと考えたほうがよさそうです。

日本における終末期医療費の推計

そんな話はとても信じられないという方には、日本で高齢者の死亡前１年間の医療費（終末期医療費）を推計した府川・郡司（1994）をご紹介しましょう。この研究では日本の11県から収集した１年間（1991年３月～1992年２月）の医療費請求データから約170万人分の高齢者の医療費を分析しています。その

●図表11-7 入院における患者1人当たり死亡前医療費の推移

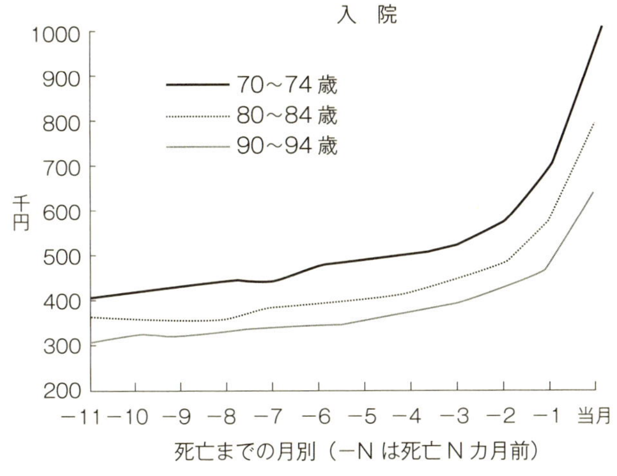

出所）府川・郡司（1994）、113頁、図4より筆者作成

結果、死亡前1年間にかかる終末期医療費は、高齢者の年間医療費の12%にすぎないことが示されています——13。

さらに、死亡1年間の医療費は死亡当月に近づくにつれ急激に増加することと、その医療費水準は年齢が高いほど低下することを示しています。図表11-7は死亡当月から遡った12カ月の入院医療費の推移を、年齢区分別に示しています。これを見ると、入院医療費は死亡時期が近づくにつれて増加し、とくに死亡前2カ月あたりから急激に増加（70～74歳の場合で60万円以下から100万円近くまで上昇）しています。次に、70～74歳の年齢区分よりも90～94歳の年齢区分のほうが全期間にわたって入院医療費の水準が低いことを示しています。また、入院外（外来）の医療費を加えて医療費総額で見ても、死亡前1年間の医療費に占める入院医療費の割合が非常に高いことから、合計額の傾向も同じ結果となりました。ただし、この研究では介護費用は含まれていません——14。

---

13 ちなみに、Garber et al.（1998）によれば、米国の場合には23.4%以上とされています。米国の終末期医療費に関する実証研究については、兪（2008）が詳しい説明をしています。

14 日本を含む先進国9カ国の終末期医療費（死亡前1年）の比較研究によると、全医療費の10%前後であることが示されています。

●図表11-8　年齢別の死亡前医療・介護費（死亡・生存別）

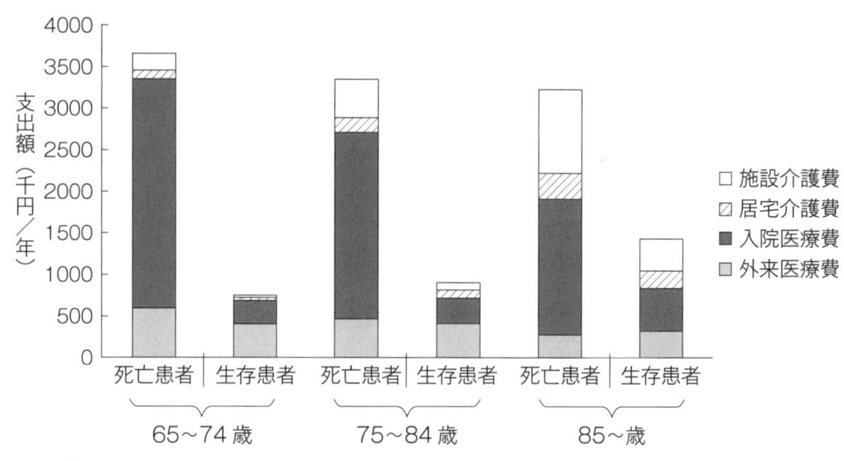

出所）Hashimoto et al.（2010）, p3032, Figure 8より筆者作成

red herring 仮説に関する日本の実証研究

それでは、高齢化は医療費を増加させるというのは見せかけとする red herring 仮説は日本では該当するのでしょうか。そこで、最近の日本の研究として、Hashimoto et al.（2010）を紹介しましょう。

当該研究では医療費および介護費の保険請求データを接合したデータベースを用いて、トータルな費用の増加要因を分析しています。この研究は red herring 論争での２つの論点、死亡患者だけでなく生存患者も含み、医療費だけでなく介護費用も含めている点からほかにはない特徴を持つ研究です。

その分析結果によれば、医療費だけの場合では、「死亡までの期間（TTD）」が医療費の増加要因で、焦点となる「年齢」はむしろ医療費の減少要因でした。また、治療後に生存している高齢者は死亡した場合よりも医療費が少なくなっていました。図表11-8を見ると、医療費（入院医療費と外来医療費の合計）は、死亡患者のほうが生存患者よりも高く、死亡患者の場合には、年齢区分が高いほど医療費の水準が低くなることが認められます。

次に、医療費に介護費（施設介護費と居宅介護費の合計）も含めてみると、死亡患者の場合には年齢区分による減少幅が埋め合わされ、生存例の場合には年齢が増加するにつれ、介護費用が増加するため、年齢がトータルな費用の増加要因になっていることがわかります。つまり、医療費のみの場合では燻製ニシン仮説が支持され、医療および介護費では燻製ニシン仮説は不支持の結果となりました。

どうやら日本でも、高齢化[15]が医療費の増加要因となる恐れは小さいようです。ただし、介護費を含めた総費用については、増加の恐れがあると考えたほうがよいでしょう。

11-4 今後の方向性と討論

各国で異なる死生観

まとめ

本章では、終末期医療費に関する問題について、一般に信じられている「高齢化が医療費を増加させる」や「高齢者の終末期に無駄な医療費が使われている」というイメージを経済学の立場から検証してきました。まず、高齢化が及ぼす影響に関する理論モデルから、死亡前の不健康な期間が延長するか短縮するかで、大きく異なることを示しました。つづいて、終末期に人間の機能がどのように低下するかについて、Lynn and Adamson（2003）の概念図を用いて、がんとその他の疾患で異なることを知りました。そして、経済学の分野では高齢化が医療費を増加させるか否かついての red herring 仮説を紹介しました。日本における実証研究の研究結果でも、高齢化は急性期医療費には影響を及ぼさないものの、介護費用などのトータルな費用を増加させることが示されました。どうやら日本においては、老人医療費や終末期医療費は医療費増加の主要な要因とは考えにくく、その抑制により多くの費用が節減できる余地は小さいようです[16]。

15 これまでご紹介した実証研究での高齢化とは、65歳以上の高齢者がさらに高齢化したすするという限定された範囲を指しています。したがって、現在の若年者が高齢者になる場合を含んでいないことに注意してください。

16 ただし、現在までの研究結果が十分な数でその手法が完全なわけではありません。したがって、日本ではさらに多くの実証研究が蓄積されてから確定的な判断をするべきであると考えます。また、医療技術の進歩や新たな医療福祉サービスが開発されることにより、これまでの知見が覆る可能性があることにも注意が必要です。

しかし、医療費の抑制の問題だけでなく、私たち日本人が望ましい終末期を迎えることができる仕組みが整っているのかという点も重要な政策課題です。しかし、この点については、それぞれの国の国民性や死生観がより重要な位置を占めていると考えられます。次に、米国・デンマーク・ドイツの事例を見てみましょう。

利用者の選択と経済的誘因を組み合わせる米国

米国では終末期医療費が高いことから、1986年に高齢者医療保障制度（メディケア）にホスピス給付が創設されています。この仕組みは、医師が余命半年という終末期の診断をした場合には、患者本人が従来どおり治療を続けるか、在宅ホスピス方式で緩和ケアを受けるかを選択できる仕組みです。ホスピス給付を選択すると自己負担額がほぼ無料に低減され、家族の助けがなくても大丈夫なようにヘルパーやカウンセラーまで派遣されます。このため、現在では多くの人が利用するようになり——[17]、一定の医療費削減効果があったとされています——[18]。

このように終末期であっても利用者が自分でサービスを選択でき、かつその場合に自己負担に差をつけることを許容する点は、米国の国民性に合っているのではないでしょうか。

社会的合意によって対応するデンマーク

デンマークでは、終末期になると社会的合意により、多くの場合、積極的な治療が行われない仕組みになっています。ヨーロッパ各国の終末期医療について調査したBosshard et al.（2005）によると、デンマークでは終末期と診断された患者の３分の１が積極的治療を差し控えるか、痛みのコントロールのみを行っていたそうです（図表11-９）。筆者がデンマークを訪問した際に、誰がそれを判断するのかをいろいろ聞いて回ったのですが、誰というわけではないけ

17　実際に米国のホスピス事業者の管理責任者に聞いたところでは、当初は「神様にもらった命を自らがあきらめることは罪である」との考え方も強く、ホスピス自体がなかなか普及しなかったそうです。

18　医療費削減効果については、例えばGozalo et al.（2007）などが参考になります。

●図表11-9 デンマークでの終末期の医療停止の割合

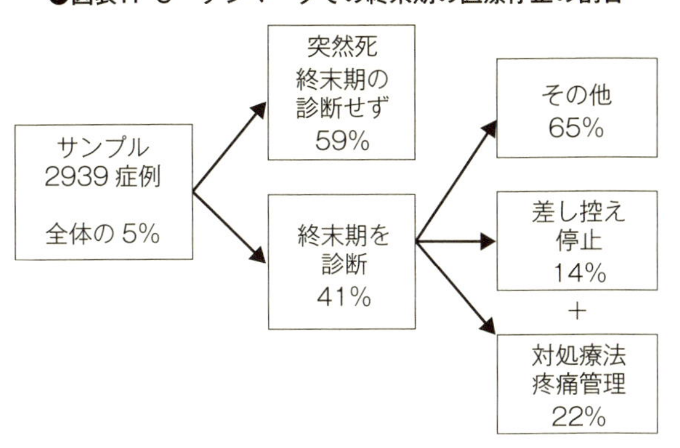

出所）Bosshard et al.（2005）より、デンマークの結果から筆者作成

れども自然と行われているというという回答でした——[19]。デンマークでは自力で栄養を摂取できなくなるなどの、老化による機能低下は病気ではないので治療しないという社会的合意があるようです——[20]。

ガイドラインに沿ったアドバイスを行うドイツ

医療専門職の地位が高いドイツでは、終末期における救命治療から緩和ケアへの移行については医師会のガイドラインにもとづいて担当医がアドバイスを行う仕組みがありました。実際に筆者がドイツ連邦医師会を訪問して入手したガイドラインでは、一定の条件を満たした場合には、患者自身に意識がある、なしにかかわらず、救命を重視する医療から患者の意思の実現（つまり要望を実現する）を重視する医療に切り替えることをアドバイスするように推奨していました（図表11-10）。つまり、医師個人の責任ではなく、ガイドラインに沿ったアドバイスを行うルールを確立しているそうです。日本のガイドラインと比較すると、明確な判断基準が記載されていることと、このガイドラインに従って行動した場合には連邦医師会の責任で医師を法律的に守るということでし

19 どうやら、長年の付き合いがある総合診療医が患者の意思を汲み取っている部分もあるようです。総合診療医（GP）については本書第3章で取り上げています。

20 デンマークやドイツにおける医療・介護体制については、河口ほか（2010）に詳しく記述してありますので、ご興味のある方は読んでみてください。

●図表11-10　ドイツ連邦医師会と日本医師会のガイドライン比較

	ドイツ連邦医師会	日本医師会
差し控え・中止の基準	医療行為が死期を遅らせることがほとんどなく、かつ疾病の進行を遅らせることがすでに無理な場合には、治療の差し控えか、中止を推奨。患者にすべての選択肢を示して同意を得る	(最善の医療をつくしても、病状が進行性に悪化することを食い止められずに死期を迎えると判断されるときには)患者本人と家族等の意向をふまえて総合的に判断する
治療目標の転換	医学的知識に基づいてすでに死期が近い患者に対して、延命措置が患者の痛みを長引かせる場合には、医師は治療の目的を「救命」から「患者の意思の実現」に変更する	(治療目的の変更に関する記述なし)
患者の意思確認ができない場合	意思確認ができない患者においても、患者が死の過程に入っており、治療が死期を遅らせることができない状態になった場合には、治療の差し控えか、中止を推奨。基本的な対応は意識のある患者と同じ	患者本人が意思表示できない場合には、延命治療の中止には、患者および家族等の意向が一致している必要がある

出所)ドイツ連邦医師会「Principles of the German Medical Association for Palliative Medical Care」(2004)英訳版および日本医師会「終末期医療のガイドライン」グランドデザイン(2007)より筆者作成

た。このような仕組みは職業別組合の機能が強く、ルールを厳守するドイツの国民性――[21]に合っているのではないでしょうか。

誰が終末期の医療を判断するべきなのか

このように、それぞれの国で終末期の医療に関する価値観(死生観)や国民性を反映した仕組みが工夫されています。これに対して、現在の日本では誰が意思決定するのかが明確ではなく、その結果、望ましい形の終末期医療を受けにくくなっているのではないでしょうか。例えば、日本では終末期医療に関して米国のように経済的誘因を加えることに対する拒否反応が強いと予想されま

21　ドイツ連邦医師会でヒアリングした際に、「日本では医師が患者の選択肢について十分に説明しないことが問題になるが、ドイツではどうか」と聞いたところ、質問の意図がうまく伝わらず、何度も質問しました。すると、「医師は患者にすべての選択肢を説明することをルールとしているので、守らないことは想定できない」という回答でした。ルールを作るのが好きで、そのルールを厳格に守るドイツの国民性を感じました。

●図表11-11 日本のA病院における終末期患者の心肺蘇生の希望

	人数（名）	割合	うち本人に確認		うち家族に確認	
心肺蘇生を希望しない	91	40%	13	50%	74	37%
心肺蘇生を希望する	134	60%	13	50%	125	63%
合計	225	100%	26	100%	199	100%

注）2006年４月から2007年11月の期間にA病院に入院中に終末期と判断され、A病院の「蘇生しない；DNR（do not attempt resuscitate）指示についての方針」に基づいてDNR確認書を交わした225名に関する調査結果

す——[22]。一方で、終末期に関する社会的合意が明確にあるわけではないので、なるほど君の叔父さんの例のように、誰かが一人でも救命治療の続行を求めると、本人も含めて反対できないようです。ドイツのように専門職団体が、法律的に医師を守ることができるガイドラインを検討する動きもないようです。

それでは、日本では、本人・本人の家族・病院の医師の誰が終末期医療について判断すればよいのでしょうか。日本人の国民性としては、高齢者が患者の場合には本人は自分よりも家族に迷惑がかからないこと重視し、必ずしも本音を表明しない傾向が認められます。そして、周りの家族が本人を慮って意思決定する場合が多いようです。しかし、患者本人が判断する場合と家族が判断する場合では必ずしも判断が一致していないようです。

実際に終末期と判断された患者本人とその家族に、心肺蘇生措置を希望するかどうかを調査した井町（2007）では、本人に確認した場合には希望しない割合が５割でしたが、家族に確認した場合には約４割と１割近く異なっていました（図表11-11）——[23]。

それでは、病院の医師はどうでしょうか。病院の医師は多くの場合、手術や救急医療は行うものの、特定の患者と長い間関係を持ったり、信頼関係を築く

---

22 筆者は個人的にはアメリカのホスピス給付の仕組みが好きですが、これをいうと、「だから経済学者は金の亡者だ」と批判されることがあります。別にお金が好きなわけではなく（もちろん嫌いでもありませんが）、最後まで自分で考えて選択することが人生で後悔しない唯一の方法であると思うからです。

23 多くの終末期に関する意向調査が、終末期に至っていない健常者や医療関係者に仮想的に終末期に至った場合を質問をしているのに対して、井町（2007）は実際に終末期と判定された患者（家族）にその意向を調査している点で、貴重な研究であると思います。

ことは困難でしょう。そのような状態で、個人の価値観に大きく依存する終末期に関する判断を求められても困ってしまうでしょう。むしろ、病院の勤務医よりも診療所のかかりつけ医のほうが、長い信頼関係を築きやすいという点で、救命医療の継続・差し控えを判断するのにより適していると考えられます。

終末期相談支援料の蹉跌

実は、2008年に成立した長寿医療制度（後期高齢者医療制度）において、「後期高齢者終末期相談支援料」という制度が設けられました。これは、医師（かかりつけ医）が高齢者と患者とその家族と終末期の治療方針について文書で決定した場合に、当該医師に報酬が支払われるというものです。筆者には、日頃から受診しているかかりつけ医とあらかじめ終末期について相談しておくきっかけとなり、本人のためにも良いことと思っていました。ところが、この制度は、後期高齢者（75歳以上の高齢者）のみを対象としていたため、「高齢者に早く死ねという制度」などと感情的かつ激しい批判を浴び――[24]、現在では廃止されています。しかし、廃止するだけでは、なるほど君のお母さんのような問題はこれからも続きます。自分以外の医師や政府に責任を転嫁することなく、患者（国民）自身が冷静な議論を行う時期にきているのではないでしょうか。

24　終末期医療を取り上げた本章に対しても、激しい批判があるのではと、筆者は心配しています。読者の皆さんは「そんなに心配なら書くなよ」と思われるかもしれませんが、医療経済学を学ぶ人にこの問題を広く知ってもらいたいと思い、勇気を出して執筆したしだいです（もちろん筆者の誤認・誤解などに関するご指摘は大歓迎です）。

【討論課題】

あなた自身が終末期となった場合、救命治療を続行を望みますか、それともQOL重視の緩和ケアに転換することを望みますか。また、日本において終末期になった場合にこの２つをどのように選択する仕組みが望ましいと考えますか。いったん緩和ケアを選択した後で、再度救命治療に変更できるかも含めて検討してください。

医療経済学を学ぶための読書ガイド

以下では、さらに医療経済学の理解を深めていただくために参考書籍を紹介します。

標準的テキスト

日本で最も読まれている標準的な医療経済学のテキストとしては、**漆博雄編『医療経済学』**（東京大学出版会、1998年）があげられます。内容は、ほぼ国際標準の医療経済学のテキストと同じで、必要な知識や理論が網羅的に掲載されています。一部、経済学の知識がないと理解しにくい部分がありますが、ミクロ経済学を学習した方にはわかりやすいと思います。

難易度は同じですが、より詳しい内容をカバーしたのが、**マックベイクほか『国際的視点から学ぶ医療経済学入門』**（東京大学出版会、2004年）です。より範囲は広く解説は詳細ですが、経済学を学んだ人には説明がやや長ったらしく感じるかもしれません。むしろ医療専門職の方に向いていると思います。ミクロ経済学を基礎から学習して、医療経済学と連続的に理解したい人には、**鴇田忠彦・中泉真樹『ミクロ経済学理論と応用』**（東洋経済新報社、2000年）をおすすめします。また、**橋本英樹・泉田信行『医療経済学講義 補訂版』**（東京大学出版会、2016年）、**井伊雅子ほか『新医療経済学』**（日本評論社、2019年）、**後藤励・井深陽子『健康経済学』**（有斐閣、2020年）、**康永秀生『健康の経済学』**（中央経済社、2018年）、**細谷ほか『医療経済学15講』**（新世社、2018年）が幅広い範囲をカバーした新しい教科書です。

この４つの本が新古典派経済学の典型的なテキストとすると、制度派経済学の立場からの新しいテキストが**『講座医療経済・政策学 全６巻』**（勁草書房）です。内容はやや専門的ですが、さまざまなトピックスを網羅しており、特定のトピックスについて勉強するのに適しています。あわせて、医療経済学と密接不可分な医療政策については、**ボーデンハイマーほか『アメリカ医療の夢と現実』**（社会保険研究所、2000年）をおすすめします。医療政策の類型化や味わい深い挿話により、医療政策の本質がよく理解できます。医療の質や医療の倫理についても１章を割いており、医療関係者にはとくに適していると思います。医療保険や介護保険の制度の内容については、**小椋野美智子・田中耕太郎『はじめての社会保障制度 第５版』**（有斐閣アルマ、2007年）が初学者向けの内容になっています。なお、ミクロ経済学を最初から学習したい人には、**神取道宏『ミクロ経済学の力』**（日本評論社、2014年）がおすすめです。

分野別のテキスト

次にトピックス別に見てみますと、本書第１章で取り上げた情報の経済学については、**藪下史郎『非対称情報の経済学』**（光文社新書、2002年）がおすすめです。この本は数式などを使わずほんどを図表で説明し、経済学の知識がなくとも十分に理解できる内容になっています。それにもかかわらず、内容は精緻で、ミクロ経済学を学んだ人がもう一度読むと、わかったつもりになっていた価格メカニズムがより深く理解できると思います。もう少し、広い範囲を知りたい人は、**神戸伸輔『入門ゲーム理論と情報の経済学』**（日本評論社、2004年）が情報の経済学全般を取り扱っています。

本書第５章で取り上げた社会的入院については、**印南一路『社会的入院の研究』**（東洋経済新報社、2009年）が、社会的入院の実態に関する精緻な実証研究と、その解決のための包括的な政策を提案しています。

本書第７章で取り上げた医療保険については、**西村周三『保険と年金の経済学』**（名古屋大学出版会、2000年）がおすすめです。内容は先進的でありながら、経済学の基礎知識があれば、楽しく学べます。

また、高齢化に伴う財政や社会保障の問題については、**宮島洋『高齢化時代の社会経済学』**（岩波書店、1992年）が深い洞察を示してくれます。

英語で書かれたテキスト

もし、英語にアレルギーがなく、医療経済学を学びたい方には英語のテキストをおすすめします。海外には国際標準になっているテキストがいくつもあり、内容も精選されているからです。数式を使わずわかりやすさに重点を置いているのが、Folland et al., *The Economics of Health and Health Care, 7th edition*（Prentice Hall, 2012）です。筆者が英国留学した際にも、医療専門職のクラスメートはまずこの本を読んでいました。次に、経済学の基礎知識がある方には、Zweifel, Breyer and Kifmann, *Health Economics, 2nd edition*（Springer, 2009）があります。医療経済学特有の分析手法については、Joes, *Applied Econometrics for Health Economists, 2nd Edition*（Radcliffe Publishing, 2007）が実用的です。なお、英語の医療経済学の辞書としては、Culyer, *The Dictionary of Health Economics*（Edward Elger Publishing, 2005）があります。

実証研究に関するテキスト

実証研究に興味をもたれた方に是非おすすめしたいのが、Culyer and Newhouse ed, *Handbook of Health Economics*（NorhHolland, 2000）です。やや古くなりましたが、世界中の医療経済学の先行研究が網羅されています。ただし、総ページ数が3000頁を越える大著ですので、研究者以外の方は図書館で見たほうがよさそうです。日本のレビュー論文としては**井伊雅子・別所俊一郎「医療の基礎的実証分析と政策」『フィナンシャル・レビュー』**（2006年）が詳細に先行研究をまとめています。ちなみに介護分野では、**山口ひろみ「わが国の介護に関する文献調査――経済学的な視点から」『医療と社会』**（2004年）があります。

先端的な実証研究としては、**田近栄治・佐藤主光編『医療と介護の世代間格差』**（東洋経済新報社、2005年）が医療費・制度改定・混合診療・介護保険など多岐にわたって興味深い分析を掲載しています。ただし、かなりの経済学・計量経済学の知識を必要とします。

統計学や数学に関するテキスト

数学がとくに苦手でない人はこの箇所は必要ありません。数学や統計学が嫌いで、そのために経済学がうまく学習できない人のみ読んでください。

まず、数量化や確率分布に関する事前学習には、**大村平『評価と数量化のは**

なし』（日科技連、1983年）をおすすめします。本書は数学の話をまるで物語のようにわかりやすく書いてあります。数学がわかる人にとっては、まわりくどい説明かもしれませんが、苦手意識のある人が本質を理解するにはこれ以上の本はないでしょう。同じ著者の「数理・統計はなしシリーズ」では統計や多変量解析の本もあります。統計学については、**東京大学『統計学入門』**（東京大学出版会、1991年）、計量経済学については、**山本拓『計量経済学』**（新世社、1995年）が標準的と思います。統計学や計量経済学はさまざまなテキストがありますので、自分で見て難易度があっているものを使うのがよいと思います。

数学については、**チャンほか『現代経済学の数学基礎（上・下）第４版』**（シーエーピー出版、2010年）をおすすめします。本書は、Chiang and Wainwricht, *Fundamental Methods of Mathematical Economics, 4th Edition*（McGraw-Hill, 2005）の訳書ですが、訳もこなれており、必要な数学知識を身につけるのに最適です。

参考文献

赤津晴子（2008）『アメリカの医学教育――そのシステムとメカニズム』日本評論社
油谷由美子（2002）「療養型病床群における患者の実態等に関する調査」『医療経済研究』Vol.12、pp65-84
安藤雄一・河村真・池田俊也・池上直己（1997）「保育園児のう蝕治療における医師誘発需要の検討」『医療と社会』Vol.7、No.3、pp113-133
井伊雅子・別所俊一郎（2006）「医療の基礎的実証分析と政策：サーベイ」『フィナンシャルレビュー』No.80、pp117-156
池上直己（1996）『日本の医療――統制とバランス感覚』中公新書
池上直己（2005）「医療保険の給付範囲をめぐる論点――混合診療と特定療養費制度」遠藤久夫・池上直己編『講座医療経済・政策学――医療保険・診療報酬制度』第9章pp241-261、勁草書房
池田新介（2012）『自滅する選択』東洋経済新報社
石井暎禧（1998a）「老人への医療は無意味か――痴呆老人の生存権を否定する『竹中・広井報告書』」『社会保険旬報』No.1973（1998.2.1）、pp6-13
石井暎禧（1998b）「みなし末期という現実――広井氏への回答」（上・中・下）『社会保険旬報』No.1983（1998.5.1）、No.1984（1998.5.11）、No.1985（1998.5.21）
石井暎禧（2001）「終末期医療費は医療費危機をもたらすか――『終末期におけるケアに係わる制度及び政策に関する研究報告書』の正しい読み方」『社会保険旬報』No.2086（2001.1.21）、pp6-14
泉田信行・中西悟志・漆博雄（1999）「医師の参入規制と医療サービス支出――支出関数を用いた医師誘発需要の検討」『医療と社会』Vol.9、No.1、pp59-69
泉田信行（2004）「患者の受診パターン変化に関する研究」『医療と社会』Vol.14、No.3、pp1-19
依田高典（2009）「やさしい経済学――人間の健康と経済心理　第8回行動健康経済学に」日本経済新聞2009年5月14日掲載
井手恵似子・田中滋（2008）「現場医療者からのフィードバック調査――急性期医療現場で医療が目指すべき方向性は果たされているか」『病院』Vol.67、No.8、pp712-716
井町和義（2007）「終末期医療に対する患者（家族）の意向と医療従事者の対応方法に関する研究」国際医療福祉大学大学院修士論文
医療計画の見直し等に関する検討会（2004）「医療計画の見直し等に関する検討会ワーキンググループ報告書」
http://www.mhlw.go.jp/shingi/2004/09/s0924-8.html
岩本康志（2000）「要介護者の発生に伴う家族の就業形態の変化」『社会保障研究』Vol.36、No.3、pp321-337
印南一路（2009）『「社会的入院」の研究――高齢者医療最大の病理にいかに対処すべきか』NTT出版

印南一路（2009）『「社会的入院」の研究――高齢者医療最大の病理にいかに対処すべきか』東洋経済新報社
漆博雄編（1998）『医療経済学』東京大学出版会
漆博雄・角田由佳（1998）「医療スタッフの労働市場」漆編『医療経済学』東京大学出版会、第７章、pp127-149
遠藤久夫（2006）「医療における競争と規制」西村周三・田中滋・遠藤久夫編『講座医療経済・政策学：医療経済の基礎理論と論点』第６章、勁草書房
遠藤久夫（2011）「医療費の財源と混合診療に関する調査（上）」『週刊社会保障』Vol.65、No.2617、pp22-25
遠藤久夫（2011）「医療費の財源と混合診療に関する調査（下）」『週刊社会保障』Vol.65、No.2618、pp28-33
大倉真人（2002）「レビューアーティクル――保険市場における逆選択研究の展開」神戸大学経営学研究科 Discussion Paper 2002.05、pp8-121
大原信・開原成允（2002）「新しい診療技術の普及と医療保険制度――ピロリ菌除去法を例として」『社会保険旬報』No.2127、pp6-7
大村平（1983）『評価と数量化のはなし』日科技連
岡山明・奥田奈賀子・中村幸志・三浦克之・安村誠司・坂田清美・日高秀樹・岡村智教・西村邦宏（2014）「特定保健指導の効果評価と対照設定の方法に関する研究」『総合健診』Vol.41、No.3、pp418-427
小椋野美智子・田中耕太郎（2007）『はじめての社会保障制度　第５版』有斐閣アルマ
オリコン・メディカル編（2003）『患者が決めた！　いい病院――患者９万人アンケート』オリコン・メディカル
柿原浩明（2004）『入門医療経済学』日本評論社
川上憲人・小林廉毅・橋本英樹編（2006）『社会格差と健康――社会疫学からのアプローチ』東京大学出版会
川上憲人・橋本英樹・近藤尚己（2015）『社会と健康――健康格差解消に向けた統合科学的アプローチ』東京大学出版会
河口洋行（2008）「医療制度の仕組みと概念」田中滋・古川俊治編『ＭＢＡの医療福祉経営』第１章環境、第１節、医学書院
河口洋行・開原成允・菅原琢磨・細小路岳史・大西正利・橋口徹・岡村世理奈（2004）「公的介護保険導入後の長期入院と介護サービス給付に関する研究」（上・下）『社会保険旬報』No.2232、pp6-13、No.2233、pp32-38
河口洋行・田近栄治・油井雄二（2010）「デンマーク・ドイツの医療介護制度」（上・中・下）『社会保険旬報』No.2435（2010.9.11）、No.2436（2010.9.21）、No.2437（2010.10.1）
河口洋行（2012）「公的医療保障と民間医療保険に関する国際比較――公私財源の役割分担とその機能」『成城大学経済』Vol.196、pp59-92
川渕孝一（2000）「保険給付と保険外負担の現状と展望に関する研究報告書」『日本医師会総合政策研究機構報告書』第15号
川渕孝一（2002）「保険外負担の実態と EBM に基づく経済的評価」川渕孝一編『医療改革』第３章、東洋経済新報社

川渕孝一・伊藤由紀子（2013）「補論３　特定健診・保健指導で医療費は削減できるか」『持続可能な医療・介護システムの再構築　報告書』21世紀政策研究所
菊池潤（2010）「高齢期の介護ニーズが在院日数に与える影響——福島県三春町医療・介護個票データを用いた分析」『季刊社会保障研究』Vol.46、No.3、pp235-248
岸田研作（2001）「医師誘発需要仮説とアクセスコスト仮説——２次医療圏、市単位のパネル・データによる分析」『季刊社会保障研究』Vol.37、No.3、pp246-258
厚生省（1998）『厚生白書 平成10年度版』ぎょうせい
厚生省（1999）『患者調査』厚生省
厚生省高齢者介護対策本部（1995）「公的介護システムの構築に向けて（厚生省高齢者介護対策本部資料より）」『週刊社会保障』No.49、pp68-81
厚生労働省（1998）「医師の需給に関する検討会」『平成10年度報告書』厚生労働省
厚生労働省（2018）『医療経済実態調査』厚生労働省
厚生労働省（2018）『医療施設動態調査』厚生労働省
厚生労働省（2018）『平成30年度厚生労働白書』ぎょうせい
厚生労働省（2013）「平成25年度　国民健康・栄養調査」厚生労働省ホームページ http://www.mhlw.go.jp/bunya/kenkou/eiyou/h25-houkoku.html（2015年９月16日閲覧）
厚生労働省（2015a）「特定健診・保健指導の医療費適正化効果等の検証のためのワーキンググループ最終取りまとめ」
厚生労働省（2015b）「特定健診・保健指導の医療費適正化効果等の検証のためのワーキンググループ最終取りまとめ（概要版）」
権丈善一（2006）「医療経済学の潮流——新古典派医療経済学と制度派医療経済学」西村周三・田中滋・遠藤久夫編『講座医療経済・政策学：医療経済学の基礎理論と論点』第１章、pp1-36、勁草書房
近藤克則編（2005）『健康格差社会』医学書院
近藤克則編（2007）『検証 健康格差社会』医学書院
近藤克則編（2007）『検証「健康格差社会」——介護予防に向けた社会疫学的大規模調査』医学書院
小松秀樹（2006）『医療崩壊——立ち去り型サボタージュとは何か』朝日新聞社
斉藤裕美・鴇田忠彦（2003）「混合診療をめぐる一考察——効率性と公平性について」『医療と社会』Vol.13、No.2、pp153-168
斉藤裕美・林成行・中泉真樹（2005）「保険理論からみた混合診療」田近栄治・佐藤主光編『医療・介護の世代間格差』第６章、pp241-262、東洋経済新報社
佐々木宏夫（1991）『情報の経済学——不確実性と不完全情報』日本評論社
澤野孝一郎・大竹文雄（2002）「私的医療保険需要の決定要因——入院診療と医療費負担」『医療と社会』Vol.12、No.3、pp117-136
JPHC study（2014）「多目的コホート研究の成果パンフレット」http://epi.ncc.go.jp/jphc/（2015年９月16日閲覧）
滋野由希子（2000）「私的医療保険の需要と公的医療保険」『季刊社会保障研究』Vol.36、No.3、pp378-390
清水谷諭・野口晴子（2002）「介護サービス施設からの退所決定要因と価格弾力性」ESRI

Discussion Paper Series、No.24
シャバンス、ベルナール（2007）『入門制度経済学』ナカニシヤ出版
週刊朝日（2003）『手術数でわかるいい病院——全国ランキング』週刊朝日 MOOK
鈴木玲子（1998）「医療資源密度と受診・診療行動との関係」郡司篤晃編『老人医療費の研究』第6章、pp50-60、丸善プラネット
鈴木亘（2005）「平成14年診療報酬マイナス改定は機能したのか」田近栄治・佐藤主光編『医療と介護の世代間格差』第５章、pp97-116、東洋経済新報社
鈴木亘・斉藤裕美（2006）「混合診療は不公平か？——アンケート調査を用いた医療規制改革の実証的考察」『日本経済研究』No.53、pp150-173
鈴木亘・岩本康志・湯田道生・両角良子（2012）「高齢者医療における社会的入院の規模——福井県国保レセプトデータによる医療費からの推計」『医療経済研究』Vol.24、No.2、pp108-125
鈴木亘・岩本康志・湯田道生（2015）「特定健診・特定保健指導の効果測定——プログラム評価の計量経済学からのアプローチ」『医療経済研究』Vol.27、No.1、pp2-39
スティグリッツ（2000）『ミクロ経済学』藪下史郎ほか訳、東洋経済新報社
武田俊彦（2003）「特定療養費制度の現状とこれからの課題」『病院』Vol.62、No.7、pp534-539
田近栄治・菊地潤（2006）「介護保険の何が問題か——制度創設過程と要介護状態改善効果の検討」『フィナンシャルレビュー』Vol.80、pp157-186
田近栄治・佐藤主光編（2005）『医療と介護の世代間格差』東洋経済新報社
田近栄治・油井雄二（2001）「介護保険導入１年で何が起きたか——北海道東部３市町村のケース」一橋大学経済研究所 PIE ディスカッションペーパー第47号
田近栄治・油井雄二（2002）「介護保険導入１年で何が起きたか——武蔵野市、国分寺市、横浜市、甲府市のケース」一橋大学経済研究所 PIE ディスカッションペーパー第132号
田村誠（2003）「なぜ多くの一般市民が医療格差導入に反対するのか」『社会保険旬報』No.2192、pp6-11
A. C. チャン（1996）『現代経済学の数学基礎』（上・下）、シーエーピー出版；A. C. Chiang（1984）*Fundamental Methods of Mathematical Economics*, McGraw-Hill
長寿社会開発センター（1996）『福祉のターミナルケアに関する調査研究事業報告書』
津下一代（2011）「特定健康診査と特定保健指導」『日本内科学会雑誌』Vol.100、No.4、pp903-910
電通『日本の広告費』（2008）電通 online
http://www.dentsu.co.jp/marketing/koukokudata.html
東京大学（1991）『統計学入門』東京大学出版会
徳永陸・橋本英樹（2010）「地域介護サービス資源量の増加が高齢の長期入院患者の退院先・在院日数に与える影響の検証」『季刊社会保障研究』Vol.46、No.3、pp192-203
鴇田忠彦（1995）「在宅介護の経済分析」『医療と社会』Vol.5、No.3、pp1-16
鴇田忠彦・中泉真樹（2000）『ミクロ経済学理論と応用』東洋経済新報社
鴇田忠彦・細谷圭・林行成・熊本尚雄（2004）「レセプトデータによる医療費改定の分析」鴇田忠彦編『日本の医療改革』東洋経済新報社、第７章

仲下祐美子・中村正和・木山昌彦・北村明彦（2013）「特定保健指導の積極的支援における4％以上減量成功と生活習慣改善との関連」『日本健康教育学会誌』Vol.21、No.4、pp317-325
二木立（2001）『21世紀初頭の医療と介護』勁草書房
西村周三（1987）『医療の経済分析』東洋経済新報社
西村周三（1998）「21世紀医療保険改革の課題」『社会保険旬報』No.2001（1998.11.1）、pp6-11
西村周三（2000）『保険と年金の経済学』名古屋大学出版会
西村周三・柿原浩明（2006）「医療需要曲線と医師誘発需要仮説をめぐって」西村周三・田中滋・遠藤久夫編『講座医療経済・政策学：医療経済学の基礎理論と論点』第5章pp107-122、勁草書房
野村恭子（2011）「わが国の医師不足問題――医師臨床研修制度と医師の人的医療資源の活用」『日本公衆衛生学会誌』Vol.66、pp22-28
長谷川敏彦編（2002）『病院経営戦略』医学書院
橋口徹・細小路岳史・大西正利・菅原琢磨・河口洋行・開原成允（2003）「介護保険導入による自治体の老人保健財政及び一般会計への影響」（上・下）『社会保険旬報』No.2196（2004.1.21）、pp.6-9、No.2197（2004.2.1）、pp.28-33
畑農鋭矢（2004）「社会的入院の定量的把握と費用推計」『医療経済研究』Vol.15、pp23-35
花岡智恵・鈴木亘（2007）「介護保険導入による介護サービス利用可能性の拡大が長期入院に与えた影響」『医療経済研究』Vol.19、No.2、pp111-127
林成行・山田玲良（2003）「混合診療禁止制度に関する経済理論的考察」『医療と社会』Vol.13、No.3、pp73-85
ハロッド、ロイ・F.（1954）『ケインズ伝』（上・下）、塩野谷九十九訳、東洋経済新報社
広井良典（1998a）「ターミナルケア議論において真に求められる視点は何か――『死の医療化』への深い疑問について」『社会保険旬報』No.1975（1998.2.21）、pp13-17
広井良典（1998b）「これからのターミナルケアに求められる視点」『社会保険旬報』No.1994（1998.8.21）、pp12-20
府川哲夫（1995）「老人医療における社会的入院の大きさについての統計的アプローチ」『医療経済研究』Vol.2、pp47-53
府川哲夫・郡司篤晃（1994）「老人死亡者の医療費」『医療経済研究』Vol.1、pp107-118
福田素生（2000）「介護保険制度により提供される介護サービスについて――医療や福祉との関係を中心に」『季刊社会保障研究』Vol.36、No.2、pp210-223
伏見清秀（2009）「医療経営の視点から」『オペレーションズ・リサーチ：経営の科学』Vol.54、No.7、pp373-378
フュックス、V. R.（1990）『保健医療の経済学』勁草書房
ボーデンハイマー、T. S. ／グラムバッハ、G.（2000）『アメリカ医療の夢と現実――アメリカ医療を臨床面からみる』社会保険研究所
マックベイク、B. クラマナヤケ／L. ノルマンド、C.（2004）『国際的視点から学ぶ医療経済学入門』東京大学出版会
満武巨裕・福田敬・古井祐司（2010）「特定健診データと医療費データからみる特定保健指

導対象者の検討」『厚生の指標』Vol.57、No.7、pp8-13
宮島洋（1992）『高齢化時代の社会経済学』岩波書店
村本あき子・山本直樹・中村正和・小池城司・沼田健之・玉腰暁子・津下一代（2010）「特定健診・特定保健指導における積極的支援の効果検証と減量目標の妥当性についての検討」『肥満研究』Vol.16、No.3、pp182-187
薮下史郎（2002）『非対称情報の経済学』光文社新書
山口ひろみ（2004）「わが国の介護に関する文献調査：経済学的な視点から」『医療と社会』Vol.14、No.1、pp1-16
山田武（1994）「高齢者歯科サービスの不均衡分析」『医療と社会』Vol.4、No.1、pp114-138
山田武（2002）「国民健康保険支払い業務データを利用した医師誘発需要の検討」『季刊社会保障研究』Vol.38、No.1、pp39-51
山本拓（1995）『計量経済学』新世社
兪炳匡（2008）『改革のための医療経済学』メディカ出版、pp127-144
横内正利（1998a）「高齢者の終末期とその周辺――みなし末期は国民に受け入れられるか」『社会保険旬報』No.1976（1998.3.1）、pp13-19
横内正利（1998b）「高齢者の自己決定権とみなし末期――自己決定権の落とし穴」（上・下）『社会保険旬報』No.1991（1998.7.21）、pp12-16、No.1992（1998.8.1）、pp30-34
吉田あつし・伊藤正一（2000）「健康保険制度の改定が受診行動に与えた影響」『医療経済研究』Vol.7、pp101-119
吉田あつし（2009）『日本の医療のどこが問題か』NTT 出版

Ainslie, G.（1991）“Derivation of Rational Economic Behavior from Hyperbolic Discount Curves”, *American Economic Review,* Vol.81, Issue 2, pp334-340
Akerlof, G.（1970）“The Market for Lemon's: Qualitative Uncertainty and the Market Mechanism”, *Quarterly Journal of Economics,* Vol.84, pp488-500
Angeletos, G.-M. et al.（2001）“The hyperbolic consumption model: calibration, simulation and empirical evaluation”, *Journal of Economic Perspective,* Vol.15, No.3, pp47-68
Bechanan, J. and Cretin, S.（1986）“Risk Selection of Families Electing HMO Membership”, *Medical Care,* Vol.24, No.1, pp39-51
Becker, G. S. and Mulligan, C. B.（1997）“The endogenous determination of time preference”, *Quarterly Journal of Economics,* Vol.112, No.3, pp729-758
Becker, G. S. et al.（2007）“The Value of Life Near its End and Terminal Care”, *National Bureau of Economic Research Working Paper,* No.13333
Bosshard, G. et al.（2005）“Forgoing Treatment at the End of Life in 6 Europian Countries”, *Archives of Internal Medicine,* Vol.165, pp401-407
Bradford, W. D. and Martin, R. E.（1995）“Office Triage and the Physician's Supply Curve”, *Emipirical Economics,* Vol.20, 303-323
Cawle, J. and Ruhm, C. J.（2012）“The Economics of Risky Health Behaviors”, In Pauly M. V. et al.（ed.）, *Handbook of Health Economics* Vol.2, pp95-199, North Holland
Chamberlin, E. H.（1933）*The Theory of Monopolistic Competition,* Harvard University Press.

青山秀夫訳（1966）『独占的競争の理論』至誠堂
Chei, C.-L. et al.（2008）"Body fat distribution and the risk of hypertension and diabetes among Japanese men and women", *Hypertension Research*, Vol.31, No.5, pp851-857
Chen, J., Radford, M., Wang, Y., Marciniak, T. and Krumholz, H.（1999）"Performance of the 100 Top Hospitals: What Does the Report Card Report", *Health Affairs*, Vol.18, No.4, pp53-68
Coelen, C. and Sullivan, D.（1981）"An Analysis of the Effect of Prospective Reimbursement Programs on Hospital Expenditures", *Health Care Financing Review*, Vol.2, No.3, pp1-40
Cone, K. and Dranove, D.（1986）"Why Did States Enact Hospital Rate-setting Laws? ", *Journal of Law and Economics*, Vol.29, No.2, pp287-302
Culter, D. M. and Graeser, E. L.（2005）"What Explains Differences in Smoking, Drinking and Other Health-Related Behaviors", *American Economic Review*, Vol.95, No.2, pp238-242
Culyer, A. J.（1989）"The Normative Economics of Health Care Finance and Provision", *Oxford Review of Economic Policy*, Vol.5, pp34-58
Culyer, A. J. and Wagstaff, A.（1993）"Equity and Equality in Health and Healthcare", *Journal of Health Economics*, Vol.12, No.1, pp431-457
Culyer, A. J. and Newhouse, J. P. eds.（2000）*Handbook of Health Economics*, North Holland
Culyer, A. J.（2005）*The Dictionary of Health Economics*, Edward Eager Publishing
Department of Health（1999）*Saving Lives: Our Healthier Nation*, U.K. Department of Health
Donabedian, A.（1966）"Evaluating the Quality of Medical care", *The Milbank Memorial Fund Quarterly*, Vol.44, No. 3, Part 2 , pp166-206
Dranove, D. and Satterthwhite, M.（2000）"The Industrial Organization of Health Care Markets", Culyer, A. J. and Newhouse, J. P., eds, *Handbook of Health Economics*, Chapter 20, North Holland
Dranove, D. and Wehner, P.（1994）"Physician-induced Demand for Childbirths", *Journal of Health Economics*, Vol.13, No.1, pp61-73
Dranove, D. and White, W. D.（1987）"Agency and the Organization of Health Care Delivery", *Inquiry*, Vol.24, pp405-415
Eakin, B. K.（1991）"Allocative Efficiency in the Production of Hospital Services", *Southern Economic Journal*, Vol.58, No.1, pp240-248
Ellis, R. P. and McGuire, T. G.（1996）"Hospital Response to Prospective Payment: Moral Hazard, Selection, and Practice-style Effect", *Journal of Health Economics*, Vol.15, No.3, pp257-277
Fanara, P. and Greenberg, W.（1985）"Factors Affecting the Adoption of Prospective Reimbursement Programs by State Government", Meyer, J. A. eds, *Incentive vs Controls in Health Policy*, pp144-156, American Enterprise Institute for Public Policy Research
Folland, S., Goodman, A. C. and Stano, M.（2001）*The Economics of Health and Health Care*, Prentice Hall
French, E. B. et al.（2017）"End-Of-Life Medical Spending In Last Twelve Months Of Life Is Lower Than Previously Reported", *Health Affairs*, Vol.36, No.7, pp1211-1217
Fry, J. eds.（1980）*Primary Care*, William Heinemann

Fuchs, V. R. (1978) "The Supply of Surgeons and the Demand for Operations", *Journal of Human Resources*, Vol.13 (Supplement), pp35-56

Fuchs, V. R. (1982) "Time Preference and Health: An Exploratory Study", In Fuchs, V. R. (ed), *Economic Aspects of Health*, University of Chicago Press. pp93-120

Garber, A. et al. (1998) "Diagnosis and Medicare Spending at the End of Life: Frontiers in the Economics of Aging", *University of Chicago Press*

Gaynor, M. (1994) "Issues in the Industrial Organization of the Market for Physician Services", *The Journal of Economics and Management Strategy*, Vol.3, No.1, pp211-255

GBD 2013 Mortality and Causes of Death Collaborators (2015) "Global, regional and national age-sex specific all-cause and cause-specific mortality for 240 causes of death, 1990-2013: a systematic analysis for the Global Burden of Disease Study 2013" *The Lancet*, vol.385, No. 9963, pp117-171

Giuffrida, A. and Gravelle, H. (2001) "Inducing or Restraining Demand: The Market for Night Visits in Primary Care", *Journal of Health Economics*, Vol.20, No.5, pp755-779

Ginsburg, P. B. (1978) "Impact of Economic Stabilization Program on Hospitals: An Analysis of Aggregate Data", Zubkoff, M. Raskin, I. E. and Hanft, R. S. eds, *Hospital Cost Containment*, Prodist, pp293-323

Glazar, J. and McGuire, T. G. (1993) "Should Physicians Be Permitted to 'Balanced Bill' Patients?", *Journal of Health Economics*, Vol.12, No.1, pp239-258

Gozalo, P. L. et al. (2007) "Hospice Effect on Government Expenditures among Nursing Home Residents", *Health Service Research*, Vol.43, No.1, pp134-153

Grosman, M. (1972) "On the Concept of Health Capital and Demand for Health", *Journal of Political Economy*, Vol.80, No.2, pp223-255

Gutacker, N. et al. (2017) "Hospital Surgical Volumes and Mortality after Coronary Artery Bypass Grafting: Using International Comparisons to Determine a Safe Threshold", *Health Servey Resarch*, Vol.52, No.2, pp863-878

Hadley, J. and Swartz, K. (1989) "The Impacts on Hospital Costs between 1980-1984 of Hospital Rate Regulation, Competition and Changes in Health Insurance Coverage", *Inquiry*, Vol.26, pp35-47

Hashimoto, H. et al. (2010) "Micro Data Analysis of Medical and Long-Term Care Utilization among the Elderly in Japan", *International Journal of Environmental Research and Public Health* Vol.7, pp3022-3037

Hay, J. and Leahy, M. J. (1982) "Physician Induced Demand", *Journal of Health Economics*, Vol.1, No.2, pp231-244

Hickson, G. B. et al. (1987) "Physician Reimbursement by Salary or Fee for Service: Effect on a Physician's Practice Behavior in a Randomized Prospective Study", *Pediatrics*, Vol.80, pp744-750

Hamilton, V. (1995) "Risk Selection: A Major Issue in Internal Market", Jerome-Forget, M. White, M. and Wiener, J. M. eds, *Healthcare Reform through Internal Markets; Experiments and Proposal*, the Brooking Institution

Hoover, D. R. et al. (2002) "Medical Expenditures during the Last Year of Life: Findings from the 1992-1996 Medicare Current Beneficiary Survey", *Health Service Research*, Vol.37, pp1625-1642

Ikeda, S. et al. (2010) "Hyperbolic discounting, the sigh effect, and the body mass index", *Journal of Health Economics*, Vol.29, No.2, pp268-284

Kadota, A. et al. (2011) "Diabetes mellitus, glucose intolerance and the risk of cardiovascular diseases: The Japan Atherosclerosis longitudinal study -Existing cohorts combine", *Journal of Epidemiology Community Health* 65, pp388

Kinari, Y. et al. (2009) "Time discounting: Declining impatience and interval effect", *Journal of Risk and Uncertainly*, Vol.39, Issue1, pp87-112

King's Fund (2015) "Inequalities in Life Expectancy: Changes over Time and Implications for Policy", King's Fund

Komlos, J. et al. (2004) "Obesity and the rate of time preference: Is there a connection?", *Journal of Biosocial Science*, Vol.36, Issue 2, pp209-219

Labelle, R., Stoddart, G. and Rice, T. (1994) "A Re-examination of the Meaning and Importance of Supplier Induced Demand", *Journal of Health Economics*, Vol.13, No.3, pp347-368

Lane, J. and Gohman, S. (1995) "Shortage or Surplus: Economic and Noneconomic Approaches to the Analysis of Nursing Labor Markets", *Southern Economic Journal*, Vol.61, pp644-653

Langa, K. M. and Sussman, E. J. (1993) "The Effect of Cost-Containment Policies on Rates of Coronary Revascularization in California", *The New England Journal of Medicine*, Vol.329, No.24, pp1784-1789

Lanning, J. A., Morrisey, M. A. and Ohsfeldt, R. L. (1991) "Endogenous Hospital Regulation and its Effects on Hospital and Non-hospital Expenditures", *Journal of Regulatory Economics*, Vol.3, pp137-154

Lee, R. I. and Jones, L. W. (1933) "The Fundamentals of Good Medical Care", Chicago University Reinhardt (1994) "Planning the Nation's Health Workforce Let the Market In", *Inquiry*, Vol.31, pp250-263

Link, C. R. (1992) "Labor Supply Behavior of Registered Nurses", *Research in Labor Economics* 3, pp287-320

Luft, H. S., Trauner, J. B and Maerki, S. C. (1985) "Adverse Selection in a Large, Multiple-option Health Benefits Program", *Advances in Health Economics and Health Service Research*, Vol.6, pp197-229

Luft, H. S. et al. (1990) "Dose Quality Influence Choice of Hospital?", *Journal of the American Medical Association*, Vol.263, pp2899-2906

Lynn, J. and Adamson, D. M (2003) "Living well at the End of life: Adapting Health Care to Serious Chronic Illness in Old Age", *White Paper*, Vol.137, Rand Corporation

Manning, W. A., Leibowitz, G. A., Goldberg, G. A., Rogers, W. H and Newhouse, J. P. (1984) "A Controlled Trial of the Effect of a Prepaid Group Practice on the Use of Services", *New England Journal of Medicine*, Vol.310, No.23, pp1505-1510

McGuire, T. G. (2000) "Physician Agency", Culyer, A. J. and Newhouse, J. P., eds, *Handbook of Health Economics*, North Holland, Chapter 9

Moore, G. T. (1994) "Will the Power of the Marketplace Produce the Workforce We Need?", *Inquiry*, Vol.31, 276-282

Musgrave, R. A. and Musgrave, P. B. (1989) *Public Finance in Theory and Practice*, McGraw-Hill

Murphy, G. T. et al. (2009) "Planning for What? Challenging the Assumptions of Health Human Resources Planning", *Health Policy*, Vol.93, pp225-233

Nakamura, K. et al. (2007) "Medical costs of obese Japanese: a 10-year follow-up study of National Health Insurance in Shiga, Japan", *European Journal of Public Health*, Vol.17, No.5, pp424-429

Neumann, V. J. and Morgenstern, O. (1953) *The Theory of Games and Economic Behavior*, Princeton University Press

New York State Department of Health (2001) "Coronary Artery Bypass Surgery in NY State 1996-1998", p10, Figure1

OECD (2004) "Private Health Insurance in OECD Countries", The OECD Health Project

Payne, G. et al. (2007) "Counting Backward to Health Care's Future", *The Milbank Quartery*, Vol.85, No.2, pp213-257

Ohmori-Matsuda, K. et al. (2007) "The joint impact of cardiovascular risk factors upon medical costs", *Preventive Medicine*, Vol.44, No.4, pp349-355

Philips, L. (1988) *The Economics of Imperfect Information*, Cambridge University Press

Polder, J. J. et al. (2006) "Health Care Costs in the Last Year of Life?: The Dutch Experience", *Social Science & Medicine*, Vol. 63, pp1720-1731

Rees, R. (1989) "Uncertainty, Information and Insurance", Hey, J. D. eds, *Current Issues in Microeconomics*, Palgrave Macmillan

Reinhardt, U. E. (1989) "Economics in Health Care: Saviors, or Elephants in a Porcelain Shop?", *American Economic Review*, Vol. 79, pp337-342

Reinhardt, U. E. (1994) "Germany's Health Care System: It's Not the American Way", *Health Affairs*, Vol.13, pp22-24

Rice, T. H. (1983) "The Impact of Changing Medicare Reimbursement Rates on Physician-Induced Demand", *Medical Care*, Vol.21, pp803-815

Richards, T. J. and Hamilton, S. F. (2012) "Obesity and Hyperbolic Discounting: An Experimental Analysis", *Journal of Agricultural and Resource Economics*, Vol.37, No.2, pp181-198

Rochaix, L. (1993) "Financial Incentives for Physicians; the Quebec Experience", *Health Economics*, Vol. 2, pp163-176

Roemer, M. (1961) "Bed Supply and Hospital Utilization: A Natural Experiment", *Hospitals*, Vol.35, p36-42

Roos, P. (2001) "Measuring Output of Hospital Service", Fox, K. J., eds, *Efficiency in Public Sector*, Kluwer Academic Publisher

Rossiter, L. and Wilensky, G.（1983）“A Re-examination of the Use of Physician Services: The Role of Physician-intended Demand”, *Inquiry*, Vol.20, pp162-172

Rothchild, M. and Stiglits, J.（1976）“Equilibrium in Competitive Insurance Markets: An Essay on The Economics of Imperfect Information”, *Quarterly Journal of Economics*, Vol.90, pp629-649

Muto, S.（1986）“An Information Good Market with Systematic Externalities”, *Econometrica*, Vol.54, No.2, pp295-312

Salkever, D. S.（1979）*Hospital Sector Inflation*, Lexington Books

Salkever, D. S. and Steinwachs, D. M.（1988）“Utilization and Case-mix Impacts of Per Case Payment in Maryland”, *Health Care Financing Review*, Vol.9, No.3, pp23-32

Salkever, D. S.（2000）“Regulation of Prices and Investment in Hospitals in the U. S.”, Culyer, A. J. and Newhouse, J. P., eds, *Handbook of Health Economics*, North Holland, Chapter 28

Samuelson, P. A.（1937）“A note on the Measurement of Utility”, *Review of Economic Studies*, Vol.4, No.2, pp155-161

Schwartz, W. B. et al.（1988）“Why There Will Be Little of No Physician Surplus between Now and the Year 2000”, *The New Englnad Journal of Medicine*, Vol.318, No.14 , pp892-897

Sechamani, M. and Gray, A.（2004）“A longitudinal study of the effects of age and time to death on hospital costs”, *Journal of Health Economics*, No.23, pp217-235

Sloan, F. A. and Steinwald, B.（1980）“Effects of Regulation on Hospital Costs and Input Use”, *Journal of Law and Economics*, Vol.23, pp81-109

Sloan, F. A.（1981）“Regulation and the Rising Cost of Hospital Care”, *The Review of Economics and Statistics*, Vol.63, No.4, pp479-487

Smith, M. and Yawn, B. P.（1994）“Factors Associated with Appointment Keeping in a Family Practice Residency Clinic”, *The Journal of Family Paractice*, Vol.38, pp25-29

Smith, P. K. et al.（2005）“Are time preference and body mass index associated? Evidence from the National Longitudinal Survey of Youth”, *Economics and Human Biology*, Vol.3, No. 2, pp259-270

Spence, M.（1973）“Job Market Signaling”, *Quarterly Journal of Economics*, Vol. 87, pp355-374

Strumwasser, I., Paranjpe, N. V., Ronis, D. L., Mcginnis, J. and Kee, D. W.（1989）“The Triple Option Choice: Self-selection Bias in Traditional Coverage, HMOs, and PPOs”, *Inquiry*, Vol. 26, No.4, pp432-441

Thaler, R.（1981）“Some empirical evidence of dynamic inconsistency”, *Economic Letters*, Vol.8, Issue3, pp201-207

Thaler, R. and Shefrin, H. M.（1981）“An Economic Theory of Self-Control”, *Journal of Political Economy*, Vol.89, Issue 2, pp392-406

Thrope, K. E. and Phelps, C. E.（1990）“Regulatory Intensity and Hospital Cost Growth”, *Journal of Health Economics*, Vol.9, No.2, pp143-166

van de Ven, W. P. M. M. and van Vliet, R. C. J. A.（1992）“How Can We Prevent Cream Skimming in a Competitive Health Insurance Market?”, Zweifel, P. and French, H. E. eds.,

Health Economics Worldwide, Kluwer Academic Publishers

Worthington, N. L. and Piro, P. (1982) "The Effects of Rate Setting Programs on Volumes of Hospital Services", *Health Care Financing Review*, Vol.4, No.2, pp47-66

Yuda, M. (2009) "Income and Substitution Effects in Physician-induced Demand: Empirical Evidence Based on Reviews of Medical Bills", 中京大学経済研究所 Discussion Paper, No. 0811

Zwanziger, J. and Auerbach, G. A. (1991) "Evaluating PPO Performance Using Prior Expenditure Data", *Medical Care*, Vol.29, No.2, pp142-151

Zweifel, P. and Breyer, F. (1997) *Health Economics,* Oxford University Press

Zweifel, P. et al. (1999) "Ageing of Population and Health Care Expenditure: A Red Herring?", *Health Economics*, Vol.8, pp485-496

索 引

あ行

か行

さ行

た行

な行

は行

ま行

ら・わ行

●著者紹介

河口　洋行（かわぐち　ひろゆき）

略歴
1989年　一橋大学商学部卒業後、同年日本興業銀行入行
2000年　国際医療福祉大学国際医療福祉総合研究所入所
2001年　英国ヨーク大学大学院経済学部医療経済学科入学
2002年　英国ヨーク大学大学院経済学部医療経済学科修了
2002年　国際医療福祉大学大学院助教授
2006年　一橋大学経済学研究科博士後期課程入学
2008年　一橋大学経済学研究科博士後期課程修了（博士〔経済学〕）
2008年　国際医療福祉大学医療経営管理学科准教授
現　在　成城大学経済学部教授

著書
『医療の効率性測定——その手法と問題点』（勁草書房、2008年）ほか

医療の経済学［第4版］——経済学の視点で日本の医療政策を考える

2009年９月25日　第１版第１刷発行
2012年１月20日　第２版第１刷発行
2015年12月15日　第３版第１刷発行
2020年12月25日　第４版第１刷発行

著　者——河口洋行
発行所——株式会社日本評論社
〒170-8474　東京都豊島区南大塚3-12-4
電話　03-3987-8621（販売）　-8595（編集）
振替　00100-3-16
印　刷——精文堂印刷株式会社
製　本——井上製本所
装　幀——林　健造

Printed in Japan
ISBN 978-4-535-55996-7